1/00   39,80

Kieseritzky

Kleiner Reiseführer ins Nichts

Roman

pour ma
chère
Beza
[illegible]
[illegible]
im Sommer
2000
in Berlin
akademie

Klett-Cotta

Für Karin

1

Schreiben Sie das alles ruhig auf, hatte mir Dr. Searl gesagt, wenn Sie darunter leiden, und schreiben Sie meinetwegen die ganze Wahrheit, auch wenn sie peinlich ist.

Die Wahrheit ist immer nur für andere peinlich, das ist meine Meinung, und wie Ramsey einmal sagt, ist die Wahrheit, wie sie auch aussehen mag, dem Denken vorgegeben.

Und nehmen Sie sich, auch das hatte mir Dr. Searl nach einem sehr flüchtigen Besuch gesagt, dringend eine Putzfrau. Freilich fürchtete der kluge Analytiker, daß ich mich in sie verlieben würde, ganz unabhängig von Inhalt oder Form, das sei eine gewisse Gefahr – und leider sehe auch ich diese Gefahr, denn ich verliebe mich immer blitzschnell; ein Blick, und ich bin entflammt, ein beliebiges Detail genügt, eine Wade, ein Schenkel, eine Kniekehle – vor allem die Kniekehlen erschüttern mich immer wieder –, die Hüften, der Busen, der Po und vor allem das Gesicht, und auch da genügen schon Einzelheiten, ein kleiner Nasenhöcker oder asymmetrische Zähne.

Es gibt keine häßlichen Frauen auf der Welt. Jede Frau hat einen bestimmten, einmaligen, mitunter verwickelten und schwer durchschaubaren Reiz. Schönheit – es ist übrigens April, und es herrscht viel Nebel da draußen – ist nicht immer alles! Der Schmelz oder die Sprödigkeit der Stimme, der Schimmer der Haut, der Glanz der Augen, die Zunge, die während des Sprechens erscheint, sind ganz ungeheuer und bestrickend.

Ich kann mit dem Edding 0,2 nicht weiterschreiben, der Stift ist irgendwie zu rigide für eine Situation, in der ich ein neues Tagebuch beginnen will. Es handelt sich um einen Blindband, Ganzleinen, in einem mittleren Format. Mit einem dünneren Strich wird die Schrift beinahe schwerelos, und die Wahrheit geht leichter von der Hand. Es sind ja doch eine ganze Menge Wahrheiten, so daß der Plural wohl erlaubt ist, und sie sollten heraus.

In dem geräumigen Zimmer bei der Witwe Hawkins (streng, aber attraktiv) beherberge ich seit meiner Ankunft vor drei Jahren vier oder fünf Familien aus der Gattung der Hausmaus, mus musculus, und sie haben in ihrer Zierlichkeit etwas Weibliches. Die meisten leben im Kasten des Schrankes, zwei Familien in der mittleren Schublade der Kommode neben dem Kamin, der Rest ist nicht seßhaft und wandert.

Ich habe eine Schwäche für die Beobachtung von Tieren; natürlich wären Exkursionen in der freien Wildbahn ergiebiger, mehr Fauna sozusagen, und vielleicht bekäme man hin und wieder hübsche Pfadfinderinnen zu sehen, aber da ich schlecht zu Fuß bin – Senk-, Spreiz- und Plattfüße sind schon recht hinderlich –, beobachte ich meine Hausmäuse, heimlich, das versteht sich, denn Mäuse im Haus sind aus unerfindlichen Gründen nicht beliebt; gewisse Leute, vor allem Frauen, hegen sogar eine lebhafte Abneigung gegen diese Tierchen.

Freilich gibt es auch objektive Gründe, meine Mäuse exakt zu beobachten. Ich schrieb unter den Fittichen der Animismus-Vorlesungen Prof. Urmsons eine Arbeit *Über die Seelenreisen von Seelentieren,* und zu denen gehören nun einmal Vögel, Schmetterlinge, Eidechsen und Mäuse. Läßt man die Mäuse rigoros fallen, kann man mit Frauen freimütig über all die anderen Seelentiere sprechen; dabei gibt es manchmal ein wenig Kontakt.

Die Menschen, behauptete einmal ein berühmter Anthropologe, sind verschieden, das trifft auch auf meine Mäuse zu. Man muß den Tieren, wenn sie einen gewissen Grad an Zutraulichkeit an den Tag legen, Namen geben, und die Namen müssen sich nach ihren Wesensmerkmalen richten. Die Soubretten-Familie war am lebhaftesten und zeigte sich ungeniert am Tage, die Rinaldinis stahlen schamlos und waren, bei Licht betrachtet, auch nicht ganz reinlich; aber das mögen Vorurteile sein. Die Oblomows verschliefen – vielleicht auf Grund eines rätselhaften Gens – ihr halbes Leben und wirkten auch bei gewöhnlich schnellen Aktivitäten wie Laufen, Springen, Hüpfen oder Balancieren träge, während die Columbus-Sippe entdeckungsfreudig und neugierig voller Anmut Tag und Nacht an allen Orten wimmelte.

Kam ich am späten Nachmittag aus der Gerassimow – Gedenkbibliothek, versorgte ich meine Hausgenossen. Es war ein friedliches, harmonisches, ereignisreiches und geregeltes Leben, das ich da bei der Witwe Hawkins führte, die gottlob unter einer Phobie gegen Schmutz litt, die es ihr nicht erlaubte, die Zimmer der Mieter zu putzen.

Die meisten meiner Mäuse starben eines natürlichen Todes. Hin und wieder gab es Unfälle, wie in allen Familien mit unmündigen Kindern oder ungestümen Jugendlichen, zum Beispiel im Herbst des letzten Jahres, als zwei Jungmäuse der Sippschaft Columbus den Toaster untersuchten, den ich danach durch einen anderen ersetzen mußte.

Ich begrub den Toaster mit Hilfe eines Suppenlöffels im Garten und hörte dazu auf dem alten Kassettenrecorder Marian Faithfull; sehr stimmungsvoll.

Auf eine ältere Maus – zwei Tage vor Mimis Ableben – namens James, William natürlich und nicht Henry, setzte sich ein Studienkollege, ein gewisser Clemm, auch Ethnologie bei Urmson. Als er sich nach seinem Besuch erhob, wir hatten gemeinschaftlich und nebenbei zwei Flaschen Port, einen Tawny, geleert und ein anregendes, pausenreiches Gespräch über Bestattungsriten geführt, entdeckte ich rechtzeitig James' ziemlich platten Leichnam und warf ein Kissen über ihn, auf dem gestickt stand *easy come, easy go* ..., denn Clemm ekelte sich zu meinem Leidwesen vor fast allen Tieren, mochten es Vögel, Katzen, Hunde oder Insekten sein. Er hatte ein Faible für Fische. Ich wieder – und die Wahrheit muß heraus – ekelte mich leicht vor Menschen, vor bestimmten Menschen jedenfalls. Auf Distanz war mir Clemm angenehm, er hatte gute Manieren, litt nicht unter Ausschlägen, benutzte ein dezentes After Shave der Marke Floris

7

und war, nicht zuletzt, eine Fundgrube entlegener Kenntnisse des englischen, afrikanischen und amerikanischen Bestattungswesens. Mitunter hob er seine fleischige Nase aus dem Portweinglas und bemerkte, es röche bei mir nach Pipi chat. Ich konnte ihn mit dem Hinweis beruhigen, an einer Katzenhaar-Allergie zu laborieren, und damit gab er sich zufrieden.

Ich glaube nach wie vor, die Mäuse zeigten sich nicht vor Clemm, weil der Kollege, der seit drei Jahren neben mir in der Gerassimow-Gedenkbibliothek saß, eine Kater-Aura hatte. Jahraus, jahrein, mit kleinen Unterbrechungen, wenn seine schreckliche Mutter kam (ein alter Geier mit violetten Haaren), trug der gute Clemm rotbunte Harristweed-Saccos. Er hatte dicke, sehr gepolsterte Pfoten mit übermäßig langen, spitz gefeilten Nägeln, schräge, gelblich-grüne Augen und schnurrte während der Denkpausen, in denen er einen neuerlichen Sprechakt vorbereitete, und wenn er gähnte, rollte er seine Zunge zusammen wie ein Kater. Sein Verhältnis zu Katzen war mir nicht bekannt, aber wer, wie Clemm, die bläschenreiche Taubstummensphäre der Fische bevorzugt, kann kein wirklich gutes Verhältnis zu Frauen haben.

2

April, abermals Sonntag, Maus Mimi acht Tage im Orkus.

Man müßte sich über die Zeichen, ob sie nun signifikant sind oder nicht, einen besseren Überblick verschaffen, dann hätte man's mit den Interpretationen leichter. An jenem Freitag rückte Clemm, als wir schon zu einem Abschiedsschluck Gin übergegangen waren, mit einer Art von Anliegen heraus. Er fragte mich auf seine umständliche Weise, ob ich seinen Goldfisch zwei Tage in Pension nehmen könne, ein Tier, das er Ramsey nannte, Gott weiß, warum.

Dagegen sei, sagte ich, nichts einzuwenden, solange sich der Fisch ruhig in seinem Glas verhalte. Das mache er wohl, sagte Clemm nach einer Denkpause. Nachdem das Fish-Sitting-Problem gelöst war, fragte er, wie ich mit meinen Arbeiten vorankäme.

Der Plural ‚Arbeiten‘ ist korrekt. Wegen einer gewissen Nervosität oder kraft einer inneren Unruhe mußte ich immer sehr verschiedene Projekte aus allen Zonen am Wickel haben. Ich schrieb an einem Aufsatz mit dem Titel *Die Arbeit und ihre seelischen Kosten*, von dem schon vier handschriftliche Seiten existierten. Auf mittelgroßen Karteiblättern notierte ich Einfälle und Fundsachen für eine Abhandlung *Über die Geschichte des Pantoffelsarkophags bei den Phöniziern*; sodann zeichnete ich – auf Koordinatenpapier und mit einem 0,1 Edding – die verschlungenen Routen der *Reisen Alexanders des Großen nach seinem Tod*; eine hochinteressante Studie über Umbettungen in der alten Welt. Solche Schriften, diese war leider noch nicht fertig, konnte man irgendwann immer mal brauchen. Ein paar reizvolle Nebenarbeiten, die dem stillen Abend, einem Ruby-Port und der Mäusebeobachtung vorbehalten waren, beschäftigten mich ebenfalls, aber nicht sehr intensiv – das waren Projekte, die viel Zeit verlangten, wie zum Beispiel die mit dem Arbeitstitel *Die Maus in der Mythologie* – viel Material, viel Lektüre.

Ich komme leidlich voran, sagte ich. Ja, leidlich war in dem Augenblick der beste Ausdruck – und wie es ihm erginge?

Clemm schrieb eine Abhandlung über die *Verwandtschaftsgrade von Mensch und Tier in totemistischen Gesellschaften* und war, soviel ich in Erfahrung gebracht hatte, bei den Maoris und den Eidechsen hängengeblieben.

Jaja, murmelte er, der Animismus, Prof. Urmsons Steckenpferd.

Glaubst du, fragte Clemm, eigentlich an die Idee von Guardian Angels – auf deutsch sagt man, glaube ich, Schutzengel?

9

In diesem Augenblick sah ich zu meiner Bestürzung die Maus Mimi, die – wider alle mündlichen Verabredungen – auf dem Akanthus-Rahmen des Bildes Mühle im Nebel spazieren ging. Hin und wieder richtete sie sich auf und inspizierte die Flecken an der getünchten Wand.

Dann setzte sie sich, immer hinter Clemms breitem Rücken, auf die Hinterpfoten, nahm ihren Schwanz possierlich in die Vorderpfoten, untersuchte sorgsam die Spitze, setzte sich wieder auf alle vier Pfoten und flanierte ungeniert weiter.

Schutzengel, sagte ich, nein. Ich glaubte nicht an Schutzengel. Engel, sagte ich, gibt's nicht.

Clemm sagte, er sei da nicht so sicher, er habe garantiert einen Schutzengel, einen unansehnlichen, alten, geschlechtslosen Trottel, der ihn mit grober Stimme hin und wieder in heiklen Augenblicken berate. Paß' auf, alter Idiot, sagte er dann wohl, oder gib auf die Stufen acht, Schnapsdrossel.

Interessant, sagte ich, während ich die leichtfertige Maus im Auge behielt, ob sein Engel einen Namen habe?

Du lieber Himmel, nein, sagte Clemm, wahrscheinlich ist dieser sog. Schutzengel oder Guardian Angel nur das Synonym für die Stimme des schlechten Gewissens, und die verdiene keine Extra-Namen.

Da habe er wohl recht, sagte ich und fügte hinzu, daß der Glaube an Engel albern und anrüchig sei, als Rationalist könne man sich derlei Dinge gar nicht leisten. Danach schwieg ich. Mein persönlicher Schutzengel, an den ich manchmal glaube und manchmal nicht, heißt Hamilton, ein neutraler Name, finde ich.

In vierzehn Tagen, sagte Clemm, halte Agassi aus Cambridge einen Vortrag.

Welches Thema, fragte ich und schielte auf Mimis kleinen Körper.

Schönes Thema sei das, sagte Clemm, nämlich *Über die*

10

Unmöglichkeit von Sinnesdaten, eine Erwiderung auf einen gewissen Ayer.

Wir vereinbarten noch eine Zeit für die Übergabe von Ramsey. Clemm verabschiedete sich, und wir tranken im Stehen noch einen letzten Gin.

Kennst du, fragte er an der Tür, einen alten Dichter namens Gray, Thomas Gray? Lehrte in Cambridge und feilte sechs Jahre lang an einem Gedicht über einen Friedhof.

Natürlich kannte ich Grays Ode *Elegy Written In A Country Churchyard*.

Der habe noch ein anderes Gedicht geschrieben, bemerkte Clemm, in dem eine Katze in einem Goldfischglas ertrinke – gut, daß ich keine Katzen hätte.

Das war wieder so ein Zeichen, das ich mir hätte merken müssen für eine Kombination oder eine Verknüpfung.

Dann war Clemm endlich gegangen, und ich legte den armen James, noch leicht gewärmt von Clemms Hintern, aber schon sehr platt, in die Zigarettenschachtel, deren letzte Zigarette ich bei seinem traurigen Anblick auf meiner flachen Hand rauchte, ging mit meinem Grablöffel in den Garten, südliche Ecke, und begrub ihn ohne Zeremonien unter dem Fingerhut.

An dem darauffolgenden Sonnabend, mit Sonne und Mittagsnebel vom Meer, brachte mir Clemm in einer großen Arzttasche ein Bowlen-Gefäß mit seinem Goldfisch.

Und so sah die Fehlerquote im einzelnen aus. Ich deponierte das Riesenglas auf einen Stapel *Brehms Thierleben* in vier Bänden – die Insekten und Fische fehlten leider – direkt unter das Lieblingsbild von Mimi, Mühle im Nebel, und ich deckte das Glas nicht mit der illustrierten Ausgabe von Looseys *Unsere Heiligen und Märtyrer* ab, obwohl das Buch direkt neben Brehm stand. Wie hätten die Heiligen und die armen Märtyrer, gespickt mit Pfeilen, gesotten, gehäutet und brennend in sehr eingehenden Kupferstichen, Fisch und Maus gehütet, besser wahrscheinlich als die zerstreuten Schutzengel. Der Fisch, der Ramsey hieß – entweder nach dem alten Philosophen oder dem Besitzer des Pubs Quiet Arrow –, schwamm unaufhörlich im Kreis und machte viele einförmige Bemerkungen, die alle mit dem Vokal O begannen.

Ich setzte mich an meinen Schreibtisch und machte, wie jeden Abend, lese-ökonomische Experimente. Bei den Lesegeschwindigkeits-Exerzitien nahm ich mir einen Artikel aus der Zeitschrift MIND vor – *Über die Entbehrlichkeit der Dinge an sich*, las vierzehn Zeilen und sprang dann in ein anderes Buch mit Kochrezepten aus dem ländlichen England des sechzehnten Jahrhunderts. Das Fenster war offen, und die weißen Vorhänge bewegten sich in der Meeresbrise, es war alles so harmonisch, wie man es sich nur wünschen konnte. Im Schrank putzte sich die Columbus-Sippe für ihre Ausflüge, auf dem Tisch hatte sich die Rinaldini-Familie über die Reste meines Lunchs hergemacht, ein bißchen Roastbeef, Brot und einen alten Cheddar. Mimi turnte auf dem durchgesessenen Sofa und war im Begriff, auf den Gobelin zu klettern. Ich schrieb den ersten Satz meiner Abhandlung *Über die seelischen Kosten der Arbeit*, als ich mich von genügend fremder Lektüre abgestoßen hatte: In der Korrelation zwischen perfektionistischen Verhaltensweisen und emotionalen Auswirkungen ergibt sich – und, hier stockte die Feder – vielleicht war der Gin daran schuld, daß sie stockte, oder der Port vor den Gins –, ich schlief jedenfalls ein. Hamilton, der Engel, hatte mich bestimmt wegen meiner Unaufmerksamkeit verlassen; zum Abschied sagte er ein paar sehr häßliche Dinge über unethisches Verhalten und mangelndes Verantwortungsbewußtsein; und er hatte recht, er hatte zehn Mal recht.

Als ich, das Gesicht auf den Blättern, aufwachte und das Zimmer sukzessive wiedererkannte – das Bild, den Stapel *Brehms Thierleben*, das Goldfischbecken –, lag die Maus am Grunde des Bassins auf dem Rücken, mitten in einer Dünenlandschaft, die rosigen Pfoten zu einem Gebet gefaltet, während der stumpfsinnige Fisch über dem Leichnam immer noch seine Kreise drehte, das Maul zu einem ewigen O geöffnet, als bedauerte er diese ganze dumme Angelegenheit.

Ach, ich fischte Mimi mit dem Grabeslöffel heraus und weinte. Vor lauter Tränen verschmolzen Ramseys Leib, das Glas und das Licht zu weichen Farbreflexen in Rot und Silber.

Schreiben Sie immer alles aufrichtig nieder, hatte mir Dr. Searl, der falsche Doktor gesagt, auch wenn Sie sich Ihrer Emotionen schämen.

Ein wirklicher, waschechter, in der Wolle gefärbter Rationalist wie zum Beispiel Thomas Gray, der Dichter, hätte sich sofort hingesetzt und eine Elegie auf die Maus auf wohlgestalte Versfüße gesetzt; andererseits kann ich keinen Trochäus von einem Pentameter unterscheiden, und es wäre eine schlechte Elegie geworden; freilich, mit viel Gefühl, aber Gefühl ist nicht immer unter allen Umständen alles.

Ich legte die tote Mimi auf ein Stück Kleenex und tupfte sie mit ein paar Wattekugeln ab, bis ihr Fell taubenhalsgrau glänzte, wie zu ihren heiteren Lebzeiten, und sie sah aus, als mache sie einen tiefen Schlaf.

Der Schmerz ist eine spontane Regung, die Trauer, die ihm folgt, nicht. Man spricht ja unter düpierten Gehirnen nicht umsonst von einer sog. Trauerarbeit.

Der Schmerz war so umfassend, daß ich mir eine Getränkekette des Vergessens auf dem Schreibtisch aufbaute – einer Flasche Port folgte ein Glas Gin, dann wieder Port uswf. –, bis die Flaschen leer waren. Ich trauerte systematisch, Glas nach Glas. Die Tote lag noch immer mit gefalteten Pfoten auf einem rosa Löschblatt mit vielen rätselhaften Tintenzeichen; um die Mundwinkel hatte sie etwas Friedfertiges, als lächele sie auf ihre Weise.

Keine Ahnung, ob Mäuse lächeln können.

Ramsey, sagte ich zum Goldfisch, du hast doch alles gesehen – war es ein Unfall oder war's Selbstmord? Keine Antwort. Sein

Maul war geöffnet, als forme es für immer den Vokal O. Ich habe Ramsey – und dieser Goldfisch war ohne jeden Zweifel die unglückliche Reinkarnation F.P. Ramseys, des Philosophen – nie ausstehen können, weiß aber im Augenblick nicht mehr, warum.

Ich setzte mich auf einen Stuhl vor der Kommode und fixierte den Goldfisch auf dem Brehm in Augenhöhe, und je mehr ich ihn fixierte, desto deutlicher wurde, was er unaufhörlich sagte: Keine Kommunikation!

Ich legte das tote kleine Ding in die mit seidenen Stoffresten gepolsterte Corona-Zigarrenkiste und streichelte Mimi's nicht mehr ganz so biegsame Vorderpfoten; dazu hörte ich das Largo von Händel, schöne Musik, die der uralte Recorder mit wechselnden Tempi wiedergab. Von Rührung übermannt und nachdem ich mich geschneuzt hatte, sprach ich zu ihr, ohne Form und ohne Inhalt, und ich sagte:

Mimi, pelzige, tote Materie, ich bin krank und bedarf dringend der Behandlung bei einem verständigen Psychiater, der sich mit den Schwankungen und Störungen im Seelenhaushalt ebensogut auskennt wie mit denen der sog. geistigen Gesundheit. Seit einem halben Jahr bin ich über alles gerührt, mag es Musik sein, ein trübsinniges Gedicht in der Sonntagsbeilage oder ein alter Film aus der TV-Maschine; ich spreche, von Ausnahmen abgesehen, mit Mäusen und Engeln – verzeih' den Plural, obwohl ich weiß, daß Engel nicht existieren –, kurz, alles ist ein bißchen ungereimt, merkwürdig diffus und leider auch irrational. Emotionen, das las ich einmal, seien wahrscheinlich grundsätzlich begrüßenswert, man müsse sie aber – eben wegen der geistigen Gesundheit – immer dosieren, wie man ja auch den Alkohol im Hinblick auf Wirkung, Entfaltung und Intensität dosieren muß. Innenleben, das hatte ich auch gelesen, sei ununterdrückbar, kein Mensch komme ohne aus – aber hier müsse man als Individuum und Subjekt den Regeln des sog. Common Sense folgen, des gesunden Menschenverstandes. An dieser Stelle meiner Grab-

14

rede für die Maus hielt ich inne und trank einen dreistöckigen Whisky auf ihr Wohl da drüben.

Die Idee mit dem Common Sense, sagte ich zum Leichnam, habe ein schottischer Philosoph namens Thomas Reid gefaßt, ein Mann, der sich nach 1764 vor Mäusen fürchtete. Leb' wohl, Mimi.

Dann trocknete ich mir die Augen mit einem noch trockenen Taschentuch und legte es in die Kiste, bevor ich den Deckel mit kleinen goldenen Nägeln schloß; als Hammer benutzte ich ein schweres Ronson-Tischfeuerzeug, das mein Vormieter mir überlassen hatte.

Fest entschlossen, hinfort nie wieder Händel bei Begräbnissen zu hören, trank ich noch zwei Whisky und ging dann zu Bett.

Anfang April, glaube ich.

Schwerer Kater. Habe das Gefühl, der Abbau funktioniert nicht mehr so mühelos wie früher. Besuch bei Dr. Searle verschoben; wenn einem die Hände zittern, sollte man keinen Arzt konsultieren.

Nach Trauerfeierlichkeiten funktioniert der gesunde Menschenverstand auch bei mir doch noch recht anständig.

3 Die Empfehlung an Dr. Searle hatte ich von Jeremy Stockton, einem blinden Biologen, der vor zehn Jahren bei einer häuslichen Explosion sein Augenlicht verloren hatte, als er, enttäuscht von der Gesellschaft, wie er sagte, eine Bombe basteln wollte. Jetzt war er auf seine alte Mutter angewiesen, die ihn durch Brightons Kosmos führte und für ihn sehen sollte.

Leider, so sagte Stockton oft, ist ihr Wortschatz außerordentlich begrenzt, ihr Farbsinn ist nicht sehr ausgeprägt, und zudem ist sie kurzsichtig.

Aus unerfindlichen Gründen hatte ich mir den Namen des Doktors nicht aufgeschrieben; so landete ich in einer kleinen Straße, die ziemlich gebuckelt war, mit gleichförmigen Häusern, vor denen graue Regentonnen in winzigen Vorgärten ohne Blumen standen.

Die Praxis lag exakt zwischen einem Bestattungsunternehmen und einem zoologischen Geschäft namens Helpren.

Im Schaufenster des Trauer-Institutes stand ein Sarg en miniature auf dem goldbordierten, ansonsten grünen Polster eines dreibeinigen Hockers, und im Schaufenster der Zoohandlung, sehr einsam, ein mit Wasser gefülltes Aquarium, in dem bauchaufwärts ein toter Goldfisch dümpelte; ab und zu geriet er in den Perlenstrom der Sauerstoffanlage und trudelte dann so herum. Auf dem Schild vor der Praxis an einer grau lackierten Tür las ich:

12–13 / 15–18 h

Dr. Searl / Orthop

Offenbar, dachte ich, fehlten ein paar Buchstaben. Aber die Nummer des Hauses stimmte, eine runde, bauchige, zuverlässige Nummer 56. Ich klingelte, dann klopfte ich, und als nichts passierte, trat ich in ein düsteres Zimmer, an dessen Tür wieder ein Schild war, das da lautete: Wa ting R om. Die Bedeutung war sonnenklar, trotz der fehlenden zwei Buchstaben, und voller Vertrauen setzte ich mich auf einen schwarz lackierten Küchenstuhl. Es war totenstill. Zwei Fliegen jagten sich an einem schmutzigen Fenster, aus dem man einen kompletten Ausblick auf eine Brandmauer hatte. Auf dem runden, sehr wackligen Tisch lagen Zeitschriften aus dem Jahre 1971 herum. Ich machte mich auf eine lange Wartezeit gefaßt. Eine Fliege besuchte mich und begann dann mein rechtes Ohr zu inspizieren. In einer Nummer des ESQUIRE fand ich die große Photographie einer nackten Schönheit namens Vivian Neves, deren Brüste so aufregend waren, daß ich die Fliege in Ruhe ließ. Und dann, nach zwanzig Minuten, erschien ein dicker Kahlkopf in einem weißen Kittel – jedenfalls

16

war das einmal die ursprüngliche Farbe gewesen –, der mich aus Froschaugen fixierte.

Dieser Dr. Searle ist, hatte mir Stockton gesagt, ein miserabler Menschenkenner, aber ein ganz famoser Psychologe.

Kacz, sagte ich, Empfehlung von Stockton, Jeremy.

Nie gehört, sagte der Doktor. Mein erster Eindruck hatte nicht getäuscht: Er hatte wirklich die Augen eines Frosches, d.h., er sah nicht geradeaus, sondern nur nach rechts und links. Seine Brillengläser, er war wohl stark weit- und kurzsichtig, vergrößerten seine grünen, quellenden Augen, mit denen er mich, mal links und dann wieder rechts, fixierte.

Na, sagte er, wo denn der Schuh drücke.

Ich bin, sagte ich, so deprimiert.

Auf einem Holzpodest stand ein Sessel mit Löwenbeinen aus Messing, den solle ich besteigen und dann Schuhe und Strümpfe ausziehen. Warum nicht, dachte ich, man kann nicht alle der tausend florierenden Therapien kennen.

Lange Zeit betrachtete er meine nackten Füße, während er auf einem weiß lackierten Küchenstuhl saß.

Ich hatte den Eindruck, der Doc sei nahe am Einschlafen; auch mir war schläfrig zumute wegen der zu großen Dosis Whisky bei der Beerdigung. Dann ließ er mich mit meinen nackten Füßen allein, schlurfte hinter einen Paravent, der ineinander verschlungene Drachen in lianenreichen Wäldern zeigte, und kam rosig wieder zum Vorschein. Keines meiner Organe ist besser ausgebildet als das Jacobsonsche Organ – ich kann beinahe so gut riechen wie ein durch Gerüche trainierter Großstadt-Köter –, und was ich roch, war Alkohol vom Charakter eines Gins in einer mittleren Vormittagsdosis.

Sie sollten Einlagen tragen, sagte er, so ein Senk- und Spreizfuß sei nicht zu unterschätzen; ob ich unter Schmerzen beim Gehen litte?

Nicht beim Gehen, sagte ich, es seien eher die folgenden Sym-

17

ptome: Kopfschmerzen, Herzschmerzen, leichter Schwindel, hin und wieder Weinanfälle in der Art von Krämpfen, die ebenso schnell wieder gingen, wie sie kämen.

Ganz erstaunlich, sagte Dr. Searle, was ich da aufzähle, aber ich hätte nicht recht: Alle Schäden oder Leiden, psychische oder physische, gingen immer von den Füßen aus.

Wir starrten beide meine Füße an, er auf seinem Stuhl sitzend, ich in meinem Sessel.

Kacz, sagte er schließlich, seltsamer Name, wohl ungarisch, wie?

Ach nein, sagte ich einsilbig, wie immer an Katertagen, Mutter Baltin, Vater Pole, lebt in Deutschland.

Da gebe es weit Schlimmeres, sagte der Doktor kummervoll, wie es denn mit Stahleinlagen wäre, schöne durable Dinger, überzogen mit Naturleder.

Ich sagte, ich sei in keiner Kasse.

Ja dann, sagte er und schwieg, während er immer noch meine Füße fixierte.

Meine nächtlichen Leiden, sagte ich, seien wahrscheinlich durch das Tragen von Stahleinlagen nicht zu beseitigen.

Was für Leiden, fragte Dr. Searle.

Ich wiederholte die paar Symptome und fügte noch ‚elementare Müdigkeit' hinzu, vor allem nach dem Aufstehen.

Sehen Sie, sagte der Doktor, was ich gesagt habe. Alles ginge von den Füßen aus.

Meine Füße, sagte ich, seien in Ordnung; es sei der Rest, der mir Sorgen mache.

Interessant, sagte Searle. Worüber exakt ich mir denn Sorgen machte?

Mäuse, Engel und Knöpfe, sagte ich, das wäre – zusammengefaßt – das, worüber ich mich sorgte.

Wieder verschwand der Doktor hinter dem Paravent und kehrte merklich erfrischt zurück.

Sie können, sagte er, die Füße wieder bedecken oder einpacken. Ganz wie Sie wollen. Es ist, sagte er, alles eine Frage der Haltung.

Ethisch oder orthopädisch, fragte ich.

Das sei schwer voneinander zu trennen, sagte Searle, denn wenn die Seele der Körper des Menschen sei und die Füße die Basis für den aufrechten Gang, dann sei ein ethischer oder moralischer Zusammenhang schon irgendwie vorhanden; ob ich denn einer großen Idee anhinge.

Ruhe, sagte ich, ich will nur Ruhe, die anderen Ideen, die kämen dann wie von allein.

Man muß eine Idee haben, sagte Dr. Searle, gerade dann, wenn sie hoffnungslos ist, und ich solle mich im Ordinationsraum umsehen.

Da war nicht viel zu entdecken. An der Wand, mit dem Kopfende unter dem schmutzigen Fenster, lungerte eine schwarze, abgewetzte Couch, die an eine bedrückte Blutwurst erinnerte, und neben dem Paravent stand ein geschlossener Kasten im Format 50 x 50 cm auf einem kleinen Perserteppich voller Löcher.

Searle sah traurig auf diese Gegenstände im Zimmer. Das, sagte er, war mein Traum.

Gut und schön, sagte ich, aber ich sei nicht bei ihm, um über Träume zu sprechen – später vielleicht, sagte ich ermutigend –, sondern über gewisse seelische Beschwerden; schließlich sei er ein approbierter Seelendoktor, empfohlen von dem freundlichen Stockton.

Stockton, Stockton, murmelte Searle bestürzt, nie gehört. Meinen Sie den alten Stockton, seines Zeichens Gynäkologe mit einem Hammerzeh? Oder einen jungen Sprachwissenschaftler, ein polyglottes Talent, der den ganzen Shakespeare in das allzu unbekannte Medium des Volapük übersetzte? oder gar einen dritten Stockton, einen beinlosen, aber talentierten Maler, den ich seit neun Jahren gegen Phantomschmerzen am linken Fuß behandelt habe?

Sie sind nicht, fragte ich, der Dr. Jonathan Searle, der berühmte Therapeut des Seebades?

Wo denken Sie hin, sagte dieser Searle, ich bin Orthopäde, interessiere mich für Deformationen aller Art und heiße Jonathan Searl, aber ohne e – und ob ich nicht doch vielleicht auf die Couch wolle?

Ich sagte, ich wolle nicht auf die Couch, ich säße ganz gut im Sessel auf dem Podest.

Und Sie haben, fragte der falsche Arzt, nichts an den Füßen außer den üblichen Schäden? Meine Füße, sagte ich, seien kerngesund.

Legen Sie sich doch auf die Couch, sagte er, sie hat viel erlebt, und man könne besser sprechen.

Worüber, fragte ich, denn meine Leiden seien – im Augenblick – nicht orthopädischer Natur.

Das sind sie immer, sagte Dr. Searl und ging eilig hinter den Paravent. Glas klirrte, und danach erklang ein dezentes, wollüstiges Glucksen.

Man darf, sagte der unsichtbare Doktor, niemals Ursache und Wirkung miteinander verwechseln.

Rosig und mit glühenden Augen kroch er wieder hinter den Palisaden hervor und setzte sich auf die Couch, die unter seinem Gewicht seufzte.

Geben Sie mir, sagte ich, auch einen.

Oi, oi, oi, sagte Searl in irgendeinem osteuropäischen Tonfall: Whisky, Gin oder Cognac – drei Welten, drei Zustände und alle verschieden.

Ich bat um einen Whisky ohne Eis oder Wasser. Doc Searl erhob sich, wieder seufzte die Couch jammervoll, und er schob einen viktorianischen Teewagen mit Holzrädchen heran, auf dem eine mit einem schwarzen Tuch drapierte Vitrine stand.

Die Hausbar, sagte er stolz.

Die Gläser waren ein bißchen schmutzig. Der Doktor reichte mir eine Mullbinde, mit der ich mein Glas säubern konnte.

Man verliere, sagte er, bei der Einnahme von Erfrischungen mitunter – vor allem im Praxis-Betrieb – den Überblick, welches Glas man in welcher Stunde für welches Getränk gebraucht habe.

Der erste Schluck, aber vor allem der vierte, milderte ein wenig den Katzenjammer.

Sie haben, fragte mein freundlicher Gastgeber, hoffentlich noch nichts im Magen.

Unerheblich, sagte ich, ganz unerheblich.

Gott, war das eine friedliche Szene; draußen fing es an zu regnen, ein paar Tropfen hüpften mit einem zarten Knall vom Fensterblech an das Glas, der Doktor saß auf der Couch und ich im Sessel. Zwischen uns war der Teetisch mit der Vitrinenhausbar. Da ich in der letzten Zeit nur noch mit den Mäusen gesprochen hatte, die Unterhaltungen mit Hamilton, dem Schutzengel, immer unergiebig verliefen und Searl einen vertrauenswürdigen Eindruck auf mich machte und ich mich zuguterletzt auf seine Vergeßlichkeit verlassen konnte, nannte ich ihm meine kleinen Leiden.

Wie, sagte der gute Doktor, Sie sind immer mal wieder, aber ganz unberechenbar und beinahe unabhängig von den Anlässen ,gerührt'? Ich glaube nicht, daß es im Englischen einen Ausdruck dafür gibt.

Ich muß anmerken an dieser Stelle, daß wir die Unterhaltung mit vielen gemächlichen Pausen führten, voller Achtung und Umsicht.

Da habe er wohl recht, sagte ich, ich hätte viele Wörterbücher gewälzt, aber das Phänomen der Rührung stehe so ziemlich allein. Ausdrücke oder Synonyma wie ,Anteilnahme' oder die ,Gemütsbewegung' seien ganz und gar falsche Wörter, die nichts betrafen, was diesen Akten der sog. Rührung gleichkäme.

Das sei hochinteressant, sagte Searl und goß sich seinen Gin-Humpen ordentlich voll, und wohl selten anzutreffen in dieser Reinheit. Was ich dagegen unternähme?

Ich sei, sagte ich mit aller Klarheit, Rationalist, so daß ich diese ‚Disposition‘, diesen Ausdruck benutzte ich exakt in der Praxis um 18.12 h, selbstverständlich untersucht habe.

Mit welchem Ergebnis, fragte Dr. Searl und fand nach langem Suchen, während sein dicker Oberkörper leicht von links nach rechts schwankte wie unter einem Zephir-Hauch, ein kleines, in Ballonleder gebundenes Notizbuch.

Ich nahm, sagte ich, den Oberkörper sehr gerade aufgerichtet, eigenhändige, d. h. private Messungen des psychischen Aufwandes vor, der zu diesen Ausflüssen oder unerwünschten Absonderungen führt, und stellte fest, daß die Relationen im Dunklen blieben, selbst dann, wenn man die doppelte Buchführung im Hinblick auf den Aufwand in Relation zum Ertrag regelmäßig notiere.

Wie, fragte Dr. Searl. Was denn eine Buchführung damit zu tun habe?

Es ist eine Kette, sagte ich traurig, das erste Glied ist das Mitleid, das meine Reaktion auf dies und das in Mitleidenschaft zieht, eben in der Form der Rührung.

Eine gelbbraune, an den Rändern diffuse Cumulo-Nimbus-Wolke wanderte über den Horizont.

Wissen Sie, sagte mein Gastgeber, ich kann mit Metaphern absolut nichts anfangen, zu meinem Leidwesen, setzte er hinzu. Dann seufzte wieder die Couch.

Ich bat um Verzeihung und ließ meine Kette mit den Gliedern fallen.

1986, sagte ich, sei es mir endlich gelungen, eine Tränen-Skala zu erfinden, die es mir erlaube, das Überfließen der Augen auf die ursprüngliche Ursache zu reduzieren, die Grundursache sozusagen.

Na Gott sei Dank, sagte Searl erleichtert, während er den

Spiegel seines Glases überprüfte. Was ich denn habe feststellen können?

Nun, sagte ich, Folgendes ... aber die Untersuchungen sind noch nicht abgeschlossen ...

Das wollen wir hoffen, sagte Searl und seufzte synchron mit der Couch.

Hatte ich früher geglaubt, je triftiger der Grund, desto größer die Menge der Tränen, so war das leider ein Schlag ins Wasser.

Schon wieder eine Metapher, sagte der Doktor traurig.

So kam ich auf die Idee einer Tränen-Statistik. Es war ein Donnerstag.

Da mußten Sie sich aber immer viel beobachten, sagte er mitfühlend.

Das, sagte ich, könne man wirklich sagen. Immer an mir arbeitend und mir meines Handicaps in jedem Augenblick bewußt, mußte ich – zu meinem Leidwesen – feststellen, daß der Gefühlsaufwand, der der Rührung zugrunde liegt, umgekehrt proportional ist zur Flüssigkeitsmenge. In der Gleichung, GA für Gefühlsaufwand und FM für Flüssigkeitsmenge –

Bloß keine Gleichungen, sagte der Doc, die führten zu nichts, und wenn sie zu etwas führten, dann sei das Resultat, unabhängig von seiner Gestalt, irreführend. Das müssen Sie, sagte er nach einer langen Pause, alles aufschreiben. Nicht, daß das Material besonders kostbar sei, aber irgendwann könnte ich es bestimmt einmal gebrauchen. Was ich denn gegen diese sonderbaren Reaktionen unternähme?

Nun, sagte ich, Sie werden's erraten haben, ich trinke.

Searl sagte, das sei eine ganz vorzügliche Idee, aber ob nicht die Gefahr bestehe, während des Konsums von Alkohol und auch danach, noch empfänglicher für die Reize zu werden.

In diesem Punkt konnte ich meinen Therapeuten beruhigen.

Im Gegenteil, ich konnte feststellen, daß sich eine gewisse

Resistenz ergab, freilich erst nach einer halben Flasche, und man muß sehr regelmäßig trinken, um den Resistenz-Pegel zu halten.

Entschuldigen Sie einen Moment, sagte Searl, ich leide unter einer schwachen Blase. Mit Bier, sagte er im Flur, sei es früher noch schlimmer gewesen, aber leider trieben die starken Getränke auch.

Wenn ich Sie recht verstehe, sagte er nach seiner Rückkehr auf seine Couch, leiden Sie unter einer gewissen blödsinnigen, entweder angeborenen oder erworbenen Zugänglichkeit oder Empfänglichkeit für bestimmte Reize der Umwelt; nach diesem eigentlich klaren Satz versank er in Schweigen und hielt sein linkes Auge in einer blinden Fixierung auf mein Glas gerichtet, das leer war.

Gestern, sagte ich, nachdem ich mich mit dem Malz-Whisky bedient hatte, war ich maßlos gerührt über den Tod einer Lieblingsmaus namens Mimi, die in einem Goldfischglas ertrank. Dr. Searl schwieg.

Sie ertrank, sagte ich, aufgrund oder infolge meiner Unachtsamkeit; und die zweite Folge war nun leider die, daß mich mein Schutzengel verließ, ein Wesen namens Hamilton.

Mäuse, sagte Searl betäubt, Engel, was noch?

Ich sagte mir, wenn schon, denn schon, dann laß es heraus, und sagte: Es sind auch die Knöpfe. Ich weiß es nicht genau, aber die Knöpfe waren zuviel für den alten Herrn. Er stand auf und stieß mit dem Knie an den Teetisch.

Wir müssen, sagte er, etwas Ordentliches essen und trinken, außerdem neigten sich die häuslichen Erfrischungen ihrem Ende zu. Der Orthopäde machte den Vorschlag – und ich war nicht in der Verfassung zu widersprechen –, in ein Lokal mit dem Namen Quiet Arrow zu gehen, dort sei der Hammel in Gelee ganz ausgezeichnet.

Also verließen wir das Haus, und der Stärkere stützte ohne eine besondere Verabredung den Schwächeren.

4 Um es feierlich zu sagen: In meines ganzen Lebens Buch, in keinem der unzähligen Bibliotheksbücher, in keinem der immer schlechteren Sortimente der Buchhandlungen, nicht im Buch der Bücher, nicht einmal auf den endlos verwickelten und sich kreuzenden Spuren meiner Studien habe ich eine so traurige Geschichte gehört wie die, die mir mein Dr. Searl, der Orthopäde und verkappte Seelendoktor, beim Dinner im Quiet Arrow (oder in Hampton's Inn – der Alkohol!) beim Hammel mit Gelee, ich weiß es leider nicht mehr genau, es können auch Schweine-Pfoten und Beinfleisch gewesen sein (im Englischen Brawn genannt) und bei acht Guinness erzählte – nicht jeder acht, natürlich nur ein jeder vier, wie ja immer die ideale Menge über die Wirkung entscheidet – wie er nämlich über die Füße, die Knöchel, die Waden bis zum Knie zur Seele des Menschen gekommen war. Er sagte nicht Seele, sondern Psyche, aber das war während der Erzählung Jacke wie Hose, weil wir uns so gut verstanden, wenngleich unsere deutsch-englische, mißverständnisreiche Unterhaltung mitunter, was das vollständige Verständnis betraf, Schaden durch seine merkwürdige Aussprache erlitt, wie durch die überraschenden Satzstellungen.

Er kam, so erfuhr ich, aus Czernowitz. – ‚Ist sich viele, viele Jahre her‘ – und hatte 1970 eine wunderschöne Tschechin geheiratet, die in seiner Praxis als Putzfrau – er sagte Char-Lady – gearbeitet hatte, ein ursprünglich ‚zartes Bild von die Frau‘.

But then, sagte er mit tiefem Ernst und betrachtete zuerst mit dem linken und dann mit dem rechten Auge die Knochenruine seines Hammels.

Sie hatte wunderbar geformte Füße, die sie nicht recht benutzen wollte, sagte Searl, der eigentlich Zirlinsly hieß.

Das will sagen, sie bewegte sich ungern, sie ging nicht außer Haus, sie kaufte nicht ein, und sie legte ein für allemal weg den

Besen, das Staubtuch etc., als wir hatten geheiratet. Sie legte sich nieder, und es war ein Bett des berühmten Ebenisten, das ist Kunsttischler allgemein, Sheraton, es kann aber auch der andere gewesen sein, der da heißt Adams – egal –, und sie lag in dem teuren Bett, viele tausend Pfund wert, und las und aß. Sie verschlang alles, Romane, Reader's Digest, Zeitungen, Journale, Drogisten- und Apotheker-Heftchen, Werbekataloge und immer wieder Romane und aß wie ein – wie heißt kleines Vögelchen der Straße? a sparrow, ein Spätzchen, will sagen unaufhörlich. Und sie wurde erst dick, dann umfangreich; wissen Sie, man muß das alles ‚deiten' wegen des Mangels an Bewegung, alles war Futter, entweder für Körper oder für Geist, und alles blühte ... alles wuchs: die Fußnägel, die Fingernägel, die Haare und ihre Schönheit.

Gut war die Geschichte, wenn auch der traurige Teil noch fehlte. Der Doktor holte noch eine Lage Guinness.

Wo, fragte ich, und wann und auch wie fängt die Tragödie an, denn, fuhr ich fort, alles ist, eine gewisse Zeit wenigstens, zum Wachsen verdammt, ich glaube, ich kam auf Blumen und Fliegen da im Quiet Arrow oder in Hampton's Inn, kurz, Flora und Fauna, überall ist Wachstum und Expansion, und auch die Schönheit gedeiht eine Zeitlang, dann wird alles wieder traurig und geht baden.

Wie wahr, sagte Searl einmal mehr und zerdrückte eine Träne.

Ich war noch lange nicht so weit. Das Gefühl der Rührung braucht den Aufbau, wie der Rausch den Alkohol.

Ich sah das, liebes Tagebuch, an diesem schönen und freundschaftlichen Abend mit aller Klarheit.

Wie sind so süß die Tränen der Unglücklichen, rief ich, das habe ein Dichter gesagt.

Zu welcher Gelegenheit, fragte Searl, und er wiederholte diese Sentenz, so gut er's vermochte.

Tod der Geliebten, sagte ich und schlug, wenn ich mich recht erinnere, Swinburne vor, dem ich's zutraute, weil er – oder jemand ganz anderes –, in einem begreiflichen Anfall von Arbeits- und Fortsetzungswut, nach dem Tod und der Grablegung seiner Geliebten, nach Jahren ein ihm liebes Manuskript aus ihrem Sarg gestohlen hatte, das er an jenem unglücklichen Tag auf ihrer Brust unter die gefalteten Hände deponiert hatte. Natürlich war das Manuskript irgendwie in Mitleidenschaft gezogen – hätte es Plastikfolien gegeben, es hätte besser ausgesehen –, aber ich schweife ab. War doch der Abend mit dem Orthopäden, den ich jetzt notiere, viel wichtiger, trotz des Unfalls im Graben.

Kennen Sie den herrlichen Spruch von Schiller, fragte der Doc, man müsse ihn nur richtig ‚deiten‘, dann sei er Gold wert: Wer Tränen ernten will, muß Liebe säen?

In diesem Augenblick meldete sich mein Jacobsonsches Organ, es roch irgendwie, mehr atmosphärisch als konkret, nach Urin.

Searl entschied, daß wir im Augenblick genug Bier getrunken hätten, und ging eine Flasche Gin holen. Ein gewisser Dr. Sylvius von der Universität Leiden hatte schon vor langer Zeit, das weiß ich positiv, festgestellt, daß der Genuß von Gin die reine Medizin ist.

Ich teilte diesen meinen Wissenspartikel sofort dem Freund mit, nachdem ich von der Toilette zurückkam.

Sie wissen letzte Dinge über dieses Getränk, sagte Searl düster, aber sonst Sie sind wie ein Kind, unmündig und gequält, was sage ich, von vagen Ahnungen.

Wir tranken den Gin und spülten wegen des üblen Geschmacks mit Guinness.

Es ist das, sagte er über seinem Glas, das Schöne an Wissenschaft und Kunst: Kein Erfolg ohne Irrtum, kein Opfer ohne Versuch oder umgekehrt.

Möchten Sie, fragte ich (23.40 h exakt), nicht endlich die Geschichte Ihrer immobilen Gattin weitererzählen, jedenfalls den trauervollen Teil. Mich dürstete nach den Einzelheiten, die mehr rühren als das gesamte Bild.

Ist sehr schwer, sagte der Doktor, aber ich werde machen einen Versuch.

An dieser Stelle seines Vortrags holte ich mein grünes Notizbuch aus der Innentasche meines Harristweed-Jacketts, auf dem ein Schildchen mit der Aufschrift FREMDMATERIAL klebte.

Sie erlauben wohl, sagte ich, oder etwas in dem Sinn. Ich mache mir neben den laufenden Arbeiten immer gern Notizen über traurige Neuzugänge unter der Rubrik RM, wie Rührmaterial. Das ist im gewöhnlichen Fall die linke, immer überfüllte Spalte; die rechte Spalte dagegen ist jenen seltenen Augenblicken vorbehalten, in denen ich siegreich eintragen kann: Nicht gerührt! samt Datum, Uhrzeit, Ort und Gelegenheit.

Ist Elegie auf Edwina, sagte der Doc elegisch unter seinem Schnurrbart aus Guinness-Schaum.

Es war die langwierige Geschichte einer Liebe, voller Um- und Irrwege, voll zarter Mißverständnisse, alles schon irgendwie korrekt, aber die Details fehlten mir.

Die arme Edwina wurde immer fetter. Neben ihrem Gemach mußte eine Toilette eingebaut werden. Die Kosten waren wegen der Maurer- und Tischlerarbeiten groß. Die Gattin fing an zu trinken. Da sie alles trank, gingen die Vorräte nie recht zur Neige; irgendeine Erfrischung, sagte Searl, sei immer im Haus gewesen, schon seinetwegen.

Waren Sie noch gesellig, fragte ich, im Sinne häuslicher oder ehelicher Kommunikation?

Nix Kommunikation, sagte der Orthopäde, ein eisiges Massiv im Bett, essen, trinken, rauchen, schlafen und verdauen. Und dann ihr Körper vertrug den Alkohol nicht, weil sie alles durcheinander trank, aber vorher ich mußte ihr vorlesen immer nur Elegien, immer Gedichte, alte deutsche, alte englische, alte schottische, und zu jedem Dichter sie trank das passende Gesöff und rauchte, bis ich die Zeilen nicht mehr konnte erkennen. Ihr Gesicht wurde feist, blieb aber sehr schön, ihre Füße, sie wurden fleischig wie die der Putti auf alten Gemälden – Perspektive von unten –, mehr sah ich nicht am Fußende.

Wir seufzten.

Wenn sie schlief, lüftete Dr. Searl ihre getünchte Kemenate und küßte ihre bleiche runde, etwas schwitzende Stirn. Aus Trägheit mochte Edwina dem natürlichen Druck ihrer Blase nicht widerstehen und wurde ein bißchen inkontinent.

Immer nur, sagte Searl, ein paar engelhafte Tröpfchen, man weiß nicht, wie sie es schaffte, aber immerhin, das Rauchen und Trinken verdünnte ihren Schlaf. Es waren zwei Prinzipien, die da fochten innerhalb Edwinas: Gefäßverengung und Gefäßerweiterung. Beides schlecht, und dann ich! Wie es bei einem Philosophen heißt: Der aufgeklärte Mensch fühlt sich irgendwie seinem Gewissen verpflichtet, und er muß Leiden verringern, Schmutz und Unrat von sich abwehren und dennoch lieben die Seele des anderen Subjektes.

Eines Tages jedenfalls gelang es Edwina, nicht mehr aufzuwachen, und Dr. Searl mußte einen großen Sarg, der die Norm sprengte, bestellen, nachdem er die Gartenfront von Edwinas Zimmer hatte einreißen lassen, um den unförmigen Leichnam vom Bett in den Behälter umzubetten, ein Transfer im Morgengrauen, dem sechs starke Sargträger gerade gewachsen waren.

Das war die Liebesgeschichte, sagte er, und wir tranken auf ihr Wohl, wo immer sie weilen mochte.

Es war, ich denke, sagte er nach einer langen Pause, vielleicht doch die Kombination von Alkohol, Nikotin und Tramal – sie mußte nehmen gegen Herzschmerz, Rückenschmerz und Seelenschmerz, der ihr das Herz abdrückte, aber warum. Sie schimpfte dann leise mit mir, ich möchte es nicht wiedergeben, und dann schlief sie, bis die Ohren schmerzten. Dagegen gab ich kleine Dosen Dogmatil, und ihr Tod war mein Ruin.

Mit diesem schlichten Satz erzeugte er bei mir eine gewisse Rührung, die ich mit Guinness dämpfte. Eine Geschichte, die wirklich rührt, muß einen guten Anfang, ein Mittelstück von ausgewogener, d. h. detailreicher Qualität und ein Finale haben, das sämtliche Elemente noch einmal versammelt in einer sinistren Beleuchtung zwischen schwefelgelb und einem schwärzlichen Grau. Man könne das leicht in einem Diagramm auf Koordinatenpapier darstellen, aber die Mäuse fräßen leider auch Papier, wer wisse warum, vielleicht seien sie der Körner-Diät müde, Korn für Korn, wie ich des Kampfes gegen die Knöpfe, Knopf für Knopf, sagte ich mit großer Geschwindigkeit zu meinem bestürzten Freund.

Oi, oi, oi, sagte er zur Tischdecke, Kacz, oi meine Güte, Sie sind ja sturzbetrunken.

Überhaupt nicht, sagte ich, glaube ich, ich sei stocknüchtern, aber der Erzählung, so betrüblich sie auch sei und wie beklagenswert in den persönlichen Konsequenzen, fehle ein günstiges Verhältnis oder eine gerade Proportion zwischen Aufwand und Ertrag.

Wir müssen aufbrechen sofort, sagte der Doc, zahlte und kaufte an der Theke, wie ich später erfuhr, für alle Fälle noch eine Flasche Malz-Whisky. Es war eine schöne, stille Nacht voller Bodennebel. In der Ferne hörte man die klagenden Rufe der Nachtvögel, hin und wieder beschien ein rötlicher Mond unseren links und rechts von sumpfigen Gräben begleiteten Pfad zum Haus des Doktors.

Leider stürzten wir, weil der Doktor mich solidarisch führte wie einen verstockten Blinden, zusammen in den rechten Graben, so daß wir einen Augenblick bis zu den Kiemen in kalter Entengrütze saßen. Ein paar entrüstete Frösche quakten und entfernten sich dann. Das Wasser war ziemlich kalt, aber nach vielen Erfrischungen sind einem Temperaturen gleichgültig. Mein rechter Fuß schmerzte, wie sich später herausstellte, war der Knöchel gebrochen.

Da saßen wir nun in diesem Graben bis zum Bauch, die Füße im Morast. Es roch ein bißchen nach Ammoniak und Schwefel. Bei jeder Bewegung schmatzte der Schlamm.

Sie haben da, sagte der Doktor, übermäßig verbohrte Ansichten, Sie vertragen keine Erfrischungen, wahrscheinlich sind Sie ein Idiot, aber ich gebe Ihnen ab von dem Malz-Whisky.

Der Doktor suchte offenbar lange in der Manteltasche unter Wasser und ich schlief, glaube ich, einen Augenblick ein.

Hoffentlich nicht unappetitlich, sagte der Doktor, nachdem er sie endlich gefunden hatte, langsam, aber mit glatter Zunge, zu trinken aus einer gemeinsamen Flasche? Plötzlich quiekte er wie eine Maus und starrte auf die im Augenblick von Wolken unbedeckte Scheibe des Mondes.

Da ist sie wieder, sagte er, es ist ein Zeichen, ein schlimmes.

Ich rang indessen um Klarheit im Graben unter dem Mond und erwiderte vorsichtig: Ökonomie und Zartgefühl, das ist es.

Die Flasche, sagte der Doc, geht nicht auf. Versuchen bitte Sie einmal.

Er hatte recht, die Flasche ging nicht auf, und ich war froh darüber.

Der Doc fragte, wer diesen großen Gedanken wann und unter welchen Umständen gefaßt habe?

Es sei dies, sagte ich mit größter Klarheit, Ramsey gewesen, an einem Frühlingstag, könne aber auch Hume gewesen sein, gedacht mit der Kraft eines berauschten Elephanten, wenn es nicht Schopenhauer war, und was er denn eben so Furchterregendes gesehen habe – auf der Oberfläche des Mondes. Ich bemühte mich, vollständige Sätze zu machen.

Der Doc sagte, er habe, wie immer nach einer bestimmten

Dosierung über den lieben langen Tag, eine weiße Maus erblickt; nein – er sagte in jedem Fall ‚wahrgenommen‘, in keinem Fall ‚erblickt‘.

Die weiße Maus, sagte ich, sei eine bekannte Metapher, ein Symbol für den Beginn eines Delirium tremens und in keinem Fall erheblich.

Ich habe sie gesehen, sagte der Doktor, und ich solle noch einmal versuchen, die Flasche zu öffnen.

Ich habe keine Ahnung mehr, ob dieser Versuch gelang oder mißlang. Ich weiß nicht mehr, wie ich in die Pension der Witwe Hawkins kam, aus den Kleidern und ins Bett. Ich weiß nicht einmal mehr, wie wir es schafften, aus dem Graben zu kriechen. Berechnet man aber – unvoreingenommen – Inhalt, Umfang und Intensität des Katzenjammers, muß uns der Malz-Whisky wahrscheinlich doch eine große Hilfe gewesen sein.

Nach diesem Eintrag schlief ich einen ganzen Tag lang, ging nicht in die Bibliothek, schrieb nicht an meiner Abhandlung *Über die seelischen Kosten der Arbeit* oder *Die Kosten der seelischen Arbeit* weiter, und – was das Schlimmste war – ich vernachlässigte einen Tag und eine Nacht meine Mäusegesellschaft.

5 O du lieber Gott, o mein Engel hilf, bei Ramsey, den ich schon immer verehrte, ich muß ein für alle Mal das Trinken aufgeben. Es legt den Verstand lahm, lähmt die Zunge, verklebt die Synapsen, erzeugt unablässig Wolken von kompakten oder transparenten Ideen, die gleichförmig über dem steten und dunklen Rauschen der psychomotorischen Unruhe dahinfliehen, führt zu chronischer Schlaflosigkeit und damit zu Wahrnehmungsausfällen am Morgen, infiltriert die

Zunge, die stumpf wird gegen zartere Geschmacksblüten, rollt im Schädel eine glühende Kugel, die herauswill, endet auf der Toilette mit gladiatorenschwarzem Kot und beschert einem nach dem Aufwachen die Vision einer toten, an einem langen Stück Zahnseide baumelnden toten Maus.

Ich habe mir geschworen, das Trinken aufzugeben; konnte man das Trinken aufgeben, konnte man auch aufhören zu rauchen, denn man trinkt ja nur um zu rauchen, und gegen das Rauchen muß man trinken uswf. Und wenn man dann die falschen Getränke – jedes für sich, allein betrachtet, selbstverständlich goldrichtig! – in der falschen Reihenfolge und der falschen Dosierung zu sich nimmt, muß man wirklich das alles aufgeben oder aber besser dosieren.

An dem Morgen nach diesem Abend war an ein Aufhören nicht zu denken; die Vision der Maus, die mit der weißen Maus Searls korrespondierte, verscheuchend, zog ich meinen Morgenmantel, blau mit gelben Papageien, über, schlich in den Flur und dann in die Küche zum Kühlschrank, alle meine Hoffnungen auf ein paar kalte Büchsen Bier setzend. Ich sprach sogar eine Art Gebet und murmelte im grauen Morgenlicht des Hauses eine Gedichtzeile des alten Wordsworth – Dear God! the very houses seem asleep; / And all the mighty heart is lying still!

Meine Hände zitterten.

Der bauchige Kühlschrank summte beruhigend; auch seine Eingeweide sahen beruhigend aus. Im Hintergrund, unter einer eisbepelzten Kühlschlange, ruhten die Vitaminsäfte der Schwestern Plummer; an der rechten Seite stand der Topf Hardings, ein Rest Irish Stew, den er jeden zweiten Tag durch ein paar Zufallsfunde ergänzte; in der linken Ecke lehnte wie betrunken ein Tuppertopf mit einem Inhalt, der wie flüssige Seife aussah, im Besitz von Casullo, Mathematiker, selten in der Gerassimow-Bibliothek, und endlich, im mittleren Fach, fand ich, was ich suchte:

vier Büchsen Lager-Bier, leicht beschlagen, wie es das Auge des Nachtrinkers erfreut, und im Besitz von Clemens, einem kahlköpfigen Literaturwissenschaftler, Komparatist, soviel ich wußte. Wir hatten nur wenig Kontakt. Als ich die Büchsen herausnahm und an mein Herz drückte – zwei verstaute ich in den Morgenmanteltaschen –, schluckte der Kühlschrank hörbar und schwieg dann, während es im Inneren noch lange kollerte.

Ich kümmerte mich nicht weiter um seinen Gefühlshaushalt und brachte meine Beute in Sicherheit. Auf dem Bett sitzend, trank ich die erste Büchse vollständig zu zwei Zigaretten. Nach den ersten vier Schlucken aus der zweiten Büchse rauchte ich dann noch eine Zigarette und machte Inventur, noch ungewaschen, aber ziemlich klar.

1. Das Zimmer war ein Chaos. Es hing wirklich eine Maus – es war ein Männchen aus der Johnson-Familie, die hinter den Lexika auf der Kommode wohnte, namens Ivanoe – an einem Faden Zahnseide, das Maul leicht geöffnet und mit geschlossenen Augen. Der Knoten war kein Henkersknoten, so daß Mord ausgeschlossen war. Aber an Selbstmord glaubte ich auch nicht.

2. waren alle Mäuse verschwunden, jedenfalls die lebenden, ich fand an diversen Stellen nur ein paar Leichen. Die Todesursachen waren unbekannt; ein graziles Mädchen, Genoveva, sehr jung, lag mit gefalteten Pfoten auf dem Rücken zwischen zwei Dünen am Boden des Goldfischglases, wie meine geliebte Mimi vor einer Woche, und der Goldfisch, den Clemm Ramsey genannt hatte, schwamm tot bauchaufwärts über ihr, d.h. mit einer hängenden Flosse, das Maul geöffnet zu einem O vielleicht.

Nichts als Spekulationen natürlich, aber hatte Genoveva vielleicht Gift gefressen und sich dann ins Goldfischglas fallen lassen, um Ramsey zu erledigen? Ich notierte diese unbefriedigende Lösung und ging den Spuren nach. Der Schrank war leer, das Nest unter dem Bodenbrett verlassen. Ein paar graue Haare schlummerten in der Morgensonne auf dem Holz. Die mittlere Schublade der Kommode war ebenfalls verwaist, da lagen nur alte Käserinden und ein paar Körnerhülsen.

Das Nest neben dem Kamin hinter der Tapete war verlassen, und dann, als ich das Mäuseklosett unter der Kommode inspizierte, mußte ich eine furchtbare Entdeckung machen, die ich nur mit Hilfe der dritten Büchse Bier überstand. Dort lagen meine Familien, alle mausetot, Seite an Seite, übereinander geworfen, aneinandergeschmiegt, ein paar separat in den Ecken. Einige hatten offene Augen, über denen eine weißgraue Membran lag, die anderen hielten sie streng geschlossen.

Ich zählte die Leichen der Dahingegangenen und kam auf die Zahl von sechsunddreißig; aber wie dahingegangen? Ein kollektiver Selbstmord? Eine Vergiftungsaktion der Witwe Hawkins? Der üble Scherz eines Pensionskollegen? Ein höheres oder tieferes – hier entscheidet der Standort des Betrachters – Schicksal, in Gang gesetzt von dunklen Mächten?

Und ich nahm mit feuchten Augen das viktorianische Silbertablett, das Klosett mit den kleinen Leichen und legte es auf meinen Schreibtisch, wo ich eine zweite fürchterliche Entdeckung machen mußte.

3. waren alle meine Manuskripte so gut wie vernichtet, d. h. die Blätter waren an den Rändern stark angefressen. Auf der ersten Seite meiner Abhandlung *Die Arbeit und ihre seelischen Kosten* hatte eine Maus eine verschlungene Kette von Kötteln gelegt, die bei exakter Betrachtung ein Fragezeichen ergab. Das Manuskript *Der Pantoffelsarkophag in Kunst, Leben & Geschichte* schwamm in Urin, die erste teure Seite jedenfalls, während die restlichen unlösbar verklebt waren. In den losen Seiten der letzten Arbeit *Rationalismus*, ein schlichter, aber treffender Titel, fand ich, hatte eine wahre Orgie stattgefunden: Kratzspuren, viele Kotkügelchen teils fester, teils klebriger Konsistenz hafteten auf den Buchstaben und den Zeilen, dazwischen

leuchteten gelbe Urin-Inseln, und auf der Seite vierzehn – ich war noch nicht weitergekommen mit dieser wichtigen Arbeit – war auf dem unvollendeten Satz ‚beschreibbar als Tätigkeiten, welche die Dinge je nach den Zeichen, die ihnen zukommen, in eine geordnete Bewegung bringen' – Blut, vermischt mit Urin und eben den überall freigiebig gesetzten Köttelchen, so zierlich geformt wie kleine Brotlaibe bei einer Mäusekommunion.

Mit den anderen Manuskripten der vielen Projekte, alle unvollendet, aber alle in diesem hoffnungsvollen Stadium nach dem ersten Sichten und Sammeln, waren sie richtig Schlitten gefahren. Alle waren hoffnungslos bepißt, bespuckt, angefressen, verschmiert und bekackt.

Lange Überlegung über der Bahre: was tun, wie begraben. Eine Massenbestattung kam nicht in Frage; sie waren alle Individuen gewesen, alle mit Charakter, leider nicht ganz bis zuletzt, was immer passiert sein sollte auf Schreibtisch oder Silbertablett.

Wollte ich eine jede einzelne, wie es sich geziemte, in einer Zigarettenschachtel bestatten wie gewöhnlich, dann mußte ich 36 Schachteln Zigaretten kaufen und rauchen, das waren immerhin 720 Zigaretten, für deren Konsum ich bei einem Durchschnitt von 25 Zigaretten pro Tag mehr Zeit brauchte, als die Mäuse in ihrem Zustand vertrugen.

Aber wie Hume schon einmal ganz richtig irgendwo bemerkte: Beobachte eine Erscheinung sorgfältig und zeichne diese Beobachtung auf. Was man erhält, das ist ein Faktum.

Und nun hatte ich beides, das ich beobachten konnte, entweder zusammen oder getrennt; aber egal, wie ich dieses Faktum in seiner Erscheinung betrachtete, die Mäuse mußten weg. Immerhin war es beruhigend zu sehen, daß ein Faktum ein zweites produzierte, wie es sich gehört. Leider war es nicht das letzte dieses denkwürdigen Tages, wie ich später feststellen mußte.

22. April. Immer noch Nebel, aber wegen der Mäuse allemal besser als Sonne. Der Fuß tut weh, die Zehen sind geschwollen und erinnerten mich beim ersten Anblick an gefärbte Ingwerwurzeln. Der Knöchel ist auch in Mitleidenschaft gezogen und leuchtet in einem häßlichen Blau-Rot, ähnlich den Farben auf der Illustration der Seite 180 meiner sehr farbenfrohen Gerichtsmedizin von Slutch und Pieper, nicht Josef Pieper natürlich, wo über Explosionstote berichtet wird. Die armen Mäuse bedeckte ich mit vierzehn Kühlkissen, die beinahe so blau waren wie meine Knöchel, und steckte dann die ganze Walstatt mit den vielen kleinen Leibern auf dem silbernen Tablett in einen Sack aus Ölpapier. Den deponierte ich vorläufig auf der Kommode.

An diesem Mittwoch irrte ich wirklich, von Stunde zu Stunde, in einem Dickicht von halb geprüften und halb ungeprüften Fakten, wie Freund Clemm wohl gesagt hätte; der Konjunktiv war angebracht in diesem Fall, denn ich war mir gar nicht sicher, ob er jemals wieder mit mir ein Wort wechselte, wenn er vom Tod Ramseys erführe.

Ich weiß ja nicht, wie lang des Lebens Spanne für den Goldfisch ist. Gesetzt, er hatte die Lebenserwartung eines Karpfens, der uralt werden könnte, würde Clemm, der gern verläßliche Beziehungen zu Subjekt und Objekt unterhielt, doch sehr enttäuscht sein.

Falls Clemm die Absicht hatte, Ramsey mit ein paar passenden Worten – Literatur hatte ich genug – zu begraben, packte ich den Fisch in Silberfolie und deponierte ihn, immer noch gegen sieben Uhr morgens dieses entsetzlichen Tages, im Kühlschrank neben den immerwährenden Irish Stew-Topf Hardings.

Sodann fügte ich mich seufzend in die Aufgabe, aufzuräumen, wobei ich die Gedanken, die durch das Aufräumen (stellen, setzen und legen – put, put, put) entstanden, auf ein sauberes Blatt Papier notierte.

Zum Beispiel mußte ich mir jetzt eine Schreibmaschine anschaffen, um von den Blättern, die mir die Mäuse gelassen hatten, das Leserliche zu übertragen. Wie ich später merkte, hatten die Mäuse entweder rational oder irrational gehandelt – je nachdem –, denn durch die Plazierungen der Kotkugeln waren sinnentstellende Fehler entstanden, die ich vom Blatt direkt in die Maschine übertrug; da waren Kommata, hin und wieder ein wichtiges Semikolon und ganze Wörter getilgt, ja in meiner Arbeit *Körnerdiät und Exkursionswille*, drei Seiten immerhin, fehlte eine ganze Zeile, als sei eine Maus mit dem Arsch über die Zeile gegangen wie ein schlittenfahrender Hund, den es juckt.

Der menschliche Geist vermag auch an Katzenjammertagen mehr, als man denken mag.

Ich würde, so dachte ich, fürderhin keine Mäuse mehr dulden, keine Mäuse und keine Goldfische, überhaupt keine Haustiere.

Im Haus war es immer noch still.

Die Witwe stand wegen ihrer asthmatischen Nachtanfälle, die wohl anstrengend sind, sehr spät auf und dämmerte dann in der Küche auf ihrem Scherenstuhl sitzend eine Stunde über ihrem Tee.

Ich vermißte gegen acht ein bißchen meine Mäuse, die mich tagsüber immer beobachteten, da klingelte, ach leider, das Telephon im Flur, und dieses dumme, aufdringliche Klingeln versetzte die ganze Pension in Aufruhr.

Für alle Fälle schloß ich meine Tür ab; einmal hatte mich die Witwe trotz ihrer Kurzsichtigkeit über einem Mäusewochenbett erwischt, an dem ich mit feuchten Augen den Geburtshelfer spielte – Schwamm drüber –, ich sagte ihr, ich wolle die schädlichen Tiere für Forschungszwecke sezieren und fühlte mich sicher. Die Mäuse lagen gekühlt, der Goldfisch war in Sicherheit für den späteren Gebrauch beim Trauerdienst. Da klopfte es an meine Tür.

6 Immer noch der 22. April. Mußte eine Pause machen, denn Schreiben ist Arbeit. Mir ist es immer noch ganz unverständlich, warum der Zufall alles auf einen Tag legen mußte, von einer Notwendigkeit kann da nicht die Rede sein; ich hätte die Ereignisse gern auf einen Monat verteilt gesehen.

Als ich das Klopfen hörte, wußte ich, wer vor der Tür stand, aber ich war nicht präpariert; ich saß im Morgenrock auf dem Bett, in der Hand die dritte Büchse Bier, und beobachtete immer noch mit aller Achtung, Umsicht und Trauer diese große Menge beinahe unabsehbarer Zimmer-Erscheinungen, inklusive der erhängten Maus am Zahnseidenfaden, die leicht hin und herschwankte, wie ein altes Perpendikel.

Und ich hatte noch nicht meine Dosis Fluprim und Coca-Cola, ein unfehlbares Mittel, das die Nerven stärkt, den Magen beruhigt und das Denken akzeleriert.

Es klopfte denn also, ganz unwiderruflich sozusagen, und ich, ich handelte. Alle Bewegungen waren (trotz der drei Büchsen Lager-Bier) langsam und nicht besonders koordiniert. Ich packte den Leichnam der Maus – die Familienpackung Zahnseide fiel vor den Kamin – und legte sie in den einzigen Behälter ab, den ich im Dunst des Morgens fand, einen Messingaschenbecher, den ich geistesgegenwärtig mit einer Taschenbuchausgabe von R. Steiners *Wie erlangen wir die Erkenntnis höherer Welten* bedeckte. Dann öffnete ich die Tür, und richtig, wie vermutet, stand dort, ebenfalls im Hausmantel, die Witwe Hawkins. Sie trug ihr Morgentoupet, karottenrot, im linken Mundwinkel hing eine Zigarette, für die sie Feuer wünschte.

Ich gab ihr Feuer, und sie inhalierte so kräftig, daß sich der rosa Frotteestoff um den Busen spannte. Mit ihren scharfen kleinen, schwarzen Vogelaugen spähte sie in jede Ecke, entdeckte das ungemachte Bett und setzte sich aufs Kopfkissen; dann bat sie um einen Sherry.

Ich bat um Entschuldigung und sagte, ich hätte nur Port. Port war ihr recht. Dann trank sie, und ich versteckte meine Dose Bier hinter den Lexika auf der Kommode. Die anderen ruhten im Papierkorb aus Blech. Dann fiel ihr Blick auf die Mühle im Nebel von Pomkin.

Mein Gatte, sagte sie nach einem guten Schluck, liebte auch die Malerei, ja, fügte sie hinzu, er verstand sogar was davon.

Ihr Mann, inzwischen an einer Leberzirrhose dahingegangen, war Lerntheoretiker und hatte der Welt die große Arbeit über Suchtverhalten und Therapien geschenkt: *Süchtige Fehlhaltungen*, ein Titel, der ein bißchen nach falscher Grammatik schmeckte, und er hatte über diese Themen diverse Artikel für das BRITISH MEDICAL JOURNAL verfaßt, wobei das Subjekt Prof. Josua Hawkins als sein Lieblingsobjekt immer im Zentrum seiner zerstreuten Feldforschung stand, eine sehr gute Methode, die alle Irrtümer ausschließt.

Wie immer ermuntert über das Stichwort ‚verstehen‘, mag es im Gebrauch noch so viele Mißverständnisse erzeugen, sagte ich, die moderne Malerei müsse man in einem ganz exakten Sinn verstehen, sei doch die Interpretation schon ein Teil des Artefakts.

Irgend etwas beunruhigte die alte Dame. Die kleinen Augen schossen in alle Richtungen, sie schnüffelte und bewegte ihren Vogelschädel ziemlich heftig. Nun ja, das Tableau sah ein bißchen sonderbar aus.

Auf dem Tisch lagen die von den Mäusen zerstörten, feuchten Papiere voller Pfotenspuren. Auf der Kommode neben dem Kamin tropfte es vom Silbertablett auf das Holz, und kleine Rinnsale flossen über die Front. Wahrscheinlich war eines der blauen Kühlkissen leck.

Das mag schon sein, sagte die Witwe, und nach einer Pause setzte sie hinzu, es stinke im Zimmer.

Verstehen, sagte ich, ist konstruieren, verstehen Sie? Das habe schon Leonardo da Vinci gesagt.

Der Port auf nüchternen Magen tat endlich seine Wirkung, und die Dame des Hauses kam zur Sache, was immer erfreulich ist.

Mein Gatte, sagte sie, erschien mir letzte Nacht im Traum, was er seit seinem Tod vermieden hat, und sagte, Rose, sagte er, du mußt dir einen Kater anschaffen, am besten zwei oder eine ganze Gruppe.

Einen Kater oder eine Katze, sagte ich, aber warum zum Teufel?

Wegen der Mäuse, sagte die Witwe und rollte ihre Vogelaugen nach oben, im Haus wimmele es von Mäusen und einige Mieter hätten sich schon beschwert.

Welche, fragte ich, sich beschwert hätten?

Die Schwestern Plummer, sagte die Witwe, sehr gute Gäste.

Liebe Miß Hawkins, sagte ich, nahm ihr die Zigarette aus der Hand, ehe sie nach einem Aschenbecher suchen konnte, drückte sie in einem alten Sektglas aus und fuhr fort: Hat jemand in diesem Haus, gleichgültig wer, zu welcher Zeit und an welchem Ort, jemals eine richtige, empirische Maus gesehen, sozusagen als ein verläßliches, unverrückbares Faktum?

Der Verdacht genüge, sagte die Hawkins und nuckelte an ihrem Port.

Ich werde, sagte ich, die Schwestern Plummer aufsuchen, und sollte sich der Verdacht erhärten, gewisse Schritte unternehmen.

Die Witwe dankte für den Port.

Ich habe, sagte sie an der Tür, kein Verständnis für Mäuse und andere Schädlinge.

Das könne ich verstehen, sagte ich. Und dann, als ich mich gerade nach einer endlosen Wartezeit auf ein freies Badezimmer – Casullo trödelte wie ein Idiot – geduscht und angezogen hatte, erschien Clemm, unter dem Arm eine Flasche Tawny-Port.

Ich will, sagte er nach der Begrüßung, Ramsey abholen – er ist ja doch wohlauf?

Clemm, sagte ich, lieber Freund, setz' dich, mach's dir gemütlich, magst du ein paar Cracker?

Ich pflege nicht zu frühstücken, sagte Clemm und setzte sich auf den Sessel, auf dem er bei seinem letzten Besuch James erdrückt hatte. Wo ist, fragte er sitzend, Ramsey?

Camus, sagte ich hastig, macht einen Unterschied zwischen dem logischen, das heißt leiblichen Selbstmord und dem philosophischen, d. h. geistigen Selbstmord, obwohl diese Differenz angesichts des unwiderruflichen Endes vielleicht so bedeutend nicht ist, entscheide doch wie immer im Leben das Motiv.

Was redest du da, sagte Clemm nervös, wo hast du Ramsey gelassen?

Clemm, sagte ich, trink einen Schluck von dem Port.

Wie alt, fragte ich, werden Goldfische eigentlich?

Clemm erwiderte, sie erreichten wohl nicht ganz das Alter von Karpfen.

Du liebe Güte, dachte ich, bei einer Lebenserwartung von fünf bis zehn Jahren wäre die Angelegenheit weniger schlimm.

Kacz, fragte Clemm, sage mir auf der Stelle: Was stieß Ramsey zu?

Wie ein Zauberkünstler, der weiß, daß sein Trick nicht funktionieren wird, nahm ich den schwarzen Shawl vom Goldfischglas, in dem Ramsey nach seiner vorletzten Umbettung auf dem Rücken liegend schlummerte, und wickelte ihn frisch aus der Silberfolie.

Mein Gott, sagte Clemm, wie ist das passiert, und er kniete sich vor den kleinen Leg-Table, wobei seine Gelenke knackten, und küßte das Glas. Dann setzte er sich wieder und trank mit leidender Miene seinen Port.

Selbstmord, sagte ich, es war Selbstmord; ich möchte nicht Freitod sagen, aber so groß ist der Unterschied im Resultat schließlich nicht.

Treib keine Haarspaltereien, sagte Clemm gereizt, sondern erkläre mir, wie das passieren konnte.

Ich saß an der Arbeit *Über die seelischen Kosten der Arbeit* und eben auf der dritten Seite angekommen und über ein zweifelhaftes Indefinitpronomen nachdenkend, sah ich zum Glas, sagte ich, da mußte ich sehen, wie Ramsey einen gewaltigen Sprung machte, eine Art Pirouette, und dann auf den Boden fiel. Ich hob ihn natürlich sofort auf und tat ihn zurück ins Glas, aber er hatte eine leichte Schlagseite, rechts, wenn ich mich richtig erinnere. Sage mal, litt Ramsey an einem dir unbekannten Kummer, nagte (so drückte ich mich wirklich aus an dem schrecklichen Tag) an ihm ein heimlicher Harm?

Red' keinen Mist, sagte Clemm; rein in's Glas und Schlagseite, das könne er zur Not verstehen, aber wieder raus aus dem Behälter, das könne er nicht verstehen, denn kein Fisch, am wenigsten Ramsey, habe auch nur einen Gedanken an Selbstmord.

Ich weiß ja nicht, sagte ich, warum dein Fisch zwei Mal sprang, ich konnte es jedenfalls – vom Schreibtisch aus – nicht verhindern. Und er sprang in dem Augenblick, wo ich etwa in der Mitte des Satzes war – ,Arbeit, als Intention betrachtet, ist' –, da sprang Ramsey entschlossen und mit einem Salto das zweite Mal.

Ich kann es einfach nicht verstehen, sagte Clemm.

Da hatte ich, gottlob, mein Stichwort und zog es auch sofort an Land.

Das Verstehen als Akt, sagte ich und trank meinen Port bis zur Hälfte, kann man halb als natürlichen und halb als einen geistigen –

Rede bloß keinen Stuß, sagte Clemm, ich verstehe dich einfach nicht, dein Verhalten ist mir rätselhaft. Da gibt man dir einen Lebensgefährten, ein gutes, sanftes, braves und schönes Tier, und du vernachlässigst deine Aufsichtspflicht.

Bester Clemm, sagte ich und ließ eine ganze Reihe möglicher anderer Satzanfänge unter den Tisch fallen, ich finde ehrlich gesagt das Verhalten des Fisches nicht so rätselhaft wie deines. Nach Hume kann man den Willen als eine Ursache des Verhaltens auffassen; und wenn es der Wille des Fisches war, aus dem Bassin zu springen, hätte ihn mein Wille, ihn vor dieser Unbedachtsamkeit zu bewahren, in keinem Fall, vom Schreibtisch aus, der am anderen Ende des Zimmers liegt, bewahren können. Soviel zum Freien Willen, der zwischen Wille und Verhalten herrschenden Verknüpfung und der dämlichen Idee deines amphibischen Haustiers, aus dem Bassin zu springen, und vielleicht habe ja Ramsey, allen Interpretationen zum Trotz, einen vernünftigen Grund gehabt, Bassin und Leben zu verlassen. Ich glaube, ich benutzte an dieser ruhigen Stelle das Verb ‚fliehen‘, weil es poetischer ist.

Ich verstehe diese ganze Sache nicht, sagte Clemm verstockt, wie oft er denn gesprungen sei.

Ich denke, sagte ich, d. h. ich glaube, er machte vier Versuche, und es war die reine Arbeit, ihn immer wieder ins Glas zu bugsieren.

Wiederholungen bestimmter Handlungen übten mitunter, sagte Clemm, eine betäubende Macht auf das Individuum aus, und ich stimmte ihm sofort zu.

Er hätte sich ja was am Kopf tun können, sagte ich wie ein gütiger alter Tierarzt.

Das leuchtete Clemm ein, und er fing an zu weinen, ziemlich geräuschlos, aber entschlossen, sich der Rührung zu überlassen. Es war in der Tat beklemmend, um diesen öden Witz ein einziges Mal zu machen.

Wie Ramsey so seine ewigen Kreise gezogen habe, immer dicht unter der Oberfläche des runden Wasserspiegels, sei das Tier ein goldenes Symbol für Stabilität, Schönheit und Ruhe gewesen.

Tut mir leid, sagte ich, wie hoch denn seine Lebenserwartung gewesen wäre, voraussichtlich, ohne diesen wilden Entschluß.

Nicht ganz so alt, antwortete mein Freund, wie Karpfen, wie du weißt.

Wie geht es eigentlich Priscilla, fragte ich, um ihn von seinem Kummer abzulenken. Abermals ein Fehler. Priscilla habe ihn vor einem Monat verlassen, deswegen habe er den Goldfisch angeschafft.

Wie furchtbar, sagte ich, und ob er noch ein Gläschen Port wolle.

Wenn du so willst, sagte Clemm, war Ramsey eine Art Schutzengel, aus der Klasse der dezenten und diskreten Schutzengel – keine Widerworte, keine Szenen, keine Tränen, allzeit ruhig und präsent.

Unter Tränen setzte er hinzu: er konnte kein Wässerchen trüben, und stellte sein leeres Glas exakt neben den Tisch. Wir hatten soviel Port intus, daß uns das Geräusch des berstenden Glases nicht erschreckte.

Clemm, sagte ich, laß uns deinen Gefährten bestatten. Hast du einen bestimmten Musikwunsch?

Clemm starrte mich an, dann holte er ein schwarzes Taschentuch aus der linken Hosentasche, an dem Tabakpartikel hafteten, und trocknete sich die Augen.

Ich verstehe dich nicht, sagte er, gib mir einen letzten Whisky.

Ich gab ihm den Whisky, der auch mein letzter war, in einem alten Zahnputzglas.

Man könnte doch, sagte ich, eine stimmige kleine Feier veranstalten, vielleicht stoßen noch die Schwestern Plummer dazu, dann wären wir eine richtige kleine Trauergemeinde.

Ich, sagte Clemm, arbeite an meiner Trauer, und du, du denkst an Sex?

Meinetwegen, sagte ich, der Sache allmählich leid, arbeiten wir allein an einer altmodischen Pompe Funèbre für Ramsey, das bringt in solchen Fällen immer auf andere Gedanken.

Clemm wiederholte, daß er mich nicht verstehe, nie verstanden habe und auch nie verstehen werde, ich sei ja völlig verrückt, das Goldfischglas könne ich behalten, er habe eine Verabredung in der Gedenkbibliothek.

Was mit Ramsey geschehen solle, fragte ich.

Spül' ihn ins Klosett, sagte Clemm, mach', was du willst, aber verschone mich ein für alle mal mit deinen Gedanken, gleichgültig, über welchen Gegenstand zwischen Himmel und Hölle.

Dann trank er seinen Whisky, wischte sich den Mund mit dem schwarzen Trauertuch ab, und mit Tabakkrümeln auf den Lippen ging er stumm hinaus und ließ die Tür offen.

Was für ein unerschöpflicher Tag voller Sinn und Bedeutung, Trauer und Abschied. Mir war schwindelig, und meine Hände zitterten.

Clemm steckte seinen Schädel in den Türspalt. Sag mal, fragte er, wo mag Ramsey jetzt weilen?

Keine Ahnung, sagte ich, vielleicht in einem riesigen himmlischen Goldfischbecken, behütet von anderen amphibischen Engeln, die mit ihm das große O singen.

Bye, sagte Clemm und zog dann ab.

Im Flur ertönte der Gong, den die Hawkins mit einem Schlegel betätigte, der einen pelzigen Kopf hatte. Meine Kopfschmerzen erzeugten ein Echo. Es war tatsächlich erst ein Uhr des Mittags und Dienstag, und es würde Beef roll geben, falschen Hasen, für den die Witwe viele Verkleidungen kannte. Im dining-room, einem großen Zimmer mit Flügeltür zum Garten, saßen schon die Gäste versammelt, am Kopfende die Witwe; anwesend waren die Schwestern Plummer, der Historiker Harding, ein dicker, rosiger Mann mit Halbglatze und kultivierter Stotterer, gegenüber der Mathematiker Casullo, der ein neben dem Teller aufgeschlagenes Buch las, und endlich Clemens, der Komparatist, mein Nachbar, vis à vis zu den Zwillingen.

Der falsche Hase ging schwer hinunter, das Schlucken war mühselig, aber für meine Arbeit im Garten mußte ich ihn zu mir nehmen.

Bei Tisch wurde kaum jemals gesprochen, was mir lieb war. Man hörte nur das Klirren der Messer und der Gabeln. Neben mir mahlten die Kiefer von Clemens. Das Hackfleisch war wieder zu hart.

Agassi, sagte Casullo, hält übermorgen im Snow-Saal einen Vortrag.

Oh, sagten die Schwestern wie aus einem Munde, worüber denn?

Keine Ahnung, sagte Casullo, aber angekündigt sei der Vortrag mit dem Titel *Die Entbehrlichkeit der Dinge*.

Der falsche Hase auf meinem Teller wollte als Gesamtmasse nicht verschwinden, aber im Augenblick war er wirklich ganz unentbehrlich.

Das Wetter kam mir und meinem Vorhaben freundlich entgegen. Es regnete, und vom Meer wehte eine gleichmäßige, nach Salz duftende Brise. Ich grub ein recht tiefes Loch im Format 50 x 50 cm unter dem alten Buchsbaum am Ende des Gartens und versenkte das viktorianische Tablett mit den lieben Toten und dem Goldfisch namens Ramsey – in Silberfolie – in die Erde und machte das Loch wieder zu, natürlich plan, ohne jede verräterische Erhöhung. Dann ging ich ins Haus zurück, wickelte mich aus der Regenhaut, duschte ausgiebig das zweite Mal an diesem Tag und legte mich zum Meditieren auf das noch immer ungemachte Bett. Auf dem Schreibtisch fand ich einen Briefumschlag mit unbekannten Briefmarken, den die fürsorgliche Wirtin an meine Briefwaage aus Messing gelehnt hatte; er war wirklich an mich adressiert, und der Absender war mein alter Papa aus Berlin, von dem ich, von den regelmäßigen Schecks abgesehen, seit Jahren nichts gehört hatte.

An dem Tag entschloß ich mich, den Brief nicht zu lesen, ein Entschluß, den ich mein Lebtag nicht bereute.

Ungelesen, aber auf unbestimmte Weise bedrohlich, lag der Brief bis Mitternacht auf der Briefwaage.

7

Ich habe einen Besuch bei den Schwestern Plummer gemacht, der so schön war wie irgendein Gedicht. Die Schwestern bewohnen gemeinsam das Südzimmer im ersten Stock mit Blick auf den Garten.

Als ich klopfte, war es 22.12 h.

Sie hießen Emmy und Evelyne, waren waschechte eineiige Zwillinge, hatten lange blonde, kompliziert geflochtene Zöpfe und braune Augen mit einem Emailleschimmer, und ich war seit drei Jahren hoffnungslos in sie verliebt. Die Liebe zu Zwillingen ist harte Arbeit, denn man kann nicht zwei Frauen lieben. Man muß sich, auch wenn eine Doppelausfertigung in dieser Qualität vorhanden ist, für eine von beiden entscheiden, sonst kommt man in Gefühlsschwierigkeiten.

Leider hatte keine von ihnen auch nur das unscheinbarste Merkmal, mit dessen Hilfe man sie hätte unterscheiden können. Sie hatten beide weiche, süße, etwas spröde Stimmen, sie seufzten beide mitten im Satz, sie ergänzten oder vollendeten ihre lieblichen Sätze, Äußerungen, Interjektionen mit ununterscheidbaren Modulationen, und sie hatten beide – links neben der Oberlippe – ein winziges Muttermal wie ein Schönheitspflästerchen.

Soviel ich wußte, tranken sie gern Eierlikör, ein grausiges Gesöff, das die ganze menschliche Natur schändet, aber selbstverständlich hatte ich eine unberührte Flasche unter dem Arm. Es gab nicht viele Sitzgelegenheiten. Die Schwestern saßen auf einer geblümten Chaiselongue und ich ihnen gegenüber, auf einem modernen Sessel, dessen Sitzfläche derart schräg war, daß sich mein Kopf zwischen den Knien befand. Es war eine ungünstige Sitzposition. Mein Jacobsonsches Organ arbeitete mit voller Kraft. Sie dufteten nach Samsara und einer ländlichen Seife, vielleicht einer Gardenia Bath Soap, während wir – mein müder Körper und ich – versuchten, ein französisches Aftershave zu verströmen. So saßen wir schweigend und duftend ein paar Minuten. Sie lächelten mich erwartungsvoll an, und ich setzte die Flasche Eierlikör auf den kleinen Dreibeiner mit dem Messingtablett.

Sie seufzten und sagten, oh, wie schön.

Und mir fiel nichts Vernünftiges ein. Emmy oder Evelyne holte drei flache Gläser, und ich bat um einen Aschenbecher.

Evelyne oder Emmy goß diesen zähen, goldgelben Tran in die Gläser, und wir tranken einen kleinen Schluck. Danach leckten sich beide ihre dunkelroten Lippen, die im Verlauf des Abends blasser wurden, und schleckten dann so zierlich wie zwei Kätzchen mit spitzen Zungen die Gläser aus, so daß ich den Blick abwenden mußte. Und da machte ich leider zwei Entdeckungen, die mir mißfielen. Vor einer grauen Bücherreihe – es war die Blackwell-Ausgabe Wittgensteins – stand in einem kleinen Rosenholzrahmen eine Photographie, die einen jungen, wohlgemut blickenden Mann mit blonden Borsten auf dem Schädel zeigte, niemand anderen als den Konkurrenten Swanson, der sich ebenfalls um ihre Gunst bemühte. Soviel ich wußte, kam er aus Oxford und hing entlegenen Haarspaltereien nach, in Arbeiten, die so ähnlich hießen wie: *Sinnesdaten oder Was meinte Nelson wirklich* oder *Eine kybernetische Systemtheorie des rationalen Verstehens und Erklärens.* Er war ein sehr sportlicher, athletischer und analytisch begabter junger Mann, der vor Kraft kaum laufen konnte. Ich haßte ihn. Alle männlichen Gäste der Pension Hawkins haßten ihn, je nach Kraft, Zeit und Vermögen. Und alle liebten die Schwestern.

Harding legte ihnen handschriftliche Exzerpte aus erlesenen, alten Gedichten verschollener Poeten unter die Teller. Clemens traktierte sie mit eigenhändig gefühlten Gebilden in wilden Rhythmen und hatte für Emmy einmal ein Marvell-Gedicht gefälscht, leider aber in Evelynes Postfach deponiert. Casullo widmete seine Liebespost vorsichtigerweise immer beiden

Schwestern, entweder um eine Verwechslung zu vermeiden, oder weil er beide liebte und keine bevorzugen wollte.

Die Schwestern seufzten, vor dem Fenster klapperten bei jedem Windstoß die Holzjalousien. Auch ich seufzte. Sie hielten ihre Gläser, eine jede das ihre, in der rechten Hand, ihre Augen leuchteten, ihre Lippen glänzten, und da machte ich die zweite furchtbare Entdeckung zwischen ihren beiden Köpfen. Der tote Snow (aus meiner Chesterton-Familie) saß in einer Mausefalle. Der Stahlbügel hatte ihn exakt im Genick erwischt. Seine beiden Vorderpfoten waren zwei Zentimeter von einem Stück Cheddar entfernt, das für alle Ewigkeiten außer seiner Reichweite bleiben würde. Die Schnauze war geöffnet, als habe er noch etwas gesagt, und er zeigte seine beiden Schneidezähnchen. Das Hinterteil war erhoben, mit einem leicht geringelten, kaum behaarten Schwanz. Ich erkannte ihn an seinem fahlen Rücken und an der Schwanzspitze, die er sich an einer Kerze verbrannt hatte.

Ich saß da in meiner eigenen Grabesstille und starrte auf die Schwestern und auf die Falle zwischen ihren lieblichen Köpfen.

Emmy füllte das Glas von Evelyne oder Evelyne das von Schwester Emmy, dann nippten sie an dem gelben Zeug; hin und wieder leckten sie ihre klebrigen Fingerspitzen ab, so zierlich wie Katzen, die sich putzen, und absolut gedankenlos, während ihre Lippen immer voller und blasser wurden.

Emmy fragte mich, woran ich arbeitete, Evelyne fragte, warum ich humpelte.

Nun, sagte ich, ich schreibe eine kleine Arbeit über *Die Lust am Mitleid*, und das Humpeln ist die Folge eines Sturzes in einen Graben.

Wie furchtbar, sagten die Schwestern.

Sie sahen so arglos aus in ihren weißen Kleidern mit den kakaofarbenen Strickjacken.

Miß Hawkins, die Witwe, die wir kennen, sagte ich, will einen Kater gegen eine Mäuseplage anschaffen.

Mäuse, sagten die Schwestern und atmeten einen Augenblick durch die Nasen, was Sie nicht sagen, wir haben im Haus noch keine einzige Maus gesehen.

Die Hawkins spräche von einer Plage, sagte ich.

Wir hören gerade bei Stratton, sagten die Schwestern heiter, dem, der so lispelt, *Über Paradoxien*, vor allem über die *Klasse aller Klassen*. Und für die nimmt er als Beispiel Katzen, d.h. Katzen und Nicht-Katzen.

Ich sagte, mir sei das alte Problem bekannt.

Wieder stockte die Konversation, und ich suchte, mühsam gegen Sodbrennen wegen des Likörs kämpfend, nach einem Thema.

Leider holte eine der Schwestern, ich weiß bis jetzt nicht, welche es war, ein Tablett voller Crumpets auf Spitzenservietten. Im Zentrum ruhte ein Kristallglas mit Himbeergelee.

Alkohol ist eine schöne Sache, und Frauen sind eine schöne Sache, aber man muß sie streng getrennt halten. Gegen das Sodbrennen, gespeist vom Eierlikör und den Crumpets, trank ich einen Gin, denn Gin ist immer die reine Medizin. Leider fanden die Schwestern noch eine alte Flasche, versteckt hinter einer dreibändigen Ausgabe der Werke von F.S.C. Schiller, dem berühmten Verfasser von *My Concept of Mind*.

Die Medizin wirkte. Ich rückte mit meinem Segeltuchsessel, den Kopf zwischen den Knien wie eine männliche Spinne auf Brautschau, näher an die Chaiselongue und die Knie der jungen Damen.

Meine Organe arbeiteten mit allen Kräften, und ich sog die Düfte der Schwestern ein – ihren nach Eierlikör duftenden Atem, ihre süße Samsara-Aura und eine liebliche mit Moschus gemischte Schweißnote unter vier Achseln.

Dieser Kerl, sagte ich und zeigte mit dem Finger auf das Porträt des heldischen Swanson, sei ein unwürdiges Schwein, das in der Bibliothek heimlich über ethnologischen Illustrationen aus

Kotys Meisterwerk *Die Behandlung der Alten und Kranken bei den Naturvölkern* masturbiere ... Ich aber, ich liebte sie mit allen Fasern meines Herzens, jede einzelne, Emmy wie Evelyne, aber auch das Doppelmädchen, eins mehr als das andere und keine weniger als die andere, und das gleichzeitig.

Diesen einen ersten Satz einer ziemlich langen Liebes-erklärung weiß ich noch genau; die Hauptpassage, gewürzt mit Zitaten aus Marvell, Swinburne und dem ewigen O'Shaugh-nessy ist gottlob in einem großen gnädigen Blackout ver-schwunden.

Die Schwestern lehnten sich zurück, und ihre Busen hoben sich, während vier Brauen delikat in der Dämmerung und im Kerzenschein wanderten.

Sie sagten, was Sie nicht sagen, Alfred, wirklich? Und schon lange?

Drei Jahre, sagte ich, ohne Unterbrechung und immer mit angespannten Sinnen, kaum noch bei Besinnung und der sog. geistigen Arbeit gewachsen.

Die Schwestern sagten, es täte ihnen leid, aber ich sei nicht ihr Typ.

Sie erinnern uns, sagte Emmy oder war es Evelyne? irgendwie an eine Maus, natürlich positiv ...

An eine Landmaus, sagte die andere, wissen Sie, mit Ihren langen dünnen, rosigen Pfoten ... Ihren flinken Augen ... mit Ihrem Sammlertrieb ... immer sammeln und horten ... und knab-bern und verdauen, Buch nach Buch ... und auch wegen Ihrer nächtlichen Aktivitäten.

Mein letzter Satz, dessen ich mich vor meinem stolperreichen Abgang erinnere, war gänzlich sinnlos angesichts meiner peinli-chen Lage. Der arme Snow – und ich zeigte schwankend mit dem Finger auf die tote Maus in der Falle – habe eine Schwäche für rosa Löschpapier gehabt.

8   Am nächsten Morgen, ein 24. April zu allem Überfluß, viele Resultate des letzten Tages und auch der letzten Nacht notiert: viel Katzenjammer, viel Kummer wegen des Versagens gegenüber den Mäusen und den Schwestern Plummer, viel Durst, viel Regen, viel Regeneration ohne Alkohol (sehr schwer) und der Entschluß, das Trinken komplett, das Rauchen dagegen partiell zu reduzieren.

Vorwurfsvoll und ein wenig bedrohlich lehnte der Brief meines Vaters aus Deutschland jetzt am fetten, blauen Rücken der Gerichtsmedizin von Slutch und Pieper. Ich vernichtete vier Flaschen Scotch, eine Flasche Bourbon, vier Flaschen Sherry und drei Flaschen Port; Porter ist ohnehin dem Organismus bekömmlicher, und man kann ihn schon zum Frühstück trinken. Aus den Flaschenhälsen drang dieses liebliche Geräusch, als ich die Flüssigkeiten aus ihren Behältern in den Orkus überführte, Wehmut im Herzen. Die Sonne schien auf eine große Unordnung, alte Flecke auf Möbeln, gefüllte Aschenbecher und die verschmutzten Manuskripte meiner tausend uferlosen Arbeiten, die alle auf einmal im Entstehen begriffen waren. Eine unausgeschlafene Amsel sang mit vielen Pausen, Wiederholungen und einem leichten Schluckauf im Birnbaum (Sorte Packham, wie ich wußte), und meine Augen tränten aus unbekannten Gründen oder wegen gemischter Ursachen – wie einer lästigen Konjunktivitis des linken Auges oder einer Pollen-Attacke aus dem Garten. Auf dem Porzellan des Beckens trockneten meine Alkoholika wie Blut nach einem Verbrechen.

In dieser Stimmung ergriff ich den Brief und verzog mich auf die Bank im Garten weitab vom Haus der Witwe. Alles grünte und blühte wie verrückt, atmosphärisch ganz ähnlich wie im dritten Vers, dritte oder vierte Zeile des schönen Gedichtes von Andrew Marvell *Der Garten*. Da war die Bank, ich saß auf ihr, und der Brief lag da herum. Ich hätte ewig so sitzen können, aber ich dachte: man muß handeln, und öffnete leider den Brief, der, wie gesagt, unverschämt dick war und ein Mitteilungsbedürfnis verriet, das einer besseren Sache hienieden würdiger gewesen wäre. Aber derlei begreift man immer erst dann, wenn es zu spät ist.

Auf dem ersten Blatt gelblichen Papiers war ein Briefkopf:

BESTATTUNGSINSTITUT AMBROSIA

Unter diesen beiden Wörtern sah man auf schwarzem Grund zwei schnäbelnde, goldene Tauben über einer schwarzen Urne. Ich las dann den ganzen Brief von vorn bis hinten. Ich las ihn mindestens vier mal, wenn nicht noch öfter, aber nach den beiden statuarischen Substantiven ‚Bestattungsinstitut‘ mit dem abwegigen Namen ‚Ambrosia‘ mußte ich innehalten, so daß die Witwe mich, mit dem Brief neben mir, auf der Gartenbank fand.

Die Witwe trug den schwarzen Morgenmantel mit seidenen Revers, ein Erbstück des toten Lerntheoretikers, nehme ich an, die Füße steckten in zu großen, sehr roten Pantoffeln aus Nappaleder, und sie war leicht betrunken, ging unendlich vorsichtig und sah fortwährend auf ihre Füße.

Kacz, sagte sie und schwankte – sie sagte immer Catch –, muß Sie sprechen.

Aber bitte, sagte ich und versteckte den Brief in meiner Brusttasche.

Heute ist, sagte sie, als sie endlich saß, ein Tag der Entschlüsse. Sie nahm das Abend-Toupet, eine in der Sonne flammende, tizianrote Bürste, vom Kopf und preßte es dann in ihren Schoß.

Entschlüsse, sagte ich, seien immer eine gute Sache.

Sie schenkte mir einen tiefen Blick aus ihren mit Mascara verschmierten dunklen Augen und sagte, der Gatte sei ihr wieder erschienen.

Ich seufzte.

Seit der Witwe (an geraden Tagen, glaube ich) der tote Hawkins erschien, trank sie mehr, als es der Hausführung guttat, und sie vernachlässigte sich ein bißchen.

Ich fragte, was er diesmal gesagt habe.

Daß der Mensch, sagte die Witwe und blies mir Sherry-Atem in die empfindliche Nase, ein sterblich' Wesen sei, zu Lebzeiten von Mikroorganismen besetzt.

Der Gatte habe da absolut recht, sagte ich, aber die meisten seien unschädlich für das Individuum.

Und ich soll mir so 'n Katervieh anschaffen, sagte sie plötzlich, wenn nicht, dann suche er sie jede Nacht heim.

Nach diesem Satz wanderten ihre kleinen Äuglein unruhig im Garten umher, während die Hände dem Toupet in ihrem Schoß schreckliche Dinge antaten. Auf dem Schädel hatte die Witwe grauweißen Flaum, ähnlich dem Gefieder eines alten Vogels. Ich wußte immer noch nicht, was sie von mir wünschte.

Der Igelfloh zum Beispiel, sagte ich, hat wieder kleine Flöhe und die haben noch kleinere, die von Milben besucht werden, aber das sind eben Gastfreundschaften und Gäste, die sich gut vertragen.

Als Josua erkaltete, sagte die Witwe träumerisch, hab' ich gesehen, wie 'ne Truppe Flöhe aus seinen Brusthaaren absprang.

Und wenn Sie nun einen Kater anschafften, sagte ich, dann wäre das doch in Ordnung.

Es sei nicht allein der Kater, sagte die Witwe unter Tränen, nicht die Parasiten und die vielen nächtlichen Heimsuchungen des Toten an ungeraden Tagen, es sei das alles zusammen.

Wegen der entsetzlichen Nüchternheit, in der ich mich befand, wollte keine rechte Rührung aufkommen, obwohl weibliche Tränen sonst immer ganz unwiderstehlich waren; wahrscheinlich ein Verlust.

Liebe Mrs. Hawkins, sagte ich und küßte ihre linke, nach Gold Cream duftende, heiße Hand mit den abgeknabberten Fingernägeln, schöpfen Sie Mut, Kraft und Zuversicht aus dem Anblick Ihres herrlichen Gartens. Die Witwe schwieg einen Augenblick besänftigt, und wir sahen auf meinen Friedhof. Überall, unter Büschen, Sträuchern, Stauden und Bäumen lagen meine lieben Toten in allen möglichen Behältern, die ich für die Pompes Funèbres hatte auftreiben können, die meisten waren natürlich in die Hardboxes meiner Zigaretten gewandert. Ich bedauerte, daß es keine wirklichen Grüfte gab, keine Grabmäler, keine Kreuze und keine Epitaphe, nicht einmal ein ganz unscheinbares Mausoleum, das sich in Marvells ewigem Grün gut gemacht hätte.

Unter dem wilden Strandhafer lag eine Wanderratte, die nach langer Pilgerschaft hier im Garten wohl an Gift verschieden war, begraben in einer Keksdose. Unter der Bank, auf der wir jetzt so friedlich saßen, schlummerte ein Wurf junger Mäuse, die von ihrer verantwortungslosen Mutter nach der Geburt verlassen wurden. Die fünfzehn kleinen, noch durchsichtigen Körperchen, aber schon ausgestattet mit Schnurrhaaren, hatte ich in die Blechschachtel The Cat's Academy gebettet; ursprünglich bewahrte ich dort Schokoladenriegel auf.

Die Schwestern Plummer hatten neben den Fuchsien einmal eine junge Elster vergraben, die sich nicht hatte füttern lassen wollen. Ich weiß noch, daß wir eine sehr stimmungsvolle Veranstaltung mit Tee und Rum hatten. Vor allem Emmy gab sich so sehr dem Kummer hin, daß es mir gelang, an den Knöcheln ihrer rechten Hand zu saugen. An der Mauer unter den Mimosen endlich, ein wahrer Locus Sepulturae, ruhte auf ewig Mimi in der Corona-Zigarrenkiste. Wie viele vor dieser Mauer schliefen: der Goldfisch Ramsey, Clemms goldener, beschuppter Lebensgefährte und das silberne Tablett mit den Familien Webster, Chesterton und Oblomow und die Rinaldinis, die Soubretten, alle verschwunden in einem tiefen Erdloch, samt den blauen Kühlkissen. Ach, viele Verluste, aber alle notiert und damit ein wenig unsterblich.

Ja, der Garten, sagte die Witwe, wie viele Hoffnungen und Träume hier begraben liegen. Wissen Sie übers weibliche Klimakterium Bescheid?

Ich fragte, ob es auch ein männliches gebe.

Nicht, daß ich wüßte, sagte die Witwe, aber ihres mache ihr zu schaffen.

Wie friedlich, schön und angenehm es im Garten war. Der Brief ruhte, immerhin schon geöffnet, in meiner Jackentasche, und ich plauderte, während der Himmel sich abermals bewölkte, mit Mrs. Hawkins über die stürmische Hitze, die sie bedrängte. Die ersten Regentropfen fielen, und die Witwe setzte sich wieder das Toupet auf, ein Schlangennest im Wind. Dann vergaß sie ihre schmerzliche Unruhe und kehrte zum Kummerthema der Besuche des toten Gatten zu unpassenden Gelegenheiten zurück.

Es ist, sagte sie, als fühle er sich da drüben unwohl oder als wolle er mir etwas Bestimmtes mitteilen, was über die Parasiten des menschlichen Körpers, die Anschaffung eines Katers und die Flöhe, die ihn so fluchtartig verlassen hatten, hinausginge.

Es regnete stärker. Wir verließen die Bank, und ich führte die Witwe vorsichtig über die verschlungenen Kieswege zurück zur Küchenveranda.

Mögen Sie, fragte sie mich in der Küche, in der es nach Fisch roch, vielleicht einen Sherry?

Nein, danke, sagte ich, ich sei seit 12 Stunden absolut trocken.

Ach wirklich, sagte sie und fröstelte.

Ich hatte mich schon verabschiedet, da fragte sie, ob ich in die Schwestern Plummer verliebt sei.

Nur platonisch, sagte ich, rein platonisch, mehr eine Bewunderung aus der Ferne als sinnliche Anfechtung – oder so ähnlich.

Ach – ach, sagte die erfahrene Wirtin, platonisch gebe es nicht auf der Welt, die Nähe sei allerdings mitunter schrecklich, und ich solle es mir doch sehr überlegen, ob ich trocken bleiben wolle, denn nichts stärke eine schwache Seele mehr als ein regelmäßiger Tropfen guten Alkohols.

Ich seufzte, dankte für ihren guten Rat und ging in mein Zimmer, um den Brief meines Vaters zu lesen.

9

Manche Briefe sollte man vollständig ungelesen lassen. Dieser Brief, diese sinistre väterliche Epistel, diese acht Blätter waren das Dokument eines Wahnsinnigen. Die statuarische Schein-Ordnung, eingeleitet durch die großen Buchstaben des Alphabets, gefolgt von Kardinalzahlen, Zeile für Zeile, Satz für Satz, Abbruch nach Abbruch, ließ mich noch während der Lektüre zur Flasche greifen, trotz des feierlichen Schwurs im Garten am Grab der Maus Mimi. Es handelte sich um eine alte Flasche Bordeaux, das Geschenk eines Freundes, dessen Name im Nebel des Alkohols verschwunden ist, und der hatte sie bei einer Auktion bei Christie's im Mai 1978 für 200 Pfund ersteigert. Warum er mir ein derart wertvolles Geschenk machte, obwohl ich Burgunder bevorzuge, weiß ich nicht mehr.

Ich setzte mich in den alten Schaukelstuhl, ein knarrendes Rattanmodell (ein Geschenk aus den Kolonien, sagte die Witwe oft) und begann den Text des alten Kacz unter der Urne mit den schnäbelnden Tauben abermals zu lesen. Errata nicht von mir.

Mein lieber Sohn, lieber Alfred,

A 1. Ich habe eine große Idee, die ein Mensch allein unmöglich realisieren kann. Diese Idee oder dieser Gedanke oder dieses Gedankengebilde, kurz, dieser Palast an Gedanke ist so bedeutend, daß er die Vorstellungen des Menschen, vor allem die eines Kranken, sprengt.

A 2. Apropos krank: Ich habe den PICK, die Picksche Krankheit, den Morbus Pick, der, nach unserem Dr. Fossler, der die Leichenscheine mehr schlecht als recht ausfüllt, zu der populären und weltweit verbreiteten Gruppe der sogenannten Atrophien gehört. Eine Atrophie im Singular ist ein Schwund, im englischen, wie Du weißt auch ‚fading' genannt, und passiert zu meinem Leidwesen im Gehirn. Ich fasse mich kurz, denn auf dem Letzten Weg darf man keine überflüssigen Wörter machen.

B 1. Du bist die Frucht meiner Lenden – ein sommerlicher Unfall während eines Kongresses oder einer der Bestattungsmessen in Turin, in einem Hotel mit Deiner Mutter, the coy Mistress! Wir erlagen eben – im zweiten Stock – der bekannten Hitze (Vergil). Deine Mutter war oder ist Katholikin, und so wurde nicht abgetrieben. Sie migränierte immer maßlos.

Mein Interesse an Kindern ist von jeher extrem gering, und so wuchsest Du – elternlos, was immer von Vorteil ist – in verschiedenen Gegenden Deutschlands, Frankreichs, der Schweiz und Englands auf. Frage mich nicht nach Einzelheiten, die ich nicht mehr weiß. Es waren Orte darunter wie St. Gallen, Langeoog und Klein Tschachwitz. Ob Dein Geburtstagsdatum stimmt, weiß ich auch nicht mehr, es mögen vier Jahre mehr oder weniger sein, aber das sollte Dich nicht kümmern!

C 1. Besorge mir bitte – es pressiert – das Speichermodell von Ebbinghaus, E. Hermann Ebbinghaus. Du wirst ein Exemplar in Eurer gewiß reichhaltigen Bibliothek finden. Bringe es bitte mit. Das Exemplar muß nicht schön sein, aber ich hasse Eselsohren unmündiger Leser.

A 3. Ich leide unter Flüssigkeitsverlusten wegen der Medikation und bin bettlägerig. Ich könnte aufstehen, aber ich will nicht. Das Bett ist meine Zentrale, aber sie muß viel besser organisiert werden.

D 1. Was hast Du studiert? Ich weiß nicht, wie Eure Ausbildung in GB ist, aber Du warst immer ein gedächtnisstarkes Kind, das vor allem überflüssige und entlegene Details speichern konnte, ausgestattet mit einem Hang zu Behältern.

D 2. Gibt es ein allgemein gültiges Interpretationsverfahren, das nicht konfessionell gebunden ist? Denn alle Verfahren, die ich kenne, erklären entweder falsch, irreführend oder überhaupt nichts.

Hast Du derlei studiert? Ich meine doch, Zeit genug hattest Du, aber mit Deinem Sitzfleisch, das weiß ich wieder durch alte Korrespondenzen, ist etwas nicht in Ordnung. Mir wäre es lieb, Du verstündest etwas von Theologie und Theosophie, ein bißchen Okkultismus in einer aufgeklärten Form könnte durchaus dabei sein.

Ethik und Moral in Theorie und Praxis setze ich voraus. Schädlingsbekämpfungsstrategien und -techniken wären eine sehr gute Voraussetzung für Deine Aufgaben hier im Haus und im Garten.

E 1. Auf dem Grabstein Lilienthals auf einem Lankwitzer Friedhof in Berlin steht: Es müssen Opfer gebracht werden. Recht hatten seine Angehörigen aus der Flugwelt, als sie diese Sentenz setzten. Denk' immer daran.

F 1. Wie steht es mit Frauen? Hegst Du Beziehungen zu ihnen oder interessierst Du Dich nicht dafür? oder bist Du schwul? Ich habe nichts gegen Homosexuelle, wenn sie gut kochen und sich nicht allzu exzentrisch kleiden, und einige haben sogar Kunst gemacht. Solltest Du eine kleine Freundin haben, dann bringe sie mit. Der weibliche Einfluß in einem kranken Haus wie diesem ist nicht zu unterschätzen. Und es riecht auch besser.

G 1. Wie steht es mit Deinem Geruchssinn? Es wäre bedauerlich, wenn er so vorzüglich ausgebildet wäre wie der Deiner Mutter, die ich nun seit einer Ewigkeit nicht mehr gesehen habe. Sie soll mit einem bildenden Künstler zusammen in Rom leben, der sog. Installationen aus Warzenfortsätzen macht, was immer diese Tatsache in der bildenden Kunst bedeuten mag.

A 2. Die Große Idee oder der Immense Gedanke, von dem ich in A l. sprach, ist im Augenblick vergleichbar mit einem Organismus, der sich noch nicht selbst ernähren kann. Er braucht viel Futter, nützliche Nährstoffe, Mineralien und viele kleine Stützideen, vergleichbar nun wieder mit den Glia-Zellen des Gehirns. Oder anders (und mit Dr. Gussjew ausgedrückt, den Du kennenlernen wirst): die Große Idee – sie hat Körper, sie hat Volumen, sie hat im Augenblick vielleicht sogar zu viel Seele, ist aber am Kopf, d.h. im Geiste selbst, der sie steuert und widerstandsfähig gegen falsche Einflüsse macht, kerngesund und der Form nach, wie Gussjew ermutigend sagt, ein rechter Tripel. Eine solche Idee – ich sage nicht, sie sei ‚grandios‘, denn nur Leute mit einem kleinen Verstand finden Dinge und Ideen, Menschen oder Vorstellungen ‚grandios‘ – muß in diesem Stadium richtig gefüttert werden. Ich selbst mache ja nach den Anweisungen des Dr. Fossler (siehe A 2.) eine Diät, die wieder zu den Zuständen führt, die ich in A 3. beschrieb.

G 2. Diese Sache mit dem überentwickelten Geruchssinn Deiner Mutter war für alle Beteiligten mißlich; welche sonnigen Pfade der Liebe wir anfangs, ca. 14 Tage lang beschritten, immer sog sie über ihre Sensorien einen Stoff oder ein Aroma, irgendein winziges Partikelchen ein, das sie störte. Ich will, pflegte sie dann zu sagen, das nicht riechen. Später flehmte sie wie eine Katze, die an ihren Verewigungen schnüffelt. Dann zog sie ihre Oberlippe hoch, so daß man ihre beiden oberen Schneidezähne sah, und zuckte mit der Nase und den beweglichen Flügeln wie ein Kaninchen. Auf diese Weise verströmte sie, während die falschen Stoffe der Umgebung in ihr Sensorium sickerten, unaufhörliche Mißbilligung. Sie konnte die meisten Leute buchstäblich nicht riechen. Abends im Bett hielt sie einen Ekel-Tages-Monolog über all ihre unliebsamen Begegnungen mit den falschen Stoffen; ihre wohldurchbluteten Nasenlöcher waren dabei in unaufhörlicher Bewegung. Sie selbst duftete übrigens streng nach erhitztem Kupfer, auf dem ein Stück parfümierter Haut verkohlt, während ich, neben ihr liegend – für sie – nur einfach vor mich hinstank!

A 4. Wir sind alle recht aufgeklärt und eigentlich Rationalisten. Beantworte A 4. nur nach einer strengen Überprüfung Deines Gewissens, der Erfahrung und der absoluten Wahrheit. Gibt es Engel, will sagen, Geister? Ich möchte den Ausdruck ‚Wesenheiten‘ wegen Dr. Steiner strikt vermeiden.

A 5. Bevor ich fortfahre, die Anmerkung, daß Hunde und Katzen durchaus imstande sind, die Anwesenheit von Geistern oder ihre Emanationen zu spüren.

Forts. zu A 5. Der untrügliche Beweis ist in einer Erzählung von James Thurber zu finden, *Der Hund, der die Leute biß*, und steht auf der Seite 223 meiner alten Ausgabe, und da heißt es wörtlich: ‚Einige Monate, bevor Muggs starb, fing er an, Geister zu sehen. Man merkte es daran, daß er sich leise knurrend vom Boden erhob und steifbeinig, aber drohend auf ein Nichts zutappte. Manchmal befand sich das Nichts unmittelbar links oder rechts von ihm.‘

H 1. Durch einen Diktierfehler für Schwester Allegra, den ich erzeugte, ist die Geschichte mit den Wesen oder den Geistern unter A geraten, die eigentlich der Krankheit und ihren Fortschritten vorbehalten war, Entschuldigung.

I 1. Ich habe einen alten Bassett (12 Jahre alt, ein Mädchen) namens Sonja, mir in Treue und Liebe ergeben, leider zahnlos infolge einer Kiefernentzündung. Diese alte Hündin, die ich mit Haschee ernähren lasse und gekochten Fleischragouts, die auch ich zu mir nehme, kann Geister sehen! Ich kann sie leider nicht sehen, spüre aber mit allen restlichen Sinnen ihre Präsenz. Solltest Du an Deinem College einen approbierten Angelologen haben, dann konsultiere ihn bitte, gegen Honorar selbstverständlich, und frage ihn, ob er weiß, wie man mit diesen Engeln, Geistern – es mögen auch Dämonen sein – in Kontakt tritt, ob dies in schriftlicher Form geschehen muß, vermittels einer Planchette oder unter welchen Bedingungen eine direkte, d.h. mündliche Kommunikation möglich werden kann.

K 1. Ich hoffe, Du bist alkoholabstinent. Der Alkohol ist der Feind des Menschen, er führt zu ethischen Entgleisungen. Am dunklen Horizont, der uns umgibt, zeigen sich während und nach dem Konsum alle Zeichen triebhafter Enthemmung, ein Verlust der Gesittung ist zu verzeichnen, und man fühlt sich unwohl.

K 2. Wieviele unserer besten Geister richteten sich durch den Alkohol zugrunde: Zierlinsky, Emerson und auch Fenichel, sagte mir Dr. Gussjew.

L 1. Viel gelesen. Im Reader's Digest, dieser vorzüglichen Zeitschrift mit einem durch die Zeiten unverrückten Weltbild, las ich, Engel seien eine Frage der Interpretation.

L 2. Dilthey lesen, sagte mir gestern Dr. Gussjew, man müsse in allen Lebenslagen viel mehr Dilthey lesen. Der Mann war, wie Du weißt, ein sogenannter Hermeneut, und das Fach nennt sich Hermeneutik und ist eine Kunstlehre des Verstehens.

I 2. Sonja hat Brechdurchfall. Das arme Mädchen hinterläßt überall ihre Spuren. Dr. Gussjew sagte mir, es sei möglich, daß sie diese Reaktion infolge oder aufgrund der Kontaktnahme mit einem der Wesen in meinem Schlafzimmer zeigt.

Der dreizehnte Buchstabe des Alphabets, M 1.

Wie Du an der Form meines Briefes unschwer erkennen kannst, bietet nur eine gewisse Ordnung der Gedanken den ihnen gebührenden Raum, in dem sie sich frei entfalten können, wie unsichtbare Wesen. Ich komme, dies nur nebenbei, zum Schluß. Suche doch bitte in Deinem ordinären Seebad einen gewissen Dr. Zierlinsky auf, falls er noch lebt. Sollte er noch leben, richte Grüße aus und erinnere ihn daran, daß ich ihm vor mehr als vierzig Jahren ein Buch lieh. Wir waren – ich weiß nicht mehr wo, aber nicht in Deutschland – Schulfreunde. Ich lieh ihm dieses Buch während eines Kongresses in Kairo, aber es kann auch Alexandria gewesen sein. Wenn es dort war, dann lag das Hotel mit dem Kongreßsaal an der Corniche. Zierlinsky war ein brillanter, universalistisch gebildeter Mann, der, seltsame Passion, Mädchen mit verkrüppelten Füßen liebte; wegen einer Erkenntnis-Enttäuschung wurde er in den sechziger Jahren ein exzellenter Orthopäde. Das Buch, um welches es geht, hieß so ähnlich wie *Jenseitsbaedeker* oder *Guide d'enfers* – ich weiß nicht, ob ich das richtig diktiert habe, d.h. die Aussprache, nicht die Bedeutung, die ja wohl sonnenklar ist. Leider kann ich mit ausführlichen bibliographischen Angaben über Erscheinungsjahr und -ort nicht dienen; es könnte sogar der Fall gewesen sein, oder er ist es immer noch, daß es sich um einen Privatdruck handelte. Auch den Namen des Verfassers weiß ich nicht mehr, er fing aber zuverlässig mit einem S an, und der letzte Buchstabe war der zweitletzte Buchstabe des Alphabets.

Habe mich vor Erregung selbst beschmutzt. Aber eben war Schwester Margot an meinem Bette, sie hat wunderbare, nicht sehr große, eher spitze als runde, milch- oder molkeweiße Brüste mit Sommersprossen. Sie hat mich gesäubert, nun liege ich wieder wohlgereinigt in den Kissen und diktiere. Sie hat mir auch ein neues Nachthemd verpaßt. Gottlob hat sie etwas an der Nasenscheidewand, so daß ihr Geruchssinn etwas beeinträchtigt ist; meiner leider nicht.

N l. Wenn man so in der Dunkelheit liegt und im Schädel expandiert und schrumpft es gleichzeitig, dann kommen wie schwarze Nachtvögel die Gedanken über verpaßte Gelegenheiten.

Die Inkontinenz ist blöd und peinlich, aber, das sagte mir Dr. Gussjew in einer ruhigen Stunde, nach der Form des Zeichens auch viel Freiheit. Ich hoffe, Du hast Dir alle Punkte von A l. bis N l. gemerkt.

Ich bitte um eine schnelle Erledigung aller meiner Punkte. Es eilt, es pressiert wirklich. Am besten kommst Du via London mit dem Flugzeug nach Berlin. Die Stadt ist nicht mehr so ländlich-urban wie 1963, aber es geht gerade noch, wenn auch die vielen Westdeutschen lästig sind.

O 1. Denn sie erscheinen immer in Gruppen und Grüppchen, und deswegen verunfallen sie sehr selten, statistisch gesehen ungleich seltener als Einzelindividuen, die wesentlich häufiger tödliche Unfälle erleiden. Aber ich will jetzt keineswegs über das Geschäft reden, siehe auch mein PS. I und II am Ende des Briefes.

O 2. Das Haus, die alte Gründerzeitvilla in Lichterfelde ist voll, um nicht zu sagen überfüllt. Es wimmelt in allen Fluren, Treppen und Zimmern vom Keller bis zum Dachboden von dienstbaren Geistern, Geistern und diversem Ungeziefer. Für Dich ist im 1. Stock immer ein schönes Zimmer mit Biedermeiermeublement reserviert.

P I. Wir haben eine komische chronisch-chtonische Maus im Haus, von der eine große Gefahr ausgeht. Versuche bitte, in Deiner Bibliothek alles über ‚chtonische Mäuse‘ herauszukriegen – also Lebensdauer, geistige Kapazität, geistig-seelisches Wesen und Charakterbildung.

P II. Meine Umgebung muß ganz entschieden pazifiziert werden! –

Im Haus der Witwe war es totenstill. Ich bedurfte ganz entschieden einer Erfrischung. Die Flasche Bordeaux, mit der ich die Lektüre unterstützt hatte, war leer. Im Flur roch es nach Fisch mit einer Beimischung von Urin und verbranntem Zucker, und im Kühlschrank sah es trübe aus – nicht eine Flasche Wein, keine einzige Dose Bier, nur der Eierlikör der Schwestern Plummer, dessen Pegel markiert war. Mir war nicht nach Eierlikör! Im Büfett der Witwe fand sich hinter zwölf Flaschen Worcester-Sauce eine gedrungene Flasche Küchenmarsala, die ich in mein Zimmer abschleppte, um den Rest der Epistel zu lesen. Mein

Vater war ganz offenkundig der klinisch einwandfreie Fall einer prachtvollen Paranoia, der nicht mehr aufstehen wollte, an einer ominösen, wahrscheinlich erfundenen Krankheit laborierte, der Gespenster sah und sich mit verrückten Ideen und Subjekten herumschlug; und dann schlich da noch ein Hund herum, der an Brechdurchfall litt. –

PS. I

Da die Bassetthündin sich auf dem Perser vergaß, mußte sie sich vor Bestürzung auf einen Lederpouff aus Ägypten erbrechen. Sie ist ein extrem sensibles Tier. Es kam nur Galle – heller Schaum mit dunklen, glasigen Punkten –, aber sie litt; da Schwester Margot Migräne wegen ihrer Periode hat, die ja für jedermann lästig ist, und weil Dr. Gussjew eine Vision hatte, einer der Erzengel, sagte er, und weil die Geister mich nicht schlafen lassen, vergaß ich die wichtigsten Fragen, nämlich die nach Deinen Abschlüssen und Deinen Qualifikationen.

10

Es muß mit dem Trinken endgültig, ja für immer, mindestens auf lange Sicht Schluß gemacht werden. Der alte Kacz, so verrückt er auch sein mag, hat absolut recht mit seiner Meinung über den ethisch-moralischen Zerfall des Subjekts im alkoholischen Zustand. Und was hat man davon – nichts, außer einem blauen Auge, rechts, Schmerzen im rechten Knie wegen eines Sturzes und einen rätselhaften grünblauen Fleck am Hüftknochen, wieder einmal links.

Der Brief des K. sen. war noch lange nicht am Ende, aber dafür der Marsala. Ich weiß nicht, welche Dinge man mit Küchenmasala traktiert, aber man sollte es nicht tun. Mit jedem Glas wächst der Durst, und je mehr man von dem Zeug trinkt, desto größer wird der Durst. An Schlaf war nicht zu denken, weil mein Nachbar Harding immer wieder ein heiseres Lied von Marianne Faithfull hörte. So ging ich denn mit der leeren Flasche in die Küche und deponierte sie, nunmehr leer, auf ihrem alten Plätzchen im Schrank. Mit einer Flasche Marsala im Leib vergißt man viel und wird formlos.

Zuerst klopfte ich bei Harding, dem dicken Historiker. Die Faithfull krächzte noch eine kurze Zeit, dann war Stille, und ich hörte, wie ein Stuhl umfiel. Harding öffnete einen Spalt und zeigte mir sein rechtes, etwas blutunterlaufenes Auge. Er stak in einem schwarzen Trikothemd und schwitzte.

Was ist los, fragte er verdrossen.

Ich fragte, ob er vielleicht eine Flasche Wein übrig habe, sie könne ruhig angebrochen sein, ich sei in diesem Punkt nicht empfindlich.

Wein, Wein, murmelte Harding, ja, Wein sei da. Dann verschwand er hinter dem Wachsvorhang seines ganz persönlichen Beckens, und man hörte ihn rumoren, ein Karton fiel um, er war, beruhigend zu wissen, auf der Suche. Auf dem Bett, das rechts an der Wand mit dem Fußende zur Tür stand, lag eine farbige Photographie – die schöne Vivian Neves mit nackten, wunderschönen Brüsten, ein Taschentuch auf ihrem sehr feuchten Gesicht.

Leider, sagte Harding, doch kein Wein mehr, ich möge doch einmal Clemens fragen.

Ich entschuldigte mich noch einmal für die Störung, warf einen letzten Blick auf Vivian Neves, March 1971 stand über ihren brünetten Locken, und klopfte zwei Türen weiter bei Clemens, aus dessen Zimmer kein Laut zu hören war. Da konnte ich noch so viel klopfen, er war nicht zu Hause.

Auf seine Weise war Casullo, der Mathematiker, dann doch physisch präsent, wenn er auch nicht sofort mein Problem begriff; er wühlte mit der kugelschreiberbewehrten Hand in seinen Haaren, die so zerzaust waren wie ein altes Vogelnest. Er selbst war während dieser Akte – Sinnen und Wühlen – weit weg, vielleicht in einem Spiegeluniversum, in Gardners Plattland oder in einem Hyperkubus. Nach einigem Nachdenken über Raum, Orte und Aktualzeit war er durchaus dazu bereit, jene Stellen des Zimmers abzusuchen, an denen, so sagte er, sich potentiell Trinkbares vermuten ließe. Sein Zimmer war enorm unaufgeräumt. Überall auf den Tischen, den Stühlen, den Sesseln, dem Bett und dem Teppich wälzten sich Zeitschriften, Periodica, Broschüren und Bücher in Haufenformen oder in der Form schwankender Türme.

Ich fragte, ob ich ihm beim Suchen helfen könne.

Bloß nicht, sagte Casullo und warf einen Bücherturm vor dem Schreibtisch um, auf dessen Spitze ein grüner, dicker Band lag. Zufällig geriet das grüne Buch abermals an die Spitze. Der Verfasser war ein gewisser Bourbaki. Casullo sah meinen Blick. Bourbaki existiert eigentlich nicht, sagte er.

Schön für ihn, sagte ich mechanisch, weil ich an meinen kranken Papa und dessen auch nicht sehr gesunden Brief denken mußte.

Während Casullo eine lange Reihe stattlicher Bände, Leibniz, Volume I bis XII abgraste, fragte ich, ob er an Geister glaube. Er löste sich von seiner Bücherwand und starrte mich an.

Was heißt hier, sagte er, glauben? Seine Geister, die ihn verfolgten, seien pure Gewißheit, nichts als ‚certainty' im schlimmsten Sinn.

Aber bitte doch, Casullo, sagte ich, man könne vielleicht an Geister glauben, aber mit dem Glauben habe man noch keine Gewißheit, daß sie wirklich existierten.

Ach, sagte Casullo, ich halte es mit dem alten Philosophen Moore, der nach dem Ratschlag eines Kollegen vor langer Zeit das ‚Ich weiß' durch das ‚Ich bin der unerschütterlichen Überzeugung' ersetzte. Gottlob fand er in diesem Augenblick eine

Flasche Scotch hinter einer Bücherstütze, einem auf den Hinterbacken sitzenden Elephanten aus Kupfer.

Wir tranken einen Schluck, ich bekam sein Zahnputzglas, und er trank aus einer Tasse mit einem blassen floralen Muster.

Wenn ich nicht schlafen kann, sagte Casullo kummervoll, dann repetiere ich alte Texte, schöne Textstellen, vergessene Passagen. Es ist ein gutes mnemotechnisches Verfahren, früher jedenfalls. Aber neuerdings machen sich die Texte selbständig. Kaum mache ich die Augen zu, fangen sie zu sprechen an. Das wäre nicht das Schlimmste, fuhr er fort, wenn nicht auch die alten Autoren nachts erschienen und auf ihn einredeten.

Was sie denn so redeten, fragte ich.

Sie machen mir, sagte der Mathematiker, Vorwürfe; sie sagen: Mach' zu, du bist schon 27 Jahre alt, und das Geniealter der wirklich Guten endet bei 25 Jahren, du mußt dich also sputen. Vor allem Abel erscheint mir –

Wie, fragte ich, biblische Geister erscheinen dir auch?

Ach was, sagte Casullo verdrossen, Abel sei Mathematiker gewesen, ein Jung-Genie, 1802 bis 1829, der tauche zur Selbstmörderstunde auf, zwischen 3 und 4 Uhr morgens in einem hellgelben Jabot, darunter ein Spitzenhemd, und beschwöre ihn, keine Zeit mehr zu verlieren und sich gefälligst zu konzentrieren. Und wenn sie dann alle erschienen waren mit ihren Vorwürfen, Einflüsterungen, Mahnungen und guten Ratschlägen, die Texte das ihre getan hätten mit ihren verzwickten Beweislagen, die er im Traum nicht vollständig verfolgen konnte, dann sei er am nächsten Morgen wie gerädert und ganz außerstande, sich zu konzentrieren.

Casullo sagte das so traurig, daß ich leicht gerührt war.

Nimm, sagte ich, ein Schlafmittel, aber ohne Alkohol; leider verstünde ich nichts von seinen speziellen Problemen, aber ein Schlafmittel oder Alkohol sei immer wirksam für gequälte Subjekte. Wir wünschten uns dann eine gute Nacht, und ich verfügte mich mit der Flasche Scotch in mein Zimmer, um das Ende des PS. II in Angriff zu nehmen.

PS. II

Bist du gesund? Ist deine Gedächtnisleistung zufriedenstellend? Leidest Du an einer Geschlechtskrankheit? Wenn, dann bringe ein Attest mit. Ich hoffe, Du bist psychisch intakt. Mit intakt meine ich stabil. Stabilität ist in allen Lebens- und Zwischenlagen nicht zu unterschätzen. Hast Du den Grabspruch Lilienthals begriffen? Begreifen ist keine leichte Sache, was Du verstehen wirst, wenn Du im Institut Ambrosia sein wirst. Es wäre sehr wünschenswert, wenn Du etwas von Grammatik verstündest und darüber hinaus von dem, was man auf dem Kontinent, aber auch woanders, Analytische Philosophie nennt. Denn! Es muß kommuniziert werden, aber es hapert noch mit der Grammatik. Die Bedeutungen schillern alle noch so uneindeutig am Rande, aber auch in der Mitte.

Weißt Du, was es heißt zu schrumpfen? Alles schrumpft, alles ist im Schrumpfen begriffen, auch mein Geschlechtsorgan. Freilich, in meinen Jahren braucht man's nicht mehr so notwendig, aber schade ist es doch, Alfred. Gestern zur Teezeit, die Schwestern waren abwesend und Dr. Gussjew kämpfte in der Gasttoilette mit seinem Dämon, da erschien mir ein unrasierter Geist, eine kleine, quittegelbe Wesenheit ... ein Ding ... nicht ganz von dieser Welt, und es roch nach Sulfur, wie Schwester Margot sagte, das ist die mit den weißen Brüsten und den Sommersprossen! Schwester Margot war nicht anwesend, aber Schwefel hält sich offenbar lang. Der Geist oder die Wesenheit war unstet, sie waberte irgendwie über der Sitzfläche eines alten Sessels als opaker Kern, der wie die Röntgenaufnahme eines Darms aussah und pulsierte regelmäßig.

Und dann sprach das Ding, stell Dir vor, es sprach! Und es zitierte, kein Mensch wird mir glauben – Juvenal! Und das Zitat lautete, so wahr kein Gott existiert, der zuständig ist: Mors sola fatetur quantula sint hominum corpuscula. Dann verschwand er, nachdem er mit einem Schweif gewedelt hatte, in das Nichts zurück, aus dem er gekommen war – und ich schwebte über meinem auf dem Rücken liegenden Körper im Nachenbett, und mir war schrecklich zumute, denn übersetzt heißt dieses lateinische Zitat: Allein der Tod läßt erkennen, wie klein doch die Körperchen der Menschen sind.

Laß diesen Brief nicht herumliegen, so daß Unbefugte oder andere Idioten ihn lesen können. Das Interesse der meisten Menschen für Sex, Gewalt und Mystizismus ist groß, also achte auf diesen Brief, der vielleicht einmal mein Testament sein wird, wenn ich vor der Zeit werde sterben müssen, aber ich will nicht. Ich will und mag nicht sterben.

Ich weiß, daß ich muß, aber das Fundament des Müssens ist das Können und das Wollen. Aber lassen wir die läppischen Modalverben beiseite. Die Sehnsucht nach dem Unendlichen ist für die Meisten legitim; ich aber habe eine fürchterliche Sehnsucht nach dem Endlichen, und daß es nie enden möge.

Mein Sohn, denke immer an das Buch, das ich dermaleinst dem unzuverlässigen Zierlinsky lieh. Sollte er es nicht herausrücken wollen, so wende Gewalt an. (Er fürchtete sich panisch vor Spinnen, und wenn er seine Blödheit nicht bekämpft hat, existiert diese Furcht noch immer.) Beachte bitte D 2. – die Interpretationsverfahren! Wenn Ihr am College einen sog. Hermeneuten habt, dann konsultiere ihn bitte. Hatte heute morgen, einen Tag nach der Erscheinung, eine Total-Erektion. Schwester Margot, der ich diktiere, errötete eben stark, und ihre tätigen Wärmesensoren verbreiteten diese Röte von den Wangen bis zur weißen, mit süßen Sommersprossen gesprenkelten Haut.

Ich weiß, daß eine Vollerektion in meinem Alter, meinem Zustand und meiner geistigen Verfassung völlig sinnlos ist, aber es war schon ein Zeichen, wenn ich nur wüßte, wofür. Man muß über das Prädikat ,sinnlos' viel stärker nachdenken. Ist der Ausdruck ‚Prädikat' korrekt? In Todesannoncen kannst Du immer wieder von sog. sinnlosen oder unsinnigen Toden lesen, Unsinn! Es gibt keinen sinnlosen und es gibt keinen sinnvollen Tod. Das ist alles Mumpitz. Tod ist Tod und dazwischen liegen, eng beieinander wie die Liebenden, Leben und Sterben.

Nun denn! Ich muß den Großen Gedanken füttern; er nimmt nicht alles an, aber ich habe so meine Vermutungen.

Ein paar letzte Bitten und Wünsche.

Bringe mir bitte einen englischen Toaster mit, die deutschen taugen einen Dreck.

Wie sind die englischen Zigaretten? Die amerikanischen schmecken zu gesoßt, sind ja wohl auch Virginia-Tabakverschnitte, die französischen, die ich versuchte, schmecken nach Arschhaaren, wie ich bei dem französischen Schriftsteller Montherlant nachlesen konnte und die deutschen sind ganz unmöglich. Ob der Norden eine große Marke hat, weiß ich nicht, aber wenn man die finnländische, dänische oder norwegische Literatur betrachtet, habe ich meine Zweifel.

Aber es muß geraucht werden, das ist sicher, in meinem hohen Alter kann ich mir das leisten.

Du wirst, wer weiß wann, das Institut Ambrosia erben, ein, wie Du nicht weißt, florierendes Unternehmen, trotz der beklagenswert exemplarischen Gesundheit der durchschnittlichen Kunden. Gottseidank, in diesem Fall ist Anerkennung am Platze, hat der Schöpfer neue Krankheiten erfunden, die Küche ist immer noch eine Quelle phantastischer Unfälle, auch die Autoindustrie ist mir positiv gesonnen, bringe mir bitte auch eine Mortalitäts-Statistik auf dem neuesten Stand mit. – Für Deine große Aufgabe im Institut mußt Du a) gesund sein und ein b) perfekt funktionierendes Gedächtnis haben. Lies im Reader's Digest die Seiten mit den Spalten ‚Erweitern Sie Ihren Wortschatz' und präge Dir alles ein. Eine gute Übung! Neuerdings heißt diese Rubrik ‚Bereichern Sie Ihren Wortschatz', was ein Blödsinn ist. Bereichern kann man nur einen bestehenden Fundus, und was soll bei den Lesern schon da sein. Kannst Du französisch? Einer meiner Leutchen, die hin und wieder erscheinen, kann nur französisch.

Schreib' mir sofort, wann Du eintreffen wirst. Dein Vater.

PS. III Schicke mir postwendend einen peniblen Tagesablauf, in dem nicht fehlen darf, was von Wichtigkeit ist. –

Als ich die Lektüre dieses maßlosen, hybriden, acht Seiten langen, rätselhaften, mit Schreibmaschine geschriebenen Briefes endlich hinter mich gebracht hatte, trank ich einen doppelten Scotch, der sich irgendwie nicht mit dem Küchenmarsala vertrug, so daß ich wegen des Rumorens im Leib die Parterretoilette aufsuchte. Das stille Örtchen war recht geräumig. Auf einem Podest links an der Wand ruhte auf vier Löwenbeinen eine gußeiserne Wanne, ein Hort des Friedens, den man leider nie länger als eine halbe Stunde nach Vereinbarung benutzen konnte. Auch das Klosettbecken, ein altes Modell von Jennings & Co, stand auf einem hölzernen Podest. Der Spülkasten hing hoch an der weiß getünchten Decke mit Stukkaturen und machte verzweifelte Geräusche, die an eine kurze Agonie erinnerten, wenn man an der Kette zog, die einen Porzellangriff hatte, übersät mit den unsichtbaren Fingerabdrücken diverser Generationen von Benutzern. Ich persönlich wischte den Griff immer sorgsam ab, ehe ich ihn benutzte. Die Sitzung war eine ausgiebige, dann verließ ich wohlgemut, nach der rosa Floris-Seife duftend, dieses Refugium. Im Flur war es wieder dunkel. Der rötliche Glaszylinder spendete nur dreieinhalb Minuten Licht in der Stärke von 60 Watt.

Im Hause war es totenstill. Auch ich stand unbeweglich, schloß die Augen und achtete auf die tausend verschiedenen Sinneseindrücke in einem schlafenden Haus. Das Jacobsonsche Organ arbeitete nach Kräften. Alle Gerüche und Düfte sammelten sich im Flur. Alte Ausdünstungen mit vielen jüngeren Überlagerungen versteckten sich in den muffigen, indigoblauen Vorhängen, die den Wohntrakt der Witwe von dem der Gäste trennte.

In der Zone der Toilette roch es nach den Aromen längst verges-
sener Sitzungen, die aus mikroskopisch kleinen Partikeln ver-
wester Materie aufstiegen. Im Küchentrakt hing noch immer The
Beef Roll, der allseits ungeliebte falsche Hase. Nahe der Tür der
schönen Schwestern Plummer duftete es nach Orangenblüten,
Rosmarin und einer winzigen Spur Minze. Unter dem blauen
Vorhang wehte mir ein Luftzug die Düfte der Witwe zu. Es handelte sich eindeutig um Matsukita, Jasmin und Rosen mit einer
Spur von Ylang Ylang. In der männlichen Zone – Clemens,
Casullo und Harding – mischten sich alter Zigarrenqualm (Cle-
mens), orientalische Zigaretten (Harding) und Eau de Cologne
(Casullo), im Schlepptau ein bißchen Schweiß und die Partikel
schmutziger Wäsche.

11   Hinter dem Vorhang erscholl
unvermutet – ich nahm an, aus dem Schlafzimmer der Witwe –
Geschrei, d.h. eine Folge von hohen, vogelartigen Lauten. Dann
hörte ich weiche, eilige Schritte, wohl in Pantoffeln, eine Tür
wurde geöffnet, und ein Strahl gelben Lichtes illuminierte das
Gesicht eines düpierten Kacz zwischen den zwei streng riechenden Vorhanghälften.

Sie, oh Sie, sagte die Witwe und raffte einen furchtbaren,
pinkfarbenen Morgenrock um ihren Busen und die fleischi-
gen Schultern. Sie bat mich in ihr Schlafzimmer und bot
mir einen Gin an, den ich in einem Zahnputzglas entgegennahm.

Die Witwe hatte auf ihrem Bett sitzend – übrigens ein antikes
Stück, von Sheraton persönlich an einem Bein signiert, wie die
Hawkins versicherte, ein sogenanntes Summer-Bed mit einem
mauvefarbenen Himmel, der sich über den vier Pfosten aus

gedrechseltem Mahagoni spannte – einen allerletzten Night-Cap zu sich genommen, eine hübsche Dosis reinen, unverfälschten Malt-Whisky, und mußte bei ihrem ersten Schluck eine Maus auf dem himmlischen Baldachin bei ihrem Abendspaziergang entdecken. Ich kannte das. Meine Leutchen waren nachts auch immer spazieren gegangen. Sie machen das eben, und man kann gar nichts dagegen tun.

Maus im Haus, sagte die Witwe immer wieder, eine Unverschämtheit.

Mäuse, sagte ich bestürzt, in Ihrem Haus?

Im Schlafzimmer, sagte die Witwe, auf dem Himmel da oben, und sie zeigte mit ihrem Glas auf den malvenfarbenen Bauch des Baldachins.

Ich fragte, wie die Maus ausgesehen habe.

Wie Mäuse eben aussehen, sagte die Witwe, während sie gereizt ihre linke Brust knetete.

Eine Maus, sagte ich, betäubt durch die Mixtur Marsala, Whisky und Gin, mache noch keinen Sommer.

Ob ein Tier oder deren zwölf, sagte die Hawkins störrisch, man müsse etwas unternehmen. Mausefalle, sagte sie plötzlich und begoß ihren Einfall mit einem Schluck aus der Flasche.

Leider fanden wir im Parterre keine einzige Mausefalle. Wir suchten in den Flurschränken und wir suchten in der Küche, in der ich eine antike Falle auftrieb, deren Federmechanismus kaputt war. Morgen Kater, sagte die Witwe und war den Tränen nahe. So ein Schock, sagte sie im Flur und bat mich wieder in ihr Schlafzimmer.

Gegen das Sodbrennen, das der Küchenmarsala erzeugt hatte, nahm ich noch einen Gin, während die Witwe sich auf das Sheratonbett setzte.

Und sie fixiert mich, fuhr sie fort, mit diesen kleinen, dunklen Äuglein und putzt währenddessen ihre Schwanzspitze.

Über der Frisierkommode, einem hübschen Möbel mit Elfenbeinintarsien, war die Porträtphotographie eines bärtigen Herrn aufgehängt. Er hatte einen grauen Backenbart, dunkle Mörder-augen unter schweren Lidern, üppige Tränensäcke, und seine Unterlippe hing stattlich herab.

Mein Gatte, sagte die Witwe, Dr. Josua Hawkins – eine Kapa-zität auf dem Gebiet der Erwachsenenbildung, ein schlechter Liebhaber, der immer zu schnell war, wenn sie verstehen, was ich meine –, eine Woche vor seinem Tod. Er, fügte sie hinzu, er liebte die Mäuse, und wenn sie starben, betete er für sie in der Gasttoilette, bevor er die Leichen wegspülte.

Eine Seele von Mensch, sagte ich.

Da könnten Sie wahrscheinlich recht haben, sagte die Hawkins und gähnte. Muß schlafen, sagte sie, nahm ihr Ge-biß heraus und ließ es in ihr Ginglas fallen. Die Gaumenplatte leuchtete in allen Farben des Spektrums, und ich ging in mein Zimmer.

Es waren unruhige, schwere und heiße Traum-Manöver, die mich bis zum Morgengrauen verfolgten, immer mit geflügelten und behaarten Körpern in den Bergen und Tälern eines riesen-haften Baldachins.

12 Das war ein Tag voller unliebsa-mer Ereignisse. Natürlich waren sie auch interessant, aber recht bedacht, hätte ich besser das Bett gehütet. Alles begann mit einem harmlosen Regenerations-Spaziergang am Pier, gegen sechs Uhr morgens. Wenn einen der Alkoholabbau weckt, bleibt man besser nicht liegen, sondern sucht die frische Luft.

Es herrschte Nebel, was mir recht war; man wird vom Anblick der Landschaft, die ja immer eintönig ist, nicht belästigt. Wolken flogen dicht und niedrig, hin und wieder sah ich die seichte, graue Bucht. Ich setzte mich auf eine Bank und las noch einmal den Brief von K. sen. aus Berlin. Auch eine weitere Lektüre verschaffte mir keine Klarheit. Wenn der alte Herr der Pflege bedürftig war, dann wäre doch professionelles Personal besser geeignet als ein unpraktischer Sohn, der keine Aufregungen vertrug. Und Krankenpflege ist immer aufregend. Ich beschloß, ein Telegramm zu schicken. Der Text mußte unmißverständlich, klar und kurz sein. Am besten, so dachte ich auf meiner Nebelbank am Pier, wäre es, eine ansteckende Krankheit zu erfinden, die mich unabkömmlich machte. Aber welche Krankheiten, die ansteckend sind, dauern lange an, sind sofort übertragbar, entstellen nicht und machen absolut reiseunfähig? Und so beschloß ich, es war schon sieben Uhr, noch einmal den Dr. Searl aufzusuchen. Wer wäre sonst imstande gewesen, mir ein Attest zu schreiben, wer sonst kannte sämtliche Krankheiten, Langzeit-Infekte und gelehrte, bedrohlich klingende Namen. Natürlich mußte ich eine Flasche Alkohol besorgen, nicht für mich, sondern für den Doktor und seine Inspirationen. Aber der Kiosk öffnete die Holzjalousie erst um acht Uhr. In mein schwarzes Notizbuch notierte ich die Wünsche des Alten, die die Objekte betrafen, also Zigaretten, das Speichermodell von diesem Ebbinghaus, was immer das sein mochte, hoffentlich ein Buch, und den Toaster. Was es mit Herrn Dilthey auf sich haben mochte, ließ sich nach dem Besuch bei Dr. Searl hoffentlich in der Gerassimow-Gedenkbibliothek herausfinden, und den ominösen Zierlinsky mußte ich entweder nach seinem Namen oder dem Titel *Jenseitsbaedeker* bibliographieren. In jedem Fall durfte ich auf einen friedlichen Nachmittag in der Bibliothek hoffen, mochte der Verfasser mit einem Z anfangen oder mit einem C.

Der Nebel war noch dichter geworden. Am Strand balgten sich kreischend Möwen, einigten sich und flogen nach einer Weile einmütig davon.

Auf der Bank im Nebel unter der niedrigen Wolkendecke belästigten mich zwei elementare Fragen. Privatmoralisch war es ganz gewiß legitim, die Reise zum Morbus Pick zu unterlassen – aber wäre diese Entscheidung auf den ethischen Höhen, die ich mitunter bevorzugte? Und welche Morgen-Alcoholica sollte ich Doktor Searl mitbringen – Port oder Porter?

In diesem Augenblick hörte ich eine dünne, leicht gereizte, weibliche Stimme, die zu einem Unsichtbaren sagte:

Hättest du Idiot dich immer um deinen Schutzengel gekümmert – und jeder Trottel hat einen! –, dann könntest du noch sehen. Jetzt haste kein Augenlicht mehr wegen deiner Unbedachtsamkeit, aber eines sage ich dir: du versäumst gar nichts.

Was, fragte eine zaghafte, männliche Stimme, sieht man denn so, Mama?

Absolut nichts, sagte die weibliche Stimme, was den Blick lohne, nichts als langweiliges Wasser, einen Horizont wie alle Horizonte, darüber Wolken und ein bißchen feuchte Luft.

Und die Farben, fragte die männliche Stimme, was für Farben?

Grau, sagte die weibliche Stimme, was denn sonst – dann lichtete sich der Nebel ein wenig, und ich sah Jeremy Stockton im Schlepptau seiner greisen Mama, die eine kleine, rundliche Hexe mit violetten Haaren war. Der blinde Stockton hielt sich mit der linken Hand am Gürtel von Mama, die einen Mantel aus Leopardenfellimitat trug, die Rechte umklammerte einen weißen, ziemlich dünnen Stock.

Hallo, Jeremy, sagte ich zum blinden Biologen.

Wer ist das, fragte seine Mutter.

Kacz, Mama, sagte Jeremy, das ist Alfred Kacz, er arbeitet hier am College, willst du uns nicht begleiten?

Ethisch korrekt erwiderte ich: Selbstverständlich – und trottete hinter den beiden auf dem Pier in Richtung Westen. Die Konversation mit einem Blinden ist so leicht nicht, wie man denken könnte.

Kacz, sagte Stockton und drosselte seine Geschwindigkeit, wie sieht das Grau aus?

Das Grau wovon, fragte ich.

Himmel und Wasser, sagte er.

Vom Himmel, sagte ich, könne man kaum etwas sehen und wegen des Nebels vom Wasser wenig, aber es sei alles allgemein grau.

Das habe ich auch schon erklärt, sagte Mama Stockton, aber er glaubt mir nicht. Wissen Sie eigentlich, wie es passiert ist?

Mama, sagte Jeremy gequält, laß das doch.

Ich ging dicht neben Stockton und verfolgte die Spitze seines tastenden weißen Stocks auf den roten Steinen.

Wissen Sie, sagte seine Mutter, Jeremy war immer ein praktisch veranlagtes Kind und bastelte gern. Dann kamen die Mädchen, und er bastelte nicht mehr. Und dann kam die Schule und das Studium, und einmal wäre er beinahe ertrunken, aber ein Schutzengel zog ihn wieder heraus.

Sie ist plemplem, sagte Jeremy leise, während sein Stock klapperte.

Und er war, fuhr die alte Dame fort, immerfort von allem enttäuscht, den Mädchen, von der Biologie, dem Leben und der Gesellschaft, und dann gab es diese Epidemie unter den armen Seehunden, sein Mädchen heiratete einen Zahnarzt in Kent, der Hund starb, es war ein Terrier – wie hieß er noch gleich, Jeremy?

Sie spinnt, murmelte der arme Jeremy, und laut sagte er: Edgar.

Ist doch kein Name für 'n Hund, fuhr die Stockton fort, na und dann explodierte diese Ölplattform, die so ähnlich hieß wie ‚Piper Alpha‘, das war alles im gleichen Jahr oder nicht, und dann machte mein Jeremy diese Bombe, und ohne Schutzengel ist mit diesem gelatinösen Ammonnitratzeug nicht zu spaßen, obwohl die Menge klein war, sonst hätt's ihm die Rübe abgerissen. Auf der ‚Piper Alpha‘, da auf der Ölplattform, da war mein

Gatte, und nun hatte ich keinen Gatten, aber dafür einen blinden Sohn. Gib' mir mal 'ne Zigarette.

Das Anzünden der Zigarette dauerte eine Ewigkeit, dann rauchte die alte Dame mit Leidenschaft, hustete und sagte in das rechte Ohr ihres Sohnes: Ich sehe was, was du nicht siehst.

Dann beschreib's, sagte der arme Jeremy.

Eine tote Möwe liegt da, sagte seine Mutter, sie hat den Bauch ganz aufgerissen und so 'ne Maden kriechen herum, und der Schnabel ist kaputt und die Füße auch.

Weit und breit, weder auf dem Pier noch am Strand, war eine tote Möwe zu sehen, aber Jeremy war rührend dankbar und wollte mehr wissen.

Gott, Junge, sagte sie, das Ding sieht aus wie 'ne tote Möwe, und ich will gottverdammt sein, sorry, wenn das keine tote Möwe ist. – Glauben Sie an Gott, Mr. Katz?

Kacz, sagte ich höflich, nicht Katz, nein, nicht direkt.

Sollten Sie aber, sagte Jeremys Mama. Basteln Sie auch an Bomben gegen die Gesellschaft?

Ich sagte, ich sei technisch leider extrem unbegabt und verstünde nicht die Bohne von Physik oder Chemie.

Jeremy auch nicht, sagte sie grimmig und schwieg dann bis zu der Treppe, an der ich mich verabschiedete, um eine Erfrischung für Dr. Searl zu kaufen.

Mütter, dachte ich, sind schon schlimm genug, aber wenn man blind ist, müssen sie eine Tortur sein.

Ich weiß, diese Flucht war ethisch nicht gerade hochstehend, aber ich konnte nicht anders, weil mich das Mitleid wieder einmal würgte. Da tappte der bedauernswerte Stockton mit einem weißen Stock in seinem dunklen, kleinen Kosmos, angewiesen auf diese Mutter; in Gedanken notierte ich, Jeremy einmal in einer mutterlosen Stunde fragen, für oder gegen wen er die Bombe wirklich gebastelt hatte, bei dem Faktum Mutter. Die Gesellschaft kann einfach nicht immer an allem schuld sein.

Ich kaufte dann wegen meines angegriffenen Magens und mit Rücksicht auf den Doktor einen Kasten Guinness. Guinness hat eine schöne Farbe, beruhigt die Nerven und schmeckt eigentlich zu jeder Tages- oder Nachtzeit.

Leider muß an dieser Stelle angemerkt werden, daß der Besuch beim Orthopäden verhältnismäßig unergiebig war, denn er war außerstande, meinen Wunsch nach einem Attest zu begreifen.

Am Praxisschild war noch ein Buchstabe abgefallen, so daß dort nur noch ein ORTHO zu sehen war, aufgeladen von tausend möglichen Bedeutungen. Wieder stand das Haus offen, wieder setzte ich mich auf den Küchenstuhl im Wartezimmer, und wieder erschien kein Doktor. Die *ESQUIRE*-Nummer mit der schönen Vivian Neves lag herum, aber exakt die Seite 88 mit dem herr-lichen Bild fehlte. Gezwungen, Zeitungen zu lesen, schlug ich die Seiten mit den Annoncen auf, aus denen man eine ganze Menge über Leben, Tod, Liebe und Geschäft entnehmen kann, wenn man aufmerksam liest. Die nackte junge Dame auf der dritten Seite überschlug ich, weil sie mich an eine alte anthropo-sophische Tante erinnerte, die auch ein Mopsgesicht hatte und hellblaue Augen. Die lebte, soviel ich wußte, in Berlin in der Nähe des Mexikoplatzes und hielt Séancen ab, die sehr erfolg-reich sein sollten, was die Kontakte zum Jenseits betrafen.

Und dann entdeckte ich unter VERMISCHTES eine Perle: Suche Job.

Schreibe musikalische und literarische Elegien

Aller Art in jeder Technik für Kleine Haustiere,

Inkl. Kalt- und Wechselblüter, Chiffre.

Für alle Fälle notierte ich mir die Chiffrenummer und ent-deckte in einer anderen Spalte eine schwarz umrandete Annonce, die wohlgemut *Trauer-Seminare in ländlicher Umgebung* anbot, einzeln und für Gruppen. Eine pompöse Anzeige versprach in einem dürren Text die *Schmerzlose Vernichtung von Ungeziefer (Vermins) durch wissenschaftlichen Kältetod,* und eine schüchterne, unbeholfen formulierte Anzeige ganz unten offerierte ein Sortiment *Tischstaubsauger von großer Schönheit, Integrität und Kraft!*, garniert mit einigen Medaillen des In- und Auslandes. Wegen eines großen, inneren Durstes, leicht angegriffen von der nebligen Begegnung mit Stockton und seiner Mama, versagte ich mir eine Zigarette und widmete mich der Rubrik GESELLIG-KEIT UND UNTERHALTUNG. Eine Jessica Mansfield, postlagernd, hatte unter der Überschrift *Liebeskunst* die vielversprechende Prosa drucken lassen: ‚Reife Dame, ganzbehaart, überaus kooperativ, Niedrig-Preise, lehrt auch Liebesverhalten unter Streß, G-Punkt bekannt‘, was immer dieser Punkt bedeuten mochte. Bestimmt gab es geduldige Leser, die aufgeklärter waren als der Wartende. Eine Konkurrenz, Amanda White hatte ihren kurzen Text in Großkapitälchen drucken lassen: LIEBE IST ERLERNBAR – AUCH FÜR MÄNNER! Auch hier folgte eine lange Chiffrenummer. Erfreulich waren auch die Funde unter der Rubrik ANOTHER LIFE TODAY. Ein Dr. Masterson aus Essex bot innerhalb eines kostspieligen Sanatoriumsaufenthaltes *Trost für die Angehörigen todkranker Angehöriger*, angeschlossen war eine Schönheitsfarm, ein Batik-Kurs und Reitunterricht für unsere Kleinsten.

Die FOR ETERNITY–Gruft war leider beklagenswert dünn besiedelt.

Mr. Spongard aus Brighton bot einen zweiwöchigen Lehrgang über *Das fachgemäße Ausstopfen Ihrer toten Lieblinge* an. Darunter stand hochgemut die Zeile: ‚Nutzen Sie Ihr Hobby professionell, denn Sie liegen im Trend‘. Ich war gerade beim Genuß der nicht sehr reichhaltigen Spalte, zweite Seite, Rubrik TRAINING, in der ein Professor Moore einen langen Sermon für Bedürftige verfaßt hatte: ‚Sie fühlen sich Ihrer Umgebung intellektuell unterlegen? Besuchen Sie meine Weekend-Seminare, in denen Sie mit den Waffen und dem Rüstzeug des Geistesarbeiters ausgestattet werden. Einzel- und Gruppenunterricht in sämtlichen Sparten, Disziplinen und Techniken von altorientalischer Logik bis Zen. Bei Nichterfolg Geld zurück', da hörte ich aus dem ersten Stock ein Geräusch, als stürze ein Sack mit Flaschen aus einer mittleren Höhe auf einen Holzfußboden. Ich legte die Zeitung beiseite, nachdem ich die Annoncenseiten aller Aktivitäten zusammengefaltet und in die Brusttasche gelegt hatte, ging die Treppe hinauf und fand auch richtig Dr. Searl, den in Psychologie so versierten Orthopäden, recht leblos, d. h. ohne sich direkt zu rühren, auf dem Bauche liegend in seinem Schlafzimmer, zwischen einem Glasschrank und einem ordentlich gemachten Bett. Es roch nach Gin und irgendeiner noch strengeren Flüssigkeit. Ich drehte den Doktor auf den Rücken und legte – ich hatte einmal vor zehn Jahren das erste Drittel eines Erste Hilfe-Kurses absolviert – mein Ohr auf seine Brust, dort, wo ich das Herz vermuten durfte.

Des Doktors alte Pumpe war recht lebendig, sie schlug auch, aber unregelmäßig. Da ich wußte, daß Sauerstoff lebenswichtig ist, öffnete ich das Fenster und wartete erst einmal ab. Als nichts passierte, stieg ich wieder hinab und versorgte mich im Ordinationsraum mit Watte, einer endlos langen Mullbinde, die sich auf der Treppe entrollte, und nahm eine Vomitus-Schale voller Wasser mit nach oben. Der arme Orthopäde blutete an der rechten Schläfe, die ich abtupfte. Auf der Suche nach Jod (im Zimmer mit dem Podest und dem quadratischen Kasten), fand ich hinter dem Paravent glücklich die Hausbar. Für uns alle – die Retter und die Geretteten – nahm ich eine Flasche Tullamore mit ins Schlafzimmer. Auch der Alkohol desinfiziert. So goß ich zwei Finger hoch Whisky auf die Schläfe und wickelte dann die Mullbinde um seinen Schädel, den ich an den wenigen Haaren hielt, während die Mullbinde gehorsam über die Treppe ins Schlafzimmer kroch.

He, Doktor, können Sie sprechen, fragte ich, aber er wollte nichts sagen. Schließlich hielt ich ihm die offene Flasche vor die struppigen Nüsternlöcher, und siehe, der Kurs, wenn auch nicht ganz abgeschlossen, hatte sich doch gelohnt. Er öffnete zuerst das linke und dann das rechte Auge.

Was machen Sie hier? Wer sind Sie?

Seine erste Frage war korrekt.

Ein präsumptiver Patient, sagte ich vorsichtig, ob er sich nicht auf das Bett legen wolle.

Eine Umlagerung lehnte er ab; er fühle sich soweit ganz wohl, sagte er, und welches Jahr wir hätten.

Frühjahr, sagte ich. Und wußte, daß es fruchtlos gewesen wäre, den Doktor um ein Attest zu bitten, gleichgültig, was er hätte attestieren können.

Ich bot ihm selbstverständlich einen Whisky aus der Bar an. Bei einer Gehirnerschütterung hilft kein Getränk schneller, es sei denn das alte Elixier des Dr. Sylvius aus Leiden, reiner unverfälschter Gin.

Er nahm meine Gabe an, ich stützte seinen schweren Schädel, und er trank.

Ich fragte, ob er glaube, etwas gebrochen zu haben.

Searl bewegte probeweise seine Extremitäten, die alle funktionierten, schüttelte den Kopf und fragte wieder, wer ich sei.

Kacz, sagte ich verbindlich, Alfred Kacz, Senk-, Spreiz-, Plattfüße, keine Haltungsschäden.

Kann mich, sagte Searl, nicht erinnern.

Ich setzte mich auf sein Bett und zog Schuhe und Strümpfe aus, in der Hoffnung, er werde mich an den Füßen erkennen. Searl nahm sie lange in Augenschein, meine armen Füße, und seufzte dann sein ‚oi, oi, oi‘:

Sie sind ängstlich, furchtsam und resistent gegen Bazillen, Viren und Pilze, Sie sind auch in geschlossenen Räumen extrem mitfühlend, nicht besonders mitteilsam, aber grundsätzlich freundlich, wie man sehen könne, aber gewisse Neigungen oder Dispositionen müsse ich unterdrücken. Der Urogenitalapparat sei über jeden Verdacht erhaben, gegen die Anfechtungen solle ich eiskalte Umschläge machen.

Erschöpft von dieser langen Diagnose machte er Anstalten, wie ein dicker, beschädigter Käfer auf sein Bett zu krabbeln. Ich half ihm, weil ich den Zustand kannte, in dem er sich zweifellos befand. Als er endlich lag, hievte ich zwei dicke, grau gestreifte Kissen hinter seinen Schädel.

Was, fragte ich, kann ich noch für Sie tun?

Oh, bitte, sagte er, ich weiß, Sie sind Stockton, der blind ist, aber Sie bewegen sich mit einer solchen Sicherheit, die – man muß deiten! – daß ich um eine Erfrischung bitte, am besten einen Scotch.

Ich versorgte den alten Herren, der noch um einen durch Katzenurin leicht gewellten Stapel Reader's Digest bat, Jahrgang 1954 – als die Welt war viel besser irgendwie –, deponierte die Exemplare auf einen Hocker am Kopfende des Bettes und verabschiedete mich.

Das Gefühl, Gutes getan zu haben ohne viel Arbeit und nennenswerten Aufwand von Mitleid, dauerte bis zum Postamt an, in dem ich ein Telegramm an den alten Kacz in Berlin aufgab, das hieß:

Habe wichtige Prüfung bei Dr. Morehead – Biologie,
daher unabkömmlich und leider reiseunfähig
für den Augenblick wegen Unfall.
Gute Besserung, Dein Alfred K.

Dann erstand ich in der City in einem staubigen Laden einen Tischstaubsauger namens Filth-Tec, einen kleinen, rhomboiden, schokoladenfarbenen Apparat, dessen glatter Bauch mit einem pennygroßen Loch und konzentrischen, schwarzen Bürsten besetzt war. An seiner flachen Schnauze konnte man einen Rüssel herausziehen, der im ausgefahrenen

Zustand – für glatte Ebenen gedacht – das Loch im Bauch verschloß.

Wir probierten ihn aus, die Verkäuferin und ich. Der Reini-
gungskäfer mit seinen zwei Batterien im Leib brummte zuverlässig und saugte mit oder ohne Rüssel alles ab, ohne ein Stäub-
chen zu verlieren, und die junge Dame, eine brünette Schönheit
mit grünen Augen, führte den Rüssel – das Loch ist jetzt
geschlossen, sagte sie – sogar über die molligen Baumwollmat-
ten ihres Busens.

Zufrieden über diese dritte Leistung des Tages ging ich heim-
wärts, aber nicht über den Pier. Der Nebel war verflogen, und ich
hatte nicht die geringste Lust auf eine neuerliche Begegnung mit
dem allzu traurigen Stockton – Gespann.

Das Hawkins-Haus war leer. Aus dem Witwentrakt drang kein
einziger Laut. Schweigend lagen die Zimmer, nur im Garten
hörte man ein paar Vögel. Ich duschte ausgiebig, putzte mir die
Zähne endlos lange und voller Gedanken an lange Reihen aufge-
bockter Särge mit Euthymol, spuckte viel Blut wegen des sensi-
tiven Zahnfleisches und beschloß am Ende dieser Reinigungs-
prozedur – ganz plötzlich – die Schwestern Plummer zu einem
Abenddinner einzuladen.

Das hieß Aufräumen, Wegstellen, – setzen und – legen, das
hieß Wegschmeißen und Verstecken, Lüften und Desinfizieren.
Mein gehütetes Nest war, das muß ich doch sagen, ein Saustall,
in dem man so leben konnte, weil die Witwe unter einer
Schmutzphobie litt. Als ich das Bett in Richtung Süden schob,
klopfte es drei Mal, sehr dezent, an meine Tür.

13 Es war – die Witwe. Sie trug ihren Spätnachmittags-Morgenrock, ein Stück aus blauem Stoff, um Schultern und Busen eine Reihe dunkelblauer Ulmen, setzte sich auf das Bett und suchte nach Zigaretten.

Als sie das Päckchen endlich gefunden hatte, steckte sie es wieder in eine der Taschen und sagte:

Alfred, Sie müssen mir helfen. Ich bin heute krank, wissen Sie, die Beschwerden des Kilimakteriums, oder wie's heißt, Sie werden es kennen – fliegende Hitze, kleine Schweißausbrüche, sogar zwischen den Zehen, und dergleichen mehr – und müde, immer müde, aber keinen Appetit. Kurz, sie müsse sich auf der Stelle niederlegen, aber unglücklicherweise käme in einer halben Stunde der Kater.

Was, fragte ich, für ein Kater?

Ein Killerkater, sagte die Witwe zuvorkommend, aus einer wahren Killer-Familie, deren Mitglieder etwa seit den Tudors alle White Devil hießen, seien es nun Weibchen oder Männchen. In unserem Fall handele es sich um ein Männchen, und ein Dr. Stamp bringe es vorbei.

Schön und gut, sagte ich, aber was ich mit der Ankunft des Katers zu tun habe?

Ich müsse, erwiderte die Witwe, das Tier in Empfang nehmen und – an dieser Stelle flehmte sie – ihm Haus und Garten zeigen, ihn herumführen, mit den Örtlichkeiten, also dem Jagdgelände vertraut machen und währenddessen feststellen, ob das Tier wirklich ein Killer sei.

Tut mir leid, sagte ich, aber ich erwarte heute abend Besuch, ich muß mein Zimmer aufräumen, ein paar Möbel umstellen, im Supermarkt einkaufen und zum Weinstore Jenkins.

Bringen Sie mir, sagte die Witwe, doch eine kleine Kiste Sherry mit, und sie zündete sich eine filterlose Zigarette an, die heillos stank.

Es wird, sagte sie, nicht länger als eine Stunde dauern, bis der Kater seine Aufgaben kennt.

Ich kann nicht, sagte ich, es ist zu viel zu tun.

Kacz, sagte sie und ließ Asche auf mein Kopfkissen fallen, Sie sind ein Idiot.

In ihren dunklen, meinen heimgegangenen Hausgenossen so ähnlichen Augen erschien ein Licht, das mir nicht gefiel; ich sei ein Idiot, ein lebensuntüchtiger Bastard, ein Simpleton, ich sei timid and dull, und mit der Miete einen Monat im Rückstand.

Pardon, Madam, sagte ich, es gäbe da einen automatischen Überweisungsauftrag.

Nothing, sagte die Witwe, und die Miete für dieses Prachtzimmer, dieses Luxusappartement, sei nicht hoch. Rückstand, sagte sie noch einmal.

Dieser Coup kam ein bißchen überraschend und erwischte mich kalt. Wenn ich mich um den Kater kümmere, fragte ich, was dann wohl wäre?

Dann sei alles kein Problem, sagte die Witwe herzlich und drückte die Zigarette auf Helphands *Kleinem Atlas der Philosophie* aus.

Bitte, sagte ich, benutzen Sie einen Aschenbecher.

Sicherlich, sagte die Witwe friedlich und legte den Stummel in einer Teetasse ab.

Wie, auf welche Weise, nach welcher Methode, fragte ich, man an einer Katze den Killerinstinkt erkennen könne.

Immer an den Augen, sagte die Witwe, ganz untrüglich.

Mrs. Hawkins, sagte ich so ruhig, wie ich es vermochte in der Situation, kein Zeichen auf der Welt, wofür es denn auch gedacht sein möge, sei untrüglich.

Mr. Stamp, sagte sie, ein begnadeter Katzenzüchter, Mensch und Tierarzt, übrigens ein Schüler von dem berühmten Dr. Herriot, träfe in zwanzig Minuten mit dem Kater ein. Ich dürfe ihm kein Getränk anbieten, er nähme es auf der Stelle an. Denn, so sagte meine Witwe, er sei ein ganz furchtbarer Säufer, aber wer sei das nicht in diesen schrecklichen Zeiten. Und ob ich einen Tafelaufsatz aus Kristall für mein Dinner brauchte?

Nein, sagte ich, aber ein Rechaud wäre vielleicht nützlich.

Bekommen Sie alles, sagte die Hawkins und stand endlich auf, Porzellan und Besteck, Platten und das andere Ding – wer kommt denn?

Leider war ich geistesgegenwärtig und sagte: Parterrebesuch.

Ha, sagte die Witwe befriedigt, die Plummer-Sisters, hübsche Dinger, aber ich weiß was, was Sie nicht wissen.

Was, fragte ich.

Die haben seit gestern ihre Tage, sagte die Witwe, lächelte und verschwand mit ihren Ulmenalleen, Buchten und Bergen.

Ich fand noch eine Flasche Port hinter dem riesigen Band Audubons *Birds of America*, einem Exemplar Stocktons, das er mir nach dem Unfall mit der Bombe geschenkt hatte; seine Mutter hatte das kiloschwere Ding getragen, begleitet von Jeremy, der es mir mit den Worten ‚Ich konnte sie schon vor dem Unfall nicht auseinanderhalten‘, übergab. Dann rauchte ich zwei Zigaretten und schlug nach, was es mit Killerkatzen auf sich hat. Ich schlug unter ‚Katze‘ nach, catus domesticus, erfuhr, daß die Ägypter sie anbeteten und daß sie auch auf die Jagd gingen.

Der Dr. Stamp erschien pünktlich um 17 Uhr, ein kleiner Mann mit einem Schnurrbart, der an beiden grauen Enden gezwirbelte Spitzen hatte. Im Mund hatte er unregelmäßige, sehr weiße, etwas spitze Zähne. Ich empfing ihn am Gartentor. Ich hatte gehofft, die Ablieferung des Katers werde kurz sein, aber leider war der Tierarzt ein Liebhaber dieser kleinen Raubtiere. Wir setzten uns auf die Bank am Erdbeerbeet, eine der frühen Nekropolen, und er holte aus einem länglichen Korb eine winzige, ziemlich fette, weißgraue Katze, etwa in der Größe einer jungen Ratte.

Das, sagte er, während er sie am Nackenfell hochhob, das ist White Devil.

Das Tierchen hatte eine rosige Nase und kugelrunde, leicht quellende, graue Augen. Um den Rand der Pupille funkelte Goldstaub.

Wie alt, fragte ich.

Jung, sagte Dr. Stamp befriedigt, aber von der Mutter entwöhnt, er kann schon Milch trinken, aber nur verdünnt.

Ab wann, fragte ich, fängt eine Katze oder speziell dieser Kater Mäuse?

In zwei Monaten – vielleicht, sagte der Doktor.

Das war beruhigend zu hören.

Hat White Devil das, was man einen Killerinstinkt nennt?

Wo denken Sie hin, sagte Stamp und kraulte den Kater mit dem Nagel des kleinen Fingers zärtlich unter dem Kinn. Der künftige Killer hob seine Nase gen Himmel und schloß genußvoll ein Auge und begann zu schnurren, so laut wie ein winziger Elektromotor.

Wenn er keine Anlage zum Killer habe, sagte ich da auf meiner Bank im Garten der Hawkins, könne man ihn doch ganz gewiß abrichten?

Mein Bester, sagte Stamp, Sie haben nicht den blassesten Schimmer einer Ahnung von Katzen; eher richtet dieses Tier Sie ab. Wozu will ihn die Witwe denn nun eigentlich haben?

White Devil, sagte ich, soll Mäuse fangen.

Dr. Stamp sah mich ernst an. Seine Schnurrbartenden zuckten.

Mäuse, sagte er, Mäuse? Aber niemals im Leben. Die Dynastie dieser Katzenfamilie ist, wie Sie unschwer erkennen können, Nachfahre von Falbkatzen. Das Leben in England und die Erziehung, die sie durch die Jahrhunderte genossen, macht es einem White Devil ganz unmöglich, die Jagd auf eine Maus auch nur entfernt in Betracht zu ziehen.

Warum, fragte ich höflich, er daran glaube, daß seine Katzen die Jagd nicht in Betracht zögen?

Das ist, sagte der Tierarzt stolz, Tradition. Und es ist auch Erziehung. Die Folge ist eine gewisse Saturiertheit gegenüber anderen Tieren generell und gegenüber Mäusen im besonderen, wie auch ein gewisser Ekel.

Wie, rief ich, die White Devil-Dynastie ekelt sich vor –

Das tut sie, sagte Dr. Stamp, das tut sie wohl, aber bitte, nehmen Sie White Devil.

Der kleine Kater war ziemlich warm und die Pfotenballen ein bißchen klebrig.

Nun, fragte der freundliche Dr. Stamp, was ist das für ein Gefühl, einen White Devil aus der edlen Dynastie in den Händen zu haben?

Es klebt ein bißchen, sagte ich. Aus Vorsicht hielt ich ihn wie eine kostbare Hutschenreuther-Kreatur aus Porzellan. Der Kater sah mich mit seinen runden Augen aufmerksam an, sein lächerlich dünner Schwanz zitterte, und auf meiner Hand wurde es warm und feucht.

Mein Gott, sagte Stamp beglückt, er hat gepinkelt. Sie tun das beileibe nicht bei jedermann. Es ist dies der schönste Vertrauensbeweis, den diese Katzen zu vergeben haben.

Was Sie nicht sagen, sagte ich ratlos. Aber eigentlich war ich nicht überrascht. Im Zoo bespuckten mich aus unerfindlichen Gründen die hochmütigen Lamas, und Dromedare furzten fürchterlich, wenn sie mich sahen; einmal war ein Amurtigerweibchen von schrecklicher, flammender Schönheit in ihr Bassin gestiegen, hatte mich fixiert und dabei einen dampfenden Strahl dunkelgelben Urins entlassen; Hunde bestiegen einfach so meine Schuhe, wenn sie klein waren. Nur weibliche Hunde waren mir mitunter gewogen und bepißten meine Beine nicht.

Der Kater legte sich in meinen Händen zu einem Schlummer

nieder, nachdem er sich viermal um seine weiche Achse gedreht hatte, und legte das dünne Schwänzchen über seine Nase.

Er mag Sie, erklärte Dr. Stamp streng, stand auf, holte einen Zettel aus der Tasche und sagte, auf das Grab von Eudora I tretend, auf der Vorderseite sei die Rechnung, exakt 50 Pfund, und auf der Rückseite der Diätplan des Katers.

In meiner Blödheit gab ich dem Tierarzt die Summe sofort rein netto Cassa, wie es im Geschäftsleben heißt, und dann verschwand er schnell durch die grüne Gartentür, ohne sich von der Katze, vom Korb oder mir zu verabschieden. Die Sonne beschien eine Weile Garten und Bank. White Devil schlief. Auf meiner Haut fühlte ich die winzigen Krallen, die sich während eines kindlichen Jagdtraums lockerten; es hätte auch der Milchtritt-Reflex sein können. Ich hatte über Katzen nur geringe Kenntnisse.

14 Weibliche Zwillinge sind eine ungute Kombination, wenn sie in getrennter Fassung vorkommen in der Natur. Zusammengewachsen sind sie wahrscheinlich durchaus in Ordnung, ob die Verschmelzung nun an den Hüften passiert wie bei den siamesischen Zwillingen, die sogar Kinder zeugten und in Barnums Monsterschau zu bescheidenem Reichtum gelangten, oder an den Schläfen wie die Schwestern Schapell aus Amerika, die sogar zwei getrennte Persönlichkeiten entwickelten, ein Faktum, das mich immer schon tief gerührt hatte – zwei Gehirne, eine Schädelkapsel, verbunden durch einen Ventrikel, der den Druck ihrer Hirnflüssigkeiten reguliert –, niemals allein, einer des anderen Last. Ganz anders ist es mit zwei schönen, weiblichen, solitären Zwillingen, die wirklich nur separat auftreten sollten. Gegen 19 Uhr folgten sie meiner Einladung,

Emmy und Evelyne, E 1 und E 2, in einer Wolke aus Samsara und setzten sich einmütig und mit sehr geschlossenen Knien auf mein Bett mit einer Patchwork-Decke darüber, die mir Casullo geliehen hatte. Auf der Leihgabe der Witwe – einer Porzellanschüssel mit einer blauen, verblaßten Parklandschaft – lagen diverse Appetithäppchen, Kaviar, Anchovis, Sardinen und ein Lobster, der sich im Sagittalschnitt präsentierte.

Den Kater White Devil hatte ich mit einer viertel Tablette Valium außer Gefecht gesetzt, um in Ruhe die Schlacht zu gewinnen, und in seinem Korb hinter dem Bett deponiert. Mrs. Hawkins hatte mir erklärt, ich müsse mit der Erziehung des Tierchens morgen beginnen.

Es gab einen guten Bordeaux, einen Château Trottervieille, sehr teuer, eine Demi-Flasche Eierlikör, falls die Schwestern wider Erwarten bedürftig waren, und für das Finale – Operation gelungen – einen Champagner vom unvergeßlichen Krug. Für das allerletzte Geld hatte ich dicke, gelbe Wachskerzen erstanden, die ich kunstsinnig wie ein alter Maler, der sein Lieblingsmodell endlich besteigen will, an strategisch günstigen Punkten verteilt hatte.

Ich rückte also nach den ersten Bissen und Schlucken an die geschlossene Reihe ihrer vier Knie und machte den Sprechakt, den ich mir nach sehr reiflicher Überlegung zurechtgelegt hatte. Das Fundament war die Disposition: Schöne Erinnerung, aktuelle Gegenwart und goldene Zukunft. Ich redete sie im Plural an und sagte, glaube ich, meine Lieben oder geliebte Schwestern, ich hege zu Ihnen beiden eine so gut wie heftige Zuneigung, um nicht zu sagen eine leidenschaftliche Liebe, freilich immer auf angemessene Distanz, wie Sie, von einer Ausnahme abgesehen, die ich bedaure, vielleicht bemerkt haben werden.

Nach dieser Einleitung tranken E 1 und E 2 je einen Schluck Wein, wobei sie die kleinen Finger zierlich spreizten.

Ich sah Sie zum erstenmal in der dritten Reihe rechts, Fenster, im Seminar Professor Fisher, der über das köstliche, interessante und ergiebige Thema *Schillers Schädel und die Arbeiten Welckers und Frorieps zu seiner Rekonstruktion* las, und Sie trugen enge, schneeweiße Angorapullover, und wegen des Gegenlichts, es war gegen 10 Uhr morgens, was ich sagen wollte, ist, daß ich eine Erbschaft antreten muß. Die Annahme dieser Erbschaft oder dieses Vermächtnisses – in einiger Zeit, nicht sofort – ist wieder verknüpft mit bestimmten Entscheidungen und Entschlüssen, kurz –

E 1 und E 2 lockerten die Beinmuskeln und beugten sich ein bißchen vor. Ihre Augen waren rund und glänzten, was ich als gutes Zeichen interpretierte. Beim Sprechen fixierte ich einen Fleck an der Wand zwischen ihnen, um nicht immer die vollen Unterlippen zu sehen.

Wir, sagte ich mit Bestimmtheit, befinden uns in einer Sackgasse. Der Mensch ist, abgesehen von seinen angeborenen oder erworbenen Krankheiten, vollständig ausgeschöpft; die empirischen Wissenschaften, Humanbiologie, Tiefenpsychologie, die Psychosomatik, die Theologie und nicht zuletzt die Ethnologie, die Soziologie und die Sprachwissenschaft haben ihn bis auf das letzte Phonem – das ist die kleinste bedeutungsunterscheidende Einheit der Sprache – vermessen und ausgeleuchtet ohne jeden Rest, und nun steht er bis zum letzten Knopf nackt vor aller Blicke, ausgereizt, erschöpft und erledigt, und es bleibt eigentlich nichts mehr zu tun, was irgendeine Zukunft hätte.

Die Schwestern nickten. Ihre schweren, aschblonden Zöpfe wanden sich wie Schlangen um ihre Schultern.

Aber dennoch, fuhr ich fort, bleibt viel zu tun übrig, denn das Phänomen Liebe ist noch nicht erledigt, und ein paar Angelegenheiten, das Leben und das nach dem Tod betreffende, sind durchaus lohnende Aufgaben für freie Geister, mögen Sie vielleicht nach diesem Château Trottervieille einen Eierlikör aus echten böhmischen Kelchen?

Mein Herz schlug jetzt recht heftig, weil ich nach einem doppelten Bourbon den Rest der Disposition vergessen hatte: die goldene Zukunft. Es war jetzt 12 Minuten nach acht. Die Plummer Sisters zeigten trotz zwei Gläsern Bordeaux – eine jede, nicht in der Gruppe – noch nicht die geringsten Auflösungserscheinungen.

Was, fragten sie dann – ich weiß nicht welche, ob E 1 oder E 2 –, ich denn erbte, und ob ich jetzt ein reicher Mann sei?

Ich werde, sagte ich, ein Bestattungsinstitut erben, und es heißt Ambrosia, in Berlin, ein international renommiertes, florierendes Unternehmen, in dem die Zukunft schlummert.

Soso, sagten die Schwestern, tut sie das dort?

Ich merkte eine gewisse Abwehr, eine gewisse Kälte ging von ihnen aus, und sie schlossen ihre Knie.

Die Zukunft, sagte ich, liege im Bestattungsgewerbe, gerade in dieser Zeit voller Krisen und Katastrophen, es sei ein bomben- und absolut krisensicheres und sehr stilles Geschäft.

Was hätten wir damit zu tun, fragten die Schwestern.

Nun, sagte ich, wenn eine von Ihnen mich heiratete ... Ich meine, wenn ich eine von Ihnen heiratete ...

Beide Schwestern stießen unisono ein tonloses, kleines Grunzen aus und sagten, ich dürfe mich zwischen sie setzen. Sie rückten, und ich setzte mich in die Mitte auf die Patchwork-Decke, die eine Gruppe Paraplegiker (untere Zone) in Virginia zusammengestoppelt hatte. Links und rechts fühlte ich ihre heißen Schenkel und atmete ihre Düfte ein, sehr spezielle Aromen. Sie dufteten ganz verschieden, Eierlikör, Samsara und die ländliche Seife. Leider erzeugte diese Nähe eine Erektion in einer meiner leichtesten Sommerhosen, und ich wußte nicht, wo ich die Hände lassen sollte.

Alfred, sagte Emmy oder die andere, Sie sind so ein lieber

Kerl, ja, ein richtiger Kamerad, ein Good Fellow, wie er im Buche steht, und Ihr Antrag ehrt uns natürlich irgendwie, aber wissen Sie ...

Und Evelyne (oder die andere) ergänzte:

Sie kommen aus einem anderen Jahrhundert, Sie sind nicht ganz von dieser Welt, Sie sind immer so furchtbar bemüht, so arglos. Sie können kein Wässerchen trüben, und daß Sie jetzt eine Erektion haben –

(Ich glaube, oder es kam mir so vor, als sagten sie das im Chor.)

– das ist einfach ganz süß und goldig irgendwie, eine Art Huldigung, sehr schmeichelhaft, aber eben nichts besonderes, das sind wir schon gewöhnt, und ganz und gar überflüssig.

Und nach einer Pause sagte die eine mit ihrer süßen, spröden Stimme: Das alles hat doch keine Zukunft.

Es war jetzt neun Uhr und alles vergeblich. Ich verließ das heiße parfümierte Zentrum meines Zimmers und ging zum offenen Fenster. Durch meine reduzierte Reaktionsfähigkeit mußte ich stolpern und stieß mit dem rechten Fuß an den Korb mit White Devil, der sofort seinen dicken, kleinen Schädel aus der Öffnung steckte und ein zartes ‚Meng' hören ließ; dann streckte er sich, machte einen Buckel und spazierte zum Bett mit den Schwestern Plummer.

Wie süß, schrien die, packten ihn und ließen wilde Zärtlichkeiten an ihm aus, während er zwischen ihren Körpern hin und her wanderte. Ich setzte mich wieder auf meinen Segelstuhl und sah der Szene zu. Die Mädchen legten sich zurück, und der kleine Kater durfte sich auf ihren Hügeln, Hängen, Matten und Bergen ergehen. Der Kater schnurrte und die Schwestern gurrten. Ihre nicht besonders langen Röcke rutschten nach oben, und ich sah mehr von den Schwestern, als ich an diesem Abend erhofft hatte.

Dann legte sich White Devil an den Busen der einen oder der anderen und machte seinen Milchtritt. Wie ich ihn beneidete.

Hin und wieder hoben sie ihn hoch und küßten ihn auf die rosa Nase.

Es war jetzt kurz nach halb zehn.

Wir haben Ihnen ein Geschenk mitgebracht, sagte eine der Schwestern. Ich bin sicher, es war Emmy.

Sie sah mich mit ihren braunen Augen voller Emailleschimmer tief an und sagte, es handele sich um einen Clergy-Calendar, einen Kleruskalender. Auf jedem der großzügigen Blätter, Quartformat, stehe für jeden Tag der Name einer oder eines Heiligen, da sei viel Platz für mein Tagebuch.

Die eine Schwester spielte noch immer selbstvergessen mit dem Kater. Im Kerzenlicht leuchteten ihre Schenkel, und ihre Brüste hoben und senkten sich.

Ich wandte den Blick ab und bedankte mich. Ich schriebe kein Tagebuch im Sinne eines klassischen Diarys.

Ja, was denn dann, fragten die Schwestern, doch wohl keinen Roman?

Ich versuche, erwiderte ich, durch schriftliche Fixierung Herr zu werden über alle Kapitel meines Lebens, die wichtigen und die unwichtigen.

Notieren Sie unterschiedslos alles, fragten sie, oder nehmen Sie nur die Ereignisse, die Ihnen passend erscheinen?

Wenn man alles nachträglich notiere, sagte ich, dann ergebe sich eine ganz ungezwungene, natürliche Zuchtwahl; ich meinte natürlich das Substantiv Auswahl, das sich verkrümelt hatte. Aber das war ja kein Wunder bei einer sinnlosen Erektion, einer einseitigen Unterhaltung und einer abgeschlagenen Zukunft, dem Alkohol, den doppelten Reizen und der Hitze. Eine Viertelstunde später ging E 1 oder E 2 auf die Toilette, und ich war mit einem Zwilling allein. Ich weiß bis heute nicht, welche der beiden es war, Emmy oder Evelyne.

Sie sagte jedenfalls, ich reagierte auf alles zu stark, sollte aber aufhören, mit dem Herzen zu denken, das Richtige denken und Bestattungsunternehmer werden. Und ich dürfe sie küssen.

Mir schwindelte, als ich neben ihr saß, und dann küßten wir uns einen Augenblick sehr nervös, ihre Lippen waren etwas klebrig.

Als die andere von der Toilette zurückkehrte, kräftig nach Floris riechend, die in der Seifenschale mit einem aschblonden Haar in der Form eines Fragezeichens lag, verschwand sie. Wieder mit einer Schwester allein (ein neues Abenteuer), bat auch diese mich, sie zu küssen – sie schmeckte anders, und ihre Zungenspitze war glatter – und sagte dann, während sie mit ihrem Zopf spielte, ich reagierte auf alles zu stark, sollte bloß aufhören, so gefühlsselig zu agieren, gerade Frauen gegenüber, die das verabscheuten, solle das Richtige denken und um Himmels willen bloß nicht Bestattungsunternehmer werden. Bei meiner Disposition sei ich diesen geschäftlichen Anforderungen nicht gewachsen.

Die Schwester auf der Toilette ließ sich Zeit, und ich durfte die andere noch einmal ausführlich küssen. Nach dem Kuß wischte sie mir mit einem Batisttüchlein den Mund und streichelte wieder den Bauch des Katers, der eingeschlafen war.

Den Champagner lehnten sie ab.

Wir müssen ins Bett, sagten sie und küßten mich auf die Wangen, die eine links, die andere rechts, wir sehen uns in der Bibliothek. Und schreiben Sie nichts Häßliches über uns, sagten sie an der Tür, Good Night, Good Night.

Betäubt oder düpiert, ich weiß es nicht mehr genau, setzte ich mich zu White Devil auf das Bett. Aus seinem Maul hing der löschblattrosa Zipfel seiner Zunge. Er öffnete ein Auge und sah mich an, und einen Lidschlag lang schien er zu lächeln.

15 Wie mir der Kleruskalender der lieblichen Schwestern mitteilte, ist heute der Tag des Anselm von Canterbury, eines Theologen des 11. Jahrhunderts, der irgendeinen der Gottesbeweise erfunden hatte. Meine Probleme aber hatten nichts mit dem Glauben zu tun, sondern mit Tatsachen, und die sind nun doch leider so, daß ich die Schwestern Plummer, die Witwe Hawkins, meine kleine Klause, meine Garten-Nekropole und den Kater White Devil verlassen muß, um in Berlin Bestattungsunternehmer zu werden. Ich schlug auf dem Weg zur Bank in der Städtischen Bibliothek im Handbuch BERUFE OHNE STUDIUM unter dem Stichwort Undertaker's Business nach, fand aber keinen brauchbaren Hinweis auf ein Berufsbild, eine Beschreibung oder gar ein Stimmungsbild aus dieser Sphäre, oder welche Talente man bei der Ausübung dieser Profession haben mußte.

Auf der Bank wurde mir von einem Mr. Hampton mit Trauermiene eröffnet, daß mein Konto weit überzogen sei, ich kein Geld mehr abheben könne und der Scheck meines alten P. in Verzug sei.

Am Tag des Heiligen Anselm kam es wirklich Schlag nach Schlag.

Um meine Nerven und den mittelschweren Kater zu besiegen, griff ich zu meinen letzten Reserven und trank am Pier zwei Guinness.

Die Gerassimow-Gedenkbibliothek ist ein alter Ziegelbau aus dem 18. Jahrhundert, erbaut auf den Fundamenten eines normannischen Klosters – Efeu und Wein bedecken seine rötlichgrauen Mauern und umranken die hohen, vielgeteilten Fenster – und wird gekrönt von einem viereckigen Bleidach mit schießschartigen Fenstern ohne Glas. Der Lesesaal der Bibliothek ist sehr groß und beherbergt im Hauptsaal vier lange Tische aus unpoliertem Nußholz mit je vier Plätzen. Nach Bedarf kann man sich durch einen zweibeinigen, recht wackligen Holzparavent separieren; ich habe mich nie separiert, aber an diesem Tag, da tat ich's. Durch das große, bleigefaßte Fenster an der Front vor Tisch eins sah ich in den Park. Ein paar zerzauste Ebereschen standen herum und hüteten gelbliche Grabhügel unbekannter alter Toter. Bei gutem Wetter hätte man die Bucht und – bei einer in diesen Breiten ungewöhnlichen Klarheit – bis zur französischen Küste sehen können. Ich packte an meinem Platz den Kleruskalender aus und stellte erst einmal An- und Abwesenheiten fest.

Es roch wie immer nach Bohnerwachs, fauligen Äpfeln, nach altem Leder, Essigessenz und den eigentümlichen Dünsten und Ablagerungen ehemals erfolgreicher, mißglückter oder vergeblicher Arbeitsprojekte. Aus den Tiefen der Bibliothek, hinter einer kunstvoll geschnitzten Balustrade, die dem Ebenisten Adams (1711 bis 1792) zugeschrieben wurde, hackte die Leiterin der Katalogabteilung, eine gewisse Sonja Kapulski, nach dem Zweifingersystem blitzschnell auf ihrer alten Remington, deren Typen zum Teil zahnlos geworden waren. So fehlte immer das kleine a und das große C, was nicht allzu oft zu Mißverständnissen führte. Sie war eine schöne, ältere Dame mit einer strengen, grauen Hochfrisur und weigerte sich seit zwei Jahren, einen Computer zu benutzen, obwohl der Etat eine so hilfreiche Maschine damals gestattet hätte.

Die großen Kataloge waren dicke, in graues Leinen gebundene Bände mit vier kornblumenblauen Buchzeichen, die Supplementbände zartblau marmoriert und in der Überzahl. Ich mochte sie und die Supplementbände. Mein Platz war an Tisch vier, dem letzten, und ich hatte den dritten Platz, zwischen Clemm, nicht anwesend, und Stockton, Platz vier, ebenfalls abwesend.

An diesem letzten Tag in der Bibliothek (in Lesesälen sieht man selten in die nahe Zukunft) baute ich meinen Paravent auf der linken Seite auf, um gegen Platz zwei, Clemm und seine gekränkten Blicke gewappnet zu sein. Ich war sicher, daß er mir den Tod seines Goldfisches niemals verzeihen würde. Dann kramte ich aus der dünnen Ledermappe mit den abgestoßenen Ecken die Hefte und Ordner meiner überflüssigen und ewig unfertigen Arbeiten hervor und legte sie säuberlich nebeneinander. Zuerst kam die Abhandlung über *Die seelischen Kosten der Arbeit*; ich war da an einem zugigen und dunstigen Sonntag am Begriff der mechanischen Arbeit zwischen Kraft- und Weg-Vektor hängengeblieben.

Daneben legte ich den Stapel der Karteiblätter *Über die Geschichte des Pantoffelsarkophags*, der leider keine besonders große Geschichte hatte, die man hätte schreiben können. Dann kamen, rechts vom Sarkophag in seinen zwei Dimensionen, die sich zu einer endgültigen Bestattung nicht eigneten, die Notizen über die ausgedehnten *Reisen Alexanders des Großen als Leiche*. Zuletzt holte ich die grüne Mappe hervor, die meine Mäusestudien enthielt; *Die Maus in der Mythologie, Die Maus in der Falle, Mäuse und Frauen*, kleinere Hysterie-Studien, voller Liebe für beide Species. *Die Maus in der Datenverarbeitung* wäre ein späteres Kapitel der Forschung geworden, *Die Maus in der Geschichte, der Literatur und der Kunst* und endlich *Die Maus als Schädling*, ein unfertiges, aber trauriges Kapitel voller Gift und Galle und voller Delicia-Ratron und Rodentiziden.

Durch das ovale Fenster schien die Sonne durch einen Spalt des grünen Vorhangs und illuminierte die der Balustrade von Adams nahen Tischhälften ab Platz drei. Ich lehnte mich im Stuhl zurück, einem Sonderangebot von 50 Stück, die Dr. Klages, er hatte deutsche Vorfahren, einmal angeschafft hatte. Es waren Drehstühle mit einer besonderen Eigenschaft – sie ließen sich nicht drehen. Suchte man eine andere Sitzposition, arretierten sie sich an einer unberechenbaren Stelle und blieben für alle Zeiten in der Fixierung. Einige Sitzflächen waren schief und schräg, so daß man entweder nach vorn rutschte oder immer eine Pobacke durch Verlagerung entlasten mußte.

Ich geriet im Zwölfuhr-Mittagslicht, grün wie das Dickicht in den Gedichten Marvells, ins Träumen und gedachte mit Wehmut der vielen Projekte, Arbeiten, Vorhaben und Absichten, die hier ihren Anfang genommen und ein Ende gefunden hatten.

Gute Forschung, wie Casullo einmal gesagt hatte, gibt es so wenig wie zweckfreie, aber die sinnlose Forschung, die, die nichts betrifft, ist mir die liebste; leider habe ich seine Beispiele vergessen, weil wir kaum Kontakt hatten. In jener Zeit schrieb er gerade an einer verwickelten Arbeit mit dem Titel *Krisen und das Auftauchen von wissenschaftlichen Theorien*. An diesem Punkt machte ich ein Kreuz: Casullo wegen diesem Dilthey fragen.

Ach, und alle die anderen Projekte und Arbeiten ...

Vor Clemm hatte dort die süße Liz Towser gelesen, geschrieben und jeden Tag den gummiradbereiften kleinen Transporter für ihre Bücherschätze benutzen müssen, übrigens auch eine Erfindung des ingeniösen Dr. Klages. Sie schrieb an einer Arbeit über *Die Logik der seelischen Ereignisse in der Literatur* und las nun ununterbrochen, mit einer wohlgeformten Zungenspitze im Mundwinkel, was die Literatur an seelischen Ereignissen nur hergab, und das war eine ganze Menge an Stoff, den sie unter dem simplen Rubrum W und M sammelte, Men & Women, und dem sie die seelischen Ereignisse aus den Romanen, streng nach Reaktionen getrennt, zuteilte. Ihre Augen wurden müder, eine gewisse Gleichgültigkeit überkam sie, die Notizen wurden dünner, und als sie schließlich nur noch tröpfelten, gab ihr Dr. Smith vom mathematischen Institut den Auftrag, *Das Phänomen des Verschwindens von Regenschirmen in Bibliotheken* zu analysieren. Sie hatte damals, vor zwei Jahren, eine stürmische Affäre mit ihm und studierte dann unter seinen Fittichen Mathematik. Ob sie die Regenschirm-Arbeit je zu Ende führte, weiß ich nicht; die beiden wohnen jetzt in London.

Miss Illitis, die auf Stocktons Platz gesessen hatte, eine Rotblonde mit Katzenaugen, nun ist sie schon lange tot, hatte streng wissenschaftlich, aber weniger irregeleitet und fremdbestimmt als Liz Towser, *Bizarre, merkwürdige und überraschende Todesarten der menschlichen Rasse* untersucht, Unfälle und sogenannte ‚selbstinduzierte‘, zu denen sonderbare Selbstmordmethoden ebenso gehörten wie sexuelle Praktiken. Miß Illitis nahm ihre Arbeit sehr ernst, aber mitunter mußte sie auf die Toilette; kam sie zurück, hatte sie rote Augen. Ich habe leider nie herausgefunden, ob sie weinen oder lachen mußte.

Die Gegenwart erschien wieder durch ein Stuhlrücken. Es war Clemm, der nicht grüßte und sofort seinen Paravent rechts neben sich stellte, ohne mich eines Blickes zu würdigen.

Da saß ich auf meinem alten Plätzchen und wartete auf ein Zeichen; es mußte nicht von oben kommen, exklusiv sein, eine besondere Bedeutung haben oder einen deutlichen Wink mit erhobenem Zeigefinger für die Zukunft – mir genügte ein kleines, unscheinbares Zeichen. Tatsächlich lief Hyatt, Tisch eins, Platz vier, zum Vorhang und schloß ihn, weil ein Sonnenstrahl seine Analysen gestört hatte. Er ging ruhig an seinen Platz zurück, setzte sich und griff entschlossen nach dem Rechner. Hyatt arbeitete an einer quasi-statistischen *Abhandlung über Kunstkritiken* und zählte die Häufigkeit des Vorkommens und der Dichte von Wörtern wie Meditationsraum, Wahrheit, transzendente Wahrheit, Zeitlosigkeit, Entrücktheit, Innerer Raum etc.

Hyatt hatte einmal nach einer vierstündigen Jagd auf diese Ausdrücke, die er Hybriden nannte, einen Schwächeanfall auf der Toilette erlitten und nach einem extensiven Reinigungsakt zu mir gesagt, es sei diese häufigkeitsstatistische Erhebung in der Kunstkritik-Zone das Widerlichste aber Notwendigste, das er je unternommen habe. Es ist, you know, ein semantisches Schlamassel. In Old Germany gebe es ja den Jargon of the ‚Eigentlichkeit‘, für das es wieder im Angelsächsischen kein würdiges

Äquivalent gebe, gottlob, und man solle sie alle abknallen, diese Kunstkritiker, Sir Herbert sei natürlich eine glückliche Ausnahme.

Nun, ich jedenfalls hatte an diesem frühen Nachmittag mein Zeichen, dank Hyatt.

Ich entleerte meine Mappen, Kladden und Ordner von allen Arbeiten, die jetzt und immerdar zu nichts führten, legte sie sorgsam zusammen, Blatt für Blatt und stattete Butcher einen Besuch ab. Butcher war der Spitzname unseres Reißwolfs (auch eine Anschaffung des Dr. Klages, der sich um die Bibliothek insgesamt verdient gemacht hatte), eines eisblauen Modells, das im Gang zu den Toiletten hinter dem Katalogreich der Sonja Kapulski stand. Es war ein schönes Ding, unser Butcher, mit breiten Flanken, einem roten Zyklopenauge, das freundlich grün leuchtete, wenn er nichts zu fressen bekam, und einem breiten, glatten Maul, dessen Oberlippe aus Gummi bestand, Gott weiß warum. Butcher brummte sanftmütig vor sich hin und fraß oder verdaute in seinen Träumen Tonnen gedruckter, getippter oder handgeschriebener Blätter. Ich drückte seine rundliche ON-Taste, er räusperte sich und wartete. Ich hätte seinem unersättlichen Appetit ungleich mehr gegönnt als die geringe Zahl der Blätter, mit denen ich ihn fütterte. Mit seinem Mahlwerk war etwas in Unordnung.

Das erste Blatt, die Disposition zu *Die seelischen Kosten der Arbeit*, verschwand auch richtig, aber dann rülpste Butcher metallisch, einen Augenblick lief sein unsichtbares Mahlwerk im Leerlauf, dann besann er sich, und aus seinem Anus quollen die weichen Streifen hervor. Als er sich an seinen Stoff gewöhnt hatte, fraß und verdaute er mit Lust.

Nach dem letzten Blatt und einem Schluckauf Butchers streichelte ich sein Auge, das immer noch rot war, lauschte eine Weile dem Leerlauf des Mahlwerks und versetzte ihn dann wieder in seinen Wartezustand, den er mit einem grünen Auge überwachte.

Ich habe mein Lebtag keine selbstlosere und glücklichere Maschine gesehen.

Leb wohl, Butcher, sagte ich mit Tränen in den Augen, gab ihm einen sentimentalen Klaps auf die linke Flanke und kehrte zurück in den Lesesaal.

Wieder auf Platz 3. Konstatiere nun leider doch ein gewisses Selbstmitleid; da saßen mehr als zehn Leute herum und verrichteten wichtige Arbeiten, ohne sich von den seelischen Kosten stören zu lassen. Jeder rollte, ähnlich den Kotkäfern, eine Kugel mit Wissen vor sich her, die leicht und transparent war und fremde Stoffe ankristallisierte. Und ich ging in Gedanken, ohne eine einzige Notiz die Grabreihen der aufgegebenen Projekte und Ideen ab.

Clemens schrieb seit einem Jahr über *Das Altern*, nach ausführlichen Forschungen im Labor des Instituts mit Amphibien. Der Mensch, sagte er, sei schon als Embryo den ewigen Gesetzen des Zerfalls unterworfen, und so untersuchte er verbissen alle Prozesse wie den Schrumpfungsprozeß des Gehirns, den das Individuum ganz offensichtlich kaum wahrnimmt, die Verhärtungen der Augenlinsen, den Wasserverlust der geliebten Außenhaut, die Reduktion der Geschmacksknospen, den beklagenswerten Schwund des Muskelgewebes und der – insgesamt denn doch begrüßenswerten – Abnahme, wie er sich einmal ausdrückte, der morgendlichen Erektionsfähigkeit. Dabei war Clemens so frisch und rosig wie ein junges Ferkel, nur die Haare fielen ihm massenhaft aus. Neben Clemens saß die geliebte Plummer-Schwester, die neuerdings auf Zoologie umgesattelt hatte und sich nun Milben und Maden, Flöhen und Zecken, Kakerlaken und der verbrecherischen Bücherlaus oder Staublaus, die alte Papiere und Bücher vernichtet, zugewandt hatte. Hätte sich eine der Bücherläuse oder Troctidae auf eine Exkursion zu der oberen Balustrade begeben, hätte sie den leeren Platz von Emmy Plummer sehen können, den Japaner Oshima auf Platz vier, am dritten Tisch, die schöne Francis Storm und Evelyne, dann Swanson mit seinem geräuscharmen aber schwatzhaften Laptop, am dritten Tisch Harding, wieder ein verwaister Platz, und zuletzt Casullo.

In diesem Augenblick verschwand die Sonne. Aus den Tiefen der Katalogabteilung hörte man Sonja Kapulskis Schreibmaschine, die Geräusche erzeugte, als hackten Zwerge Holz.

An allen Tischen wurden die Lampen eingeschaltet, kleine zweckmäßige Dinger mit einem grünen, verstellbaren Metallschirm. Im Lichte meiner Lampe sah ich eine winzige Spinne an einem nebelgrauen Faden aufwärts in ihr perfektes Netz unter dem Schirm fliehen. Auf ein Blatt Papier schrieb ich mit Druckbuchstaben: Toaster besorgen! Oshima nach diesem Dilthey fragen! Oshima war ein Genie, das wußten wir alle, ein alles assimilierender, polyglotter Geist, der etwa sieben lebende oder halbtote Sprachen und Dialekte sprach, der mühelos und geduldig die kahlen Hänge des Englischen Empirismus abgegrast hatte, der die waldigen Höhen und Tiefen des deutschen Idealismus durchforstet hatte, wie auch die dunklen Zonen der deutschen Lebens- und Weltanschauungslehren inklusive dieses ominösen Dilthey. Ich unterstrich noch einmal seinen Namen und setzte ein Sic! daneben. Da das Sprechen in der Bibliothek verboten war, mußte ich ihn auf der Toilette abfangen.

Wer wäre noch nützlich für meine Zwecke? Storm, Francis Storm, eine schöne Israeli, deren Eltern seit 1932 in London lebten, ihres Zeichens Ägyptologin, eben zurückgekehrt (braun und ausgedörrt und mit sehr schrägen Katzenaugen) aus der Oase Kharga, wo sie irgendwelche Mumien ausgegraben hatte. Sie interessierte sich für nichts anderes auf der Welt als für einbalsamierte Leute, ein Brauch, sagte sie manchmal traurig, der sich in den westlichen Gesellschaften leider nie durchgesetzt hat, außer bei privaten Liebhabern. Dann schlug sie ihre großen, umbrafarbenen Augen auf, zeigte zwei hübsche weiße Schneidezähne und setzte hinzu: Der Tod ist nur zu sehen als Durchgangsstation zum

Ewigen Leben, das ist der Grund für die Einbalsamierungen – der Körper muß intakt sein nach dem Tod, damit die Seele ihn wiedererkennt und zurückkehren kann. Ist das nicht ein tröstlicher Gedanke?

Ich schrieb: Francis Storm konsultieren. Informationen über Mumien und Balsamierungstechniken sind immer nützlich.

Aber wen konnte ich über die Pick'sche Krankheit befragen, an der mein alter Papa laborierte?

Es blieben bedauerlicherweise nur sechs Kapazitäten übrig, die hin und wieder die leicht obskure Gerassimow-Gedenkbibliothek benutzten: Harding, Freund Clemm, der blinde Stockton, Casullo, der nicht anwesend war, Swanson, den die Schwestern Plummer liebten, und natürlich Jackson, der die Bibliothek hin und wieder nach uralten Bibliographien abgraste.

Ich schrieb die Namen der sechs potentiellen Informanten auf und fing dann mit Harding an, der seit ein paar Monaten an einer Libido-Theorie ackerte, ein schönes, unendlich vielfältiges und insgesamt reich illustriertes Thema, das er da am Wickel hatte. Das Gerücht existierte, er habe sie schon fertig, nicht illustriert und ein paar Exemplare kursierten. *Liebe, Erotik und Sexualität* hieß die Arbeit, soviel ich wußte. Harding mußte gestrichen werden, und ich strich ihn.

Dann hatten wir Freund Clemm, der sich schon lange Zeit um den Animismus kümmerte, privat und bei den sog. Primitiven Gesellschaften, das war, nach Clemm, der unbedingte Glaube daran, daß unbelebte Objekte beseelt seien, und, so sagte er, dieser Glaube hat Hand und Fuß.

Ich schrieb auf mein Blatt: Goldfisch besorgen, Clemm besuchen.

Auf Stocktons Platz lag eine kleine Broschüre in Braille-Schrift, die für jeden anderen der Bibliothek unlesbar war. Ich hätte gern gewußt, woran Stockton in seinem dunklen Kosmos so intensiv arbeitete. Leider hatten wir keinen zweiten Blinden, der mir hätte Auskunft geben können. Blieben also Casullo, Swanson und Jackson.

Casullo, das waren die *Probleme gespiegelter Universen*, vierte Dimensionen und – ein Tuppertopf im Gemeinschaftskühlschrank der Witwe Hawkins mit einer undefinierbaren, gelben Masse, die wie Seife aussah. Ich strich Casullo.

Der Vorletzte aus der Reihe hilfreicher Geister war jetzt Swanson, der athletische Schwede, der entlegene philosophische Themen auf seinem Tisch um und umwälzte. Er las unglaublich teure Zeitschriften wie MIND oder RATIO, in denen Titel auftauchten wie *Wright oder Die rückwirkende Verursachung* (was immer das bedeuten sollte) oder *Über die Entbehrlichkeit der Dinge* oder gar seine eigene letzte Arbeit, die im Jahrbuch der Gesellschaft publiziert worden war: *Welchen Platz hat der Begriff einer grundlegenden Handlung in der Theorie des Handelns?*

Ja, das war die Frage – welchen Platz hatte er wirklich?

Im Augenblick soll er an einer langwierigen und verwickelten, überaus erfolgversprechenden Arbeit, einer *Formalen Ethik* sitzen.

Ich strich auch den Feind Swanson.

Am nützlichsten schien mir, nach reiflicher Überlegung, das, woran Benny Jackson klebte, *Eine Reise in die Vergangenheit*. Er war der Einzige, der ein Stipendium hatte, gesponsert von einer pharmazeutischen Firma in London. Jackson sammelte alte Rezepte gegen bekannte Krankheiten aus den Schriften der ehrwürdigen Naturkundler, d. h. aus pflanzlichen Substanzen und animalischen. Außerordentlich fündig wurde er bei Plinius d. Ä., der gegen alle Leiden phantastische Rezepte gesammelt hatte, vom Aalfett bis zum Mäuseurin.

Jackson war ein systematischer Kopf, der streng die alphabetische Reihenfolge im lexikalischen Verlauf einhielt; gerade war er, soviel ich wußte, bei F wie Fledermauskot angelangt, leider weiß ich nicht, gegen welches menschliche Gebrechen.

Während ich dies notiere, ist schon mein Nachmieter einge-
troffen, von Mrs. Hawkins als Mr. Gardner vorgestellt, Profession unbekannt.

Ich denke, er muß Theologe sein, den die Probleme der Ewigkeit heimsuchen. Mit kleinen Schritten in weichen Pantoffeln
geht er in der kleinen Kammer exakt über meinem armen Schädel hin und her; oder er ist wahnsinnig und sucht auf seinen
unaufhörlichen Gängen die Elfenbeinpforte zwischen dem Ver-
rückt-Sein und seiner speziellen Form der Verrücktheit, wer
weiß.

Ich ging dann in der Bibliothek auf die Toilette, in der Hoffnung, Oshima abzufangen, aber Japaner nehmen kaum Flüssigkeit zu sich oder haben eine eiserne Blase.

Als ich zu meinem Platz zurückkehrte, lagen auf meiner
blauen Mappe (laufende oder stockende Agenda) Häufchen von
Kekskrümeln, ich zählte fünf asymmetrische Haufen. Da unterbrach ich das erste Mal seit sieben Jahren die heilige Stille der
Bibliothek, holte den nagelneuen Tischstaubsauger aus der
Aktentasche, mein Hygienekäfer entließ seinen Rüssel und
saugte die Krümel von der Platte.

Links neben mir, Platz zwei, zischte Clemm: shut up! Gleichzeitig durchbohrte ein Strahl der Sonne den Schlitz im grünen
Vorhang und blendete mich, Emmy Plummer erschien in der Tür
vom Lesesaal, und ich wußte, daß ein Kapitel des Lebens ein für
alle mal abgeschlossen war.

Mein Abschied von der alten GGB verzögerte sich, weil Harding und Oshima verschwunden waren. Ich umkreiste die ganze
innere Sitzordnung der Lesetische, um einen Blick auf Hardings
Platz zu werfen. Auf seinem Tischgeviert lag ein großes Buch in
schmutzigem, graugrünem Leinen mit dem deutschen Titel
Der Sexualverbrecher mit 72 großformatigen Photographien
und 144 Abbildungen, dreizehn Tafeln, von einem gewissen
Dr. E. Wulffen, Langenscheidt, Berlin-Gross-Lichterfelde 1910;

und zwischen den Seiten 514/515, *Der sadomasochistische Triebtäter*, lag niemand anders als Vivian Neves, das schönste Pin-up-Girl des Königreiches, blaß, von alten feuchten Flecken vielleicht ein bißchen entstellt, aber so aufregend wie immer.

Ich war entschlossen, den Abschied von der GGB nicht ganz trocken zu machen. Miss Sonja K. hatte in ihrem Schreibtisch eine kleine Kollektion großer Alkoholika, von Gordon's Gin bis zu einem alten Tullamore, alle in Miniatur-Fläschchen. Ich stahl ihr – auch sie weilte wohl auf der Toilette – zwei Flaschen Gin und einen Bourbon, deponierte sie in einer Außentasche zwischen Taschentüchern und ging dann in die Herrentoilette. Vielleicht schlug gerade Oshima sein Wasser ab, der gerade dabei gern geistigen Austausch suchte.

Auf dem Weg zum Pissoir und den Kabinen erblickte mich Butcher und blinkte mir einmal mit einem grünen und dann mit einem roten Auge zu.

Im gekachelten Verlies mit den acht Kabinen und der endlos langen Pißrinne war kein Schwanz zu sehen; eine Kabine allerdings war besetzt, und ich hörte ein schwaches Stöhnen.

Oshima, sagte ich, wären Sie sprechbereit? Ich hätte da ein paar Fragen, den deutschen Philosophen Dilthey betreffend, der ein sogenannter Hermeneut gewesen sein soll? Stimmen Sie mir zu?

Statt einer Antwort ertönte dieses jammervolle Stöhnen, dann war wieder kontemplative Stille. Die zwölf verchromten Löcher über der Pissoirrinne gaben alle zwei Minuten bräunliche Rinnsale von sich, mäanderten gemächlich über die lindwurmgrünen Schuppen der Kachel-Oktaeder und vereinigten sich in der Rinne, die sich nach rechts dem ovalen Fenster zuneigte, zu einem schwachen Bächlein, in dem Zigarettenstummel, ein Präservativ und ein Schildpattkamm mit schadhaftem Gebiß trudelten.

Auch ich erleichterte mich und starrte dabei auf die gelb getünchte Wand. In einer weichen, runden, sehr lesbaren Schrift stand dort mit einer blauen Kugelschreibermine für mich hinterlassen:

Alles das, was als Mitleid aufgefaßt wird, ist nicht mehr als der Ausfluß, der einem davon unabhängigen begrifflichen Bedürfnis entspricht, zu dessen Befriedigung man es – und ab hier wurde dieser unbeholfene Satzpartikel unleserlich.

Ich ging in eine der Kabinen, um die Sachlage zu überdenken. Wer zum Teufel wußte, daß mich der Furor in den Fängen hielt?

Ich hörte einen sonoren Flatus, jemand sagte AH, dann rauschte mächtig die Spülung aus dem Jennings'schen Patentspülkasten, und Schritte entfernten sich in Richtung Katalogabteilung.

Wenn es Oshima gewesen war, dann hatte ich ihn verpaßt.

Ich öffnete alle Kabinentüren, alle waren unbesetzt. In Nummer sieben lag eine veritable sandfarbene Wurst wie ein Fragezeichen im Becken. Ich spülte und machte mich auf den Rückweg zum Lesesaal.

Im Flur, der zur Katalogabteilung führte, nach der Balustrade, flackerte die ewig kaputte Neonröhre Nummer sechs. Butcher gab ein Geräusch von sich, als räuspere er sich. Aus seinen Innereien stieg ein hydraulisches Gurgeln auf, und sein Zyklopenauge, dessen Farben nur die zwei Zustände OFF (grün) oder ON (rot) kannten, schimmerte in milchigem Weiß. Mit einem dezenten Rülpsen entließ die Maschine, wie in einem Umkehrprozeß, und ich weiß bis jetzt nicht, auf wessen seelische Kosten, ein großes Blatt Papier aus ihrem Maul mit der Gummilippe. Unter Butchers quadratischem Bauch erschien eine ölige Pfütze. Entweder war die Maschine meschugge – die Tatsache, daß er sich irgendwie benäßt hatte, war ein beinahe untrügliches Zeichen –, oder es war eine Frage der Platzbehauptung, weil der Flur zu eng war, oder Butcher wollte mir etwas sagen.

Leider war der Text nicht von ihm. Die unzutreffenden Beleidigungen lasse ich einfach aus. Es waren kleine Textmassen, die wie Ameisen, Buchstabe nach Buchstabe, dem rechten Rand entgegenrannten, ganze Text- und Zeilenblöcke in statuarischen Drucktypen oder einfache Sätze in einer winzig kleinen Antiqua, die behaupteten, z.B. *Kacz ist noch Jungfrau*, gefolgt von einer hinfällig aussehenden Bemerkung in Sütterlin-Schrift: *Harding wichst mit Vivian Neves.* Butcher retournierte mit einem damenhaften Aufstoßen ein sehr gebrauchtes Taschentuch aus seinen Tiefen.

Wer auch immer der Verfasser dieses Blattes war, er kannte meine Gewohnheiten, Abneigungen, Vorlieben und meine kleinen Manien.

OSHIMA WIRD AM(unleserlich) DES JAHRES (unleserlich) DIE BUCHBESTÄNDE DER BUCHSTABEN HE BIS LA VERBRENNEN.

DIE WITWE HAWKINS WIRD AUF DER SÜDLICHEN BANK DEINER TIER – NEKROPOLE STERBEN, AN EINEM ABEND DES MAI.

Und so weiter, Kolonnen von Sätzen, Zusammenballungen, hin und wieder persönlich, dann wieder in einem wohlgemuten, objektiven Tonfall.

Die kaputte Neonröhre knisterte und flackerte vor sich hin. Harding kam mir entgegen, tief versunken in ein prachtvolles Denkbild seiner Theorie, vielleicht mit einer Doppel-Vivian, und tätschelte Butchers rechte Flanke. Butcher schwieg, und während Harding seinen Gang fortsetzte, ging ich an Miss Sonjas leerem Platz vorbei zu Tisch drei, Platz eins, auf dem ein sehr dünnes Manuskript lag, mit hektographierten Blättern, die ich an mich nahm, weil Copies daraufstand.

16

Ein zeichenreicher Tag, allemal, auch abends. Die Pension war so gut wie unbesetzt, Korb und Kater verschwunden, auf dem Schreibtisch lag ein Telegramm vom alten Papa, das die Witwe vorsorglich geöffnet hatte.

Bin ohne jeden Zweifel im Begriff zu sterben.

Erwarte Dich sofort.

This time must have a stop.

Ticket und Geld kommen mit getrennter Post. K.

Das englische Zitat war, soviel ich jetzt weiß, von Shakespeare, ich hatte keinen Penny mehr, die Supermärkte waren geschlossen und die Getränkevorräte verbraucht. Ich stahl aus dem Gemeinschaftskühlschrank zwei Bierbüchsen von Clemens und dachte nach. Von der Orgie mit dem Kater und den Schwestern Plummer war nichts übriggeblieben. Ich entsann mich meines Diebstahls in der Bibliothek und baute alle Miniaturflaschen auf dem Schreibtisch auf. Ohne Grundlage sollte man nicht trinken. Wieder ging ich zum bauchigen Kühlschrank, der zutraulich summte und einladend seine Tür öffnete.

Da war das ewige Irish Stew von Harding im beschlagenen Tuppertopf, von dem ich Abstand nahm; da war der zweite Topf mit Casullos rätselhafter Nahrung in der Form flüssiger Seife. Clemens allerdings bewahrte auf einem geblümten Teller den Leichnam eines gebratenen Huhns auf. An einem der Beine hing sein Schild: Clemens.

Gott mochte wissen, wovon sich die Schwestern Plummer ernährten. Die schwache Birne des Kühlschranks beschien wie immer ihr Leib- und Magengetränk: Eierlikör.

Endlich entdeckte ich in einem Regal mit Töpfen unter dem Gartenfenster drei Dosen Corned Beef und eine Dose Ölsardinen, deren Verfallsdatum weit überschritten war.

Sie wollen sich doch nicht vergiften, sagte die Witwe Hawkins an der Tür. Sie trug ihren mitternachtsblauen Morgen- oder

Abendmantel mit springenden, weißen Gazellen um Schultern und Busen.

Wie geht's dem Kater White Devil, fragte ich.

Besser als mir, sagte die Witwe, und Dr. Stamp sei ein betrügerisches Monstrum, ein Arschloch und ein falsches Aas. Der Kater sei nämlich kein Killerkater.

Das tut mir leid, sagte ich und fragte, ob das Corned Beef genießbar sei.

So gut wie irgendwas anderes, sagte die Witwe kummervoll.

Was geschah, fragte ich, wie haben Sie's rausbekommen?

Mein toter Gatte, sagte die Hawkins, war ein genialer Trainer für dies und das, bis er starb. Ich kaufte dem Kater eine lebende weiße Maus im Zoogeschäft und setzte sie ihm vor – und was macht der Kater? Er flieht! Das Vieh kriegt 'n steifen Schwanz und haut ab.

Die Kunst der Jagd, sagte ich, sei bei jungen Katzen nicht besonders ausgeprägt, ihm fehle die Mutter und die Erziehung.

Sagen'se mal, sagte die Witwe und reichte mir einen Dosenöffner aus einer der vielen Schubladen, können Sie das nicht übernehmen? Das Vieh muß ja irgendwie abgerichtet werden, und Sie verstehen sich doch auf Tiere. Wie war denn der Abend mit den Schwestern Plummer?

Ich sagte, ich müsse verreisen.

Wohin, fragte die Witwe mißtrauisch.

Nach Germany, West-Berlin, sagte ich, dort liege mein Alter im Sterben, und wenn er das getan habe, kehrte ich zurück.

Da fällt ja wohl was ab, sagte die Witwe, was war er denn, pardon, was ist er denn von Beruf?

Bestattungsunternehmer, sagte ich.

Goldener Boden, erste Klasse, rief die Witwe und goß uns einen dreifachen Sherry in zwei sehr schmutzige Gläser. Wie das

Corned Beef schmecke, gute amerikanische Ware von ihrer Schwester direkt aus Chicago.

Danke, danke, sagte ich, das sei alles sehr freundlich von ihr, aber die Erziehung des Katers zum Killer könne ich im Augenblick weder in meine Reisepläne noch in die Reisevorbereitungen unterbringen.

Schon recht, sagte die Witwe, ich schließe Ihr Zimmer ab, und kein Schwein kommt rein, und wann ich denn wiederkehren wolle.

Ich sagte, das wüßte ich noch nicht, alles richte sich nach dem Zustand des alten Herrn.

Wie alt, fragte die Witwe.

Er müsse jetzt ungefähr 80 Jahre alt sein, sagte ich.

Ach, herrje, sagte die Witwe, die Alten, die werden ja von Tag zu Tag immer gesünder, und der Gatte ihrer Schwester aus Chicago saufe wie ein Loch und sei mit seinen 90 springfidel. Ich könnte ja, sagte sie dann, inzwischen Ihr Zimmer renovieren lassen.

In diesem Augenblick ergab sich eine Fluchtmöglichkeit. Casullo betrat mit kurzsichtigem Blick die Küche und fischte seinen Topf heraus, starrte uns schweigend an und verschwand. Auch ich brachte mich zum Verschwinden, nachdem ich mich für die Büchse Corned Beef und den Sherry bedankt hatte.

Gerührt über die Güte der Witwe Hawkins – und gute Taten rühren mich immer – las ich am Schreibtisch unter dem seidenen Lampenschirm das Blatt Butcher und trank dazu meine Miniaturflaschen. Die kleinen Mengen Alkohol erhellten weder die Sätze auf dem Blatt noch meine Lage in der Pension, die ein hoffentlich sehr vorläufiges und kein definitives Ende nahm.

Nebenan regten sich die Schwestern, Bettfedern quietschten, und ein Glas ging zu Bruch. Emmy (oder die andere) sagte zwei mal Shit!

Fest entschlossen, nicht länger in Berlin zu weilen (ein schätzenswertes Verb, das an Kuraufenthalte erinnert), als die Lage dort erforderte – Begrüßungsschluck, letzte Worte, definitiver Abschied, Erledigung der Formalitäten, Übernahme des Erbes beim Notar oder einem Justitiar, reumütige Rückkehr nach GB in die Pension und die Gerassimow-Gedenkbibliothek –, packte ich eine leichte Reisetasche aus schwarzem Stoff und mit bequemen Riemen.

Auf den Grund dieser Tasche legte ich vier paar Socken, zwei Garnituren Unterwäsche und faltete, man konnte ja nicht wissen, zwei weiße Hemden und eine schwarze Seidenkrawatte von Sulko zusammen; das Reisenécessaire konnte bis morgen kurz vor der Abfahrt warten.

Schwieriger war das Lektüre-Problem; für alle Fälle deponierte ich meine Sammlungen auf dem Messingtisch, um nach der letzten Flasche zu entscheiden, welche ich im Gepäck haben wollte.

Da war die große Frauenbein-Sammlung, eine Kollektion von ca. 120 Photographien, natürlich nur Schwarzweiß-Photographien, immer nur die Beine von Frauen, mehr nicht. Nacktphotographien in anderen denkbaren Positionen hatte ich nur (auch in Farbe) von der schönen Vivian Neves, die in einem Manila-Umschlag steckten mit ihren Anfangsbuchstaben V. N. in Versalien und mit einem Füllfederhalter gemalt. Die Broschüre *Sterbehilfe leicht gemacht* von einem gewissen Hermann Cocksell wog so schwer auch nicht, auch sie wanderte auf den Reiselektürehaufen. Es war dies eine ethisch hochstehende Schrift, abgefaßt in einem besorgten Tonfall. Besonders eingehend widmete sich der Autor dem Kapitel *Am Sterbebett*, und der erste Satz hieß: Nehmen Sie die Wünsche des Moribunden so ernst wie Ihre eigenen, gesetzt, Sie wären in einer ähnlichen Lage. Es erleichtert den letzten Umgang mit ihnen ganz entschieden.

Durch die Vorreise-Aktivitäten wurde mir heiß, und ich öff-

116

nete das Fenster. Im Garten sang eine junge Amsel, die ihr Repertoire noch nicht richtig kannte. Hin und wieder verfehlte sie einen Ton und fing dann mit einem Triller von vorne an. Nützlich wäre eine beruhigende Lektüre gegen die panische Flugangst, ich würde mir von den Schwestern Valium pumpen müssen.

Früher hatte ich immer Honywells *Geschichte des Sarkophags* gelesen, einen reich illustrierten Band, aber ich hatte ihn zu wenig oft oben in der Luft benutzt, um genau zu wissen, ob er mich tatsächlich beruhigte.

Mein Onkel Edzard, Linie Dorpat, hatte gegen seine Ängste viel Cognac zu sich genommen, Pornographie gelesen, Zeug von der Olympia-Press, und den Gangplatz besetzt. Das alles hatte ihn wirklich zu einer gewissen Gelassenheit gebracht. 1978 stürzte dann bei einer Reise in den Mittleren Osten die Tupulev über der Libyschen Wüste ab. Sein Koffer mit vier Bänden der Olympia-Press und einer halben Flasche Remy Martin blieb unversehrt.

Starke Angst verlangt nach starken Mitteln. Ich packte die Tagebücher Pontormos ein. Ein guter Einfall. Mit des Malers Tagebuch hatte ich schon einmal mühelos einen Flug von London nach Dublin überlebt. Für den Geist, nicht die Nerven, wählte ich – und meine Wahl war goldrichtig – Samuelsons *Englisch für Kaufleute, Geschäftskorrespondenz und Handelskunde mit praktischen Beispielen aus dem Geschäftsleben.* Während dieser intensiven Vorbereitung auf eine so kleine Reise gingen meine Alkoholvorräte zur Neige. Aber warum hatte ich an diesem Abend einen so übermäßig großen Durst? Man muß die Zeichen ‚deiten, wie sie nun einmal sind‘, sagte die belegte Stimme Dr. Searls aus der Tapete mit den grün-goldenen Lampenreflexen. Ein Windstoß hob ein einsames Blatt von der Schreibtischplatte und legte es sanft auf dem Teppich zu meinen Füßen nieder. Es war das Titelblatt zu meiner unfertigen Abhandlung *Körner-Diät und Exkursionswille*. Ich warf's resigniert in den Papierkorb und machte mir Sorgen. Am Ende des Piers, an der Landstraße, war eine Tankstelle, die Alkoholika führte, aber ich hatte kein Geld, außer vierzehn ägyptischen Pfund in unendlich schmutzigen Scheinen. Der Entschluß, Harding aufzusuchen, war nicht leicht.

Als ich klopfte, grunzte er, ich trat ein und sah ihn am Schreibtisch über einem Blatt mit Diagrammen.

Moment, sagte er, Moment, und dann las er laut und skandierte im Rhythmus des Satzes mit einem Kugelschreiber: der Zufalls-Ausgleich oder auch Ausgleich des Zufalls ist somit eine logische Konsequenz der Art und Weise, wie wir unsere hypothetischen Wahrscheinlichkeitsverteilungen – zu lang als Wort – im Lichte statistischer Erfahrungen korrigieren.

Ein schöner Satz, sagte ich, für diese späte Stunde und ob er vielleicht einen kleinen Whisky auf Lager hätte?

Leider, sagte Harding verdrossen, und strich den Satz sorgsam durch.

Ich reise morgen nach Westberlin und brauche einen Night-Cap, sagte ich.

Du liebe Güte, sagte Harding, was machst du bei den alten Nazis?

Ich erbe, sagte ich wahrheitsgetreu, ein Bestattungsunternehmen.

Du lieber Himmel, sagte Harding, was für eine Idee ... Dann wirst du wohl bald ein Businessman, wie?

Das werde man noch mit allem Abstand sehen, sagte ich und fragte noch einmal nach seinem Whisky-Depot, und er fand im Regal hinter Webster's *Encyclopedic Unabridged Dictionary* eine leere Flasche Tullamore.

Schade, sagte er, meine Vorräte sind erschöpft, ich tränke ohnehin zu viel und solle mich schlafen legen.

Ich dankte, schloß seine Tür und klopfte bei Casullo, der selbst öffnete und sich dann sofort wieder auf sein Bett legte. Er sei im Augenblick furchtbar deprimiert.

Unter diesen Bedingungen war es schwer, an eine kleine Ration Alkohol zu kommen.

Was, fragte ich also, ihn deprimiere.

Alles, sagte Casullo, vor allem die nächtlichen Besuche von David Hume Esquire, der ihm Vorhaltungen mache, die wie die Vorwürfe seiner toten Mutter klängen.

Wie furchtbar, sagte ich und hoffte auf ein schnelles Ende des Berichts seiner Heimsuchungen.

Es sei furchtbar, sagte Casullo und verlagerte seinen Körper durch eine Vierteldrehung. Die Federn des Bettes ächzten.

Natürlich glaube ich nicht an das Erscheinen von Geistern, sagte er, ich bin Rationalist, aber was ist diese aufdringliche Stimme, die da jede Nacht über meinen Charakter, über meine Eßgewohnheiten, mein Liebesleben, das nicht existiert! – und über meinen Alkoholkonsum klagt? Apropos – willst du was zu trinken?

Casullo suchte in seiner übervölkerten Bücherhölle nach einer Flasche und zwei Gläsern. Man könnte denken, fuhr er fort, diese Stimme sei die Stimme meines Gewissens, aber wenn sie das ist, warum ist sie so präsent. Was macht denn deine Schutzengel-Stimme, über die du mal im Suff gesprochen hast, You remember?

Abwesend, sagte ich, seit einiger Zeit ganz und gar abwesend, verstummt irgendwie oder verscheucht.

Voilà, sagte Casullo triumphierend und hob aus dem Papierkorb eine extrem bunte, bauchige Flasche. Es war ein starker Rum aus Martinique. Du hattest, sagte er und goß uns zwei zylindrische Gläser voll, letzthin schönen Besuch?

Ohja, oja, sagte ich, es war aber ein kurzer Besuch, nichts besonderes.

Soso, sagte Casullo, passiert ist wohl nichts, wie?

119

Gar nichts, sagte ich, er wisse ja, wie spröde und sittsam die Schwestern Plummer seien.

Sicherlich, sagte er, die Witwe habe sich einen Kater angeschafft.

Sein Name ist White Devil, sagte ich, und er fürchtet sich vor Mäusen.

Und ich vor Katzen, sagte Casullo, ich leide unter einer Allergie gegen Katzenhaare.

Casullo trank für meinen Geschmack unseren Rum ein bißchen zu schnell. Ich fragte, ob er den Rest der Flasche entbehren könne. Selbstverständlich, sagte der großzügige Pensionsgenosse, und ich verabschiedete mich schnell, weil mein Interesse an Allergien nicht so besonders groß ist. In meinem Zimmer setzte ich mich an den Schreibtisch, trank den guten Rum und begann meine letzten Briefe zu schreiben. An die Witwe Hawkins schrieb ich:

Liebe Mrs. Hawkins, die Erziehung einer Katze ist keine schwere Sache. Man muß ihr nur immer alles vormachen und mit einem guten Beispiel vorangehen. Die Katze an sich ist moralisch in Ordnung, gerade dann, wenn sie keine Lust auf Mäusejagd hat. Um die Vögel vor dem Kater zu schützen, sollten Sie ihm ein Glöckchen an einem schwarzen Samtband um den Hals legen.

Für Ihr Wohlergehen und das von White Devil wünsche ich das Beste.

Bis bald,

Ihr A. K.

Draußen fing es an zu regnen, zuerst mit kleinen Tropfen, die vertikal und regelmäßig auf die Blätter fielen, kurz darauf wurden die Tropfen schwerer, und der Regen rauschte.

Ich setzte mich auf mein Bett ohne die Patchwork-Decke, die noch lange nach dem Parfum der Schwestern geduftet hatte, und fing – einfach so – plötzlich zu weinen an. Das Fehlen eines Motivs bei einem Akt der sog. Selbstrührung oder Selbstgerührtheit ist eine schreckliche Sache, weil man nichts Vernünftiges dagegen tun kann.

Entschlossen setzte ich mich wieder an den Schreibtisch, trank einen doppelten Rum und sagte mir: Obacht! Similia similibus – man muß Gleiches durch Gleiches heilen, und fand auch richtig in der zweiten Schublade von oben links den großen Umschlag mit der Sammlung von Photographien, die mich schon immer gerührt hatten, in den meisten Fällen Tierphotos, Photos von Tierbabies, ein paar Schnappschüsse von Gefesselten, Kranken und Irren, die Photographie eines Strandes mit einer Brandung war da und eine mit einem Lämmchen auf einer Weide im goldenen Gegenlicht.

Meine Reaktion war erschütternd: Da war nichts, absolut nichts. Ich war gänzlich abgestumpft. Die armen Irren wirkten nicht mehr, das Lämmchen hatte seinen Reiz verloren, das abgehäutete Robbenbaby auf einer Eisscholle entlockte nicht eine Träne; auch den heiligen indischen Sadhu auf seinem Nagelbett sah ich mit Gleichgültigkeit, und sogar die weinende Witwe Kennedy mit schwarzem Schleier, die sonst immer verläßliche Reaktionen geliefert hatte, ließ mich kalt.

Nach einem neuerlichen Rum, der immer besser und besser schmeckte, raffte ich mich auf, beging noch einmal Mundraub in der Küche der Hawkins, stahl Holz aus der Kammer und machte ein Feuer im Kamin, ein richtiges, gutes Autodafé. Ich verbrannte die Rührstücke, eines nach dem anderen. Die Photographien stanken ein bißchen, während sie in dem blauen, öligen Feuer verkohlten und dann – ein für alle Mal verschwanden. Erleichtert trank ich noch einen Rum und schrieb mit ungelenker Hand einen Brief an die Schwestern Plummer und einen an den Mediziner Jackson:

Liebe Emmy, liebe Evelyne, ich fliege kurz auf den Kontinent, wie Sie wissen, bin aber bald zurück. Ich liebe Sie beide von ganzem Herzen, und das ist ganz unmöglich, weil man immer

121

nur eine Frau lieben kann, und ich weiß nicht, welche von Ihnen ich mehr liebe, aber eine muß den Ausschlag geben. Vielleicht könnten Sie sich während meiner Abwesenheit entscheiden? Es wäre nützlich für uns drei, wenn eine von Ihnen sich entschiede, gleichgültig wie. Ich warte ...

Dann strich ich das ,gleichgültig' und schrieb: Unabhängig von Ihren Entscheidungen bin ich voller Hoffnung –

Ihr Alfred K.

Bevor ich, leicht schwankend und mit Sodbrennen zu Bett ging, faßte ich diesen Brief an Jackson ab:

Lieber Jackson,

Wir haben selten ein Wort gewechselt, aber ich weiß, daß Sie eine Kapazität auf dem Gebiet alter Heilpflanzen, Trockensubstanzen und magischer animalischer Stoffe sind. Mein Vater in Germany leidet unter einem sogenannten Morbus Pick, und ich wäre Ihnen zu Dank verpflichtet, wenn Sie mir nächste Woche mitteilen könnten, ob Ihre Forschung vielleicht schon ein wirksames Mittel gegen diesen Morbus oder diese Krankheit zutage gefördert hat.

Oder hieß es: zutage gefördert haben könnte?

Das Bewußtsein verläßt mich (letzter Eintrag dieses Abends) und die Grammatik auch.

17 Am Morgen diverse dysfunktionelle Prozesse in beiden Hemisphären des Schädels und ein Zucken der Nerven, unlokalisierbar, aber so ähnlich wie Wetterleuchten. Endorphinproduktion gedämpft, immerhin hat der alte Kacz aus Berlin ganze vierhundert Pfund geschickt; habe in der City sofort Geschenke für meine Familien und die Hunde gekauft, Bücher und Liebesknochen, Pralinen und Hahnenkämme für den süchtigen Setter der Familie Wilder und einen Korb mit zwei Kissen für Mrs. Blonsky, deren Katze Isolde das Fell durch eine Infektion verliert.

Für die Rulands, Mr. Ruland und seine Gattin, beide sehr bedürftige Leute, erstand ich eine kleine Kiste Gordon's Gin. Erste Verabschiedung am Pier-Kiosk; Mr. Jenkins gab unter der senffarbenen Plane (letzte Strand- und Seeblicke!) zwei Runden Guinness aus, so daß ich für die Besuchsrunde gerüstet war.

Machen Sie's gut, Alfred, sagte Jenkins. Sein weißer Schnurrbart sträubte sich. Die Leute sterben wie die Fliegen, aber wie man sie dann unter die Erde, ins Feuer oder die See kriegt, das ist reine Arbeit, aber für Sie.

Ich bewunderte seinen pragmatischen Standpunkt und zog weiter, den Pier entlang bis zur Burton Street mit schmucken, nicht sehr großen Reihenhäusern und winzigen, vergitterten Vorgärten.

Der peinlichste Besuch war der bei den Wilders und dem Setter Edgar, einem veritablen Watney-Liebhaber. Ich hatte einmal bei einem ungeschickten Manöver nach zwei Stunden Lektüre von Dr. Herriots gesammelten Memoiren eine Flasche umgestoßen, und der Setter hatte sich auf die urinfarbene Pfütze gestürzt und war schwer von ihr zu trennen; ab da kannte seine Begierde nach Bier keine Grenzen mehr, aber es mußte Watney sein. Wilder, ein ehemaliger Kriminalkommissar und sehr bekannt mit menschlichen Deformationen und blunt instruments, verweigerte dem Hund das gute Bier. Edgar versank in Depressionen, hob hie und da im Wohnzimmer versonnen sein linkes Bein und verkroch sich dann seufzend unter dem Sofa, auf dem das Ehepaar den Abenteuern des Tierarztes lauschte. Trank der Setter, war seine Blase aus Eisen. Mr. Wilder resignierte und versorgte ihn pro Tag mit einer großen Porzellanschüssel voll Watney, bis das arme Tier ein Säufer mit allen Symptomen war, die wir im Alltag kennen. Und so faßte Wilder den Entschluß, mit ihm zu den Anonymen Alkoholikern zu gehen, selbstverständlich in meiner Begleitung. Ich war schuld, ich mußte für den Hund sprechen. Leider traf sich das spärliche Trüppchen am späten Nachmittag, das war im Mai vor zwei Jahren, und ich war nicht mehr nüchtern, als die Probleme des Hundes therapiert werden sollten. Man bat mich um eine freimütige, wahrheitsgetreue und vollständige Suff-Anamnese, und ich legte los.

Mr. Wilder sagte mir später, daß meine Rede psychologisch absolut klar und in der Sache vernünftig gewesen sei; exakt so hätte der Setter gesprochen, wäre ihm nur die menschliche Rede verliehen worden. Man darf im Rausch nicht die Personalpronomen verwechseln, dies nur nebenbei.

Es fing gut an: Hund, schlimmes Schicksal, nicht selbst verschuldet, Ursachenforschung tut not. Und dann sprach ich leider in der ersten Person Singularis, statt in der dritten: Ich lernte zwei Weibchen kennen, herrliche Frauen mit Pelzen wie Schnee und süßen Schnauzen, und sie rochen gut und ich hob die Rute und machte Komplimente, aber sie erhörten mich nicht, während ich sie voller Sehnsucht umkreiste, und sie wandten sich ab, da fing ich an zu bellen, und nur Watney salbte die Wunden meiner Seele – an dieser Stelle schluchzten die alten Säufer, und eine Dame suchte mit spitzen Fingern meine Rute, und ein alter Herr würgte den sanften Therapeuten uswf., es war ein rechtes Chaos, aber ich wurde aus der Gruppe entfernt.

Die Wilders verziehen mir, und ich mußte viele Geschichten des guten Dr. Herriot vorlesen, später Gerald Durrells Zoogeschichten, und ich las und las immer in der Hoffnung, auf trinkende Hunde zu stoßen, während Edgar unter dem Sofa dezent seine Schüssel Watney trank. Seines Katers wurde er nur durch gebratene, stark gesalzene Hahnenkämme Herr, ein rechtes Säuferschicksal, und ich war wirklich schuld.

Leider war Mr. Wilder inzwischen ein bißchen hinfällig und

selbst stark des Guinness bedürftig – Watney war ihm zu wäßrig für seinen Zustand –, aber wie ich erfuhr, hatte auch Edgar sich an Guinness gewöhnt, ja, er zieht es inzwischen dem hellen Bier bei weitem vor.

Wir verabschiedeten uns freundlich im Salon mit der Kaminattrape; während in der Küche die Hahnenkämme kokelten, tranken wir mit Guinness auf Gesundheit, Hunde und ein langes Leben.

Ich werde, sagte Wilder, Ihren Auftritt bei den AA nie vergessen. Sie können sich wahrlich in die Seelen der Kreaturen versenken, adieu.

Mrs. Blonsky, zwei Straßen weiter, schrieb erstaunliche Gedichte, fand keinen Verleger, und ihr Augenlicht ließ stetig nach. Ihr las ich *Die großen Liebenden* vor, am liebsten hatte sie Briefwechsel. Sie hatte hennafarbenes Haar und ein schönes, leicht verwelktes, bleiches Gesicht. Wir verabschiedeten uns bei Tea & Cake.

In einem anderen Jahrhundert, sagte Mrs. Blonsky zum Abschied, wären Sie Abaelard und ich Heloisa gewesen, und wir hätten ein unsterbliches Paar werden können, leben Sie wohl.

Ich küßte ihre kleine, kurzfingrige Hand an der Haustür.

Wegen der vielen finalen Biere hatte ich den Korb für die Katze Isolde vergessen, der im Flur stand.

Sie lockte das kahle Tier, und Isolde kroch, den nackten Schwanz zwischen den Beinen, unter die dicken Kissen und schnurrte.

Bei den Rulands lehnte ich einen Gin ab. Gin am Mittag verstört den Organismus, Tee trocknet die Kehle aus, aber richtet gemeinhin wenig Schaden an.

Der Vorlesedienst bei diesem liebenswürdigen Ehepaar – Public-School-Lehrer im Ruhestand – war anstrengend, weil beide so schlecht sahen wie sie hörten, und ich sehr laut lesen mußte. Um die Stimme zu ölen, trank ich ihr Lieblingsgetränk, eben Gordon's, und nach je zwei oder drei Stunden *Tristram*

Shandy, Boswells *Memoiren*, den ganzen Smollett in Etappen oder – einen ganzen Sommer lang – *The Oxford Book of English Verse*, war mein Leberstatus nicht mehr in Ordnung. Um dem Gin zu entgehen – es gab keine anderen alkoholischen Getränke im Rulandschen Haus –, riet mir Dr. Searl, mich vorher mit Guinness, Lager oder Watney zu schmieren, aber die Idee war nur prospektiv stimmig, weil die malträtierte Kehle doch wieder besänftigt werden mußte.

Die Idee, mich mit einer großen Thermoskanne Bier auszustatten und dann zu lesen, kam mir erst, als ich mich vom Gin erholt hatte.

Sehr bedauerlich, sagten die Rulands, wir hatten für diesen Sommer den ganzen Lamb vorgesehen, danach vielleicht Ruskin oder Walter Pater, obwohl das ein Abstieg gewesen wäre. Wußten Sie, daß Lamb kein Alkoholiker war, sondern nur dem Pfeifentabak untertan? Kommen Sie bald wieder, und achten Sie auf Ihre Leber, denn so eine Leberzirrhose schadet vor allem einer kräftigen Stimme. Good luck, lieber Alfred.

Das war mein Abschied von der Außenwelt.

Leicht schwankend verfügte ich mich ins Quiet Arrow und bestellte mir (meine Synapsen waren erregt) pikante Nierchen, die nicht umsonst ‚Deviled Kidneys‘ heißen, so scharf, daß mir die Tränen kamen. Wieder mußte ich mit Bier kompensieren, aber das Trinken verursacht ja keinerlei seelische Kosten, und das Schlucken ist keine Arbeit, ja, eigentlich immer weniger, je mehr man trinkt, das ist und das war auch am letzten Tag eine ganz gerade, harmonische Proportion. Voll bis zu den Kiemen, wie Dr. Swift anläßlich eines Besuches in London 1726 sagte, sah ich meinen etwaigen Familien- und Trauer-Aktivitäten in Berlin mit gewisser Gefaßtheit entgegen. Der Tod ist ein schwarzes Kamel, das vor jeder Tür niederkniet (türkisches Sprichwort). Ein schönes Bild, insgesamt, aber was die Tempus-Form bedeutet, ist es im Hinblick auf die Zukunft ein bißchen vage.

18

Endlich in Berlin angekommen; wohne in einer Hotelpension in der Fasanenstraße, in der alten Wohnung der Schauspielerin Asta Nielsen, die dort in den zwanziger Jahren berauschende Séancen und Orgien mit anderen Geistern abgehalten haben soll, wie mir der Nachtportier versicherte. Ich rief auch sofort unter der von K. senior angegebenen Telephonnummer, die dem Ticket und jammervoll wenig Geld beigeheftet war, im Bestattungsinstitut Ambrosia an, und eine ältere männliche Stimme mit einem unbekannten Akzent sagte: Hier ist Beerdigungsinstitut Ambrosia. Die Rs rollten nur so, begleitet von Gutturallauten, durch die Hörmuschel: Hier ist Dr. Gussjew, bitte sprechen!

Ich sprach und erklärte mit dürren, aber klaren Worten meine Ankunft, wie den Wunsch, meinen sterbenden Vater zu sehen.

Vater lebt, sagte die Stimme heiter, tut nicht Not heute zu kommen und belästigen. Kommen morgen zu kommoder Zeit, gegen 10 Uhr er hat Massage, gegen 12 Uhr erste Sitzung, am besten kommen Nachmittag, guten Abend.

Dann knackte es, und im Rauschen des Äthers rollte noch immer ein feuchtes, gaumiges R.

So ging ich mit meinem leichten Gepäck in das Zimmer 33, das am rechten Ende eines T-förmigen Flurs lag, nahe an einem alten, vergitterten Fahrstuhl, legte mich auf das Bett und dachte nach.

Der Flug war glimpflich verlaufen. In der Tasche zu meinen Füßen lag ein Toaster, den man mit allem möglichen füttern konnte, eine Flasche Tullamore und der Rest, die paar Bücher, das Ringbuch mit der stockenden Agenda, der Tischstaubsauger und Garderobe für drei Tage.

Ich trug bequeme Kordhosen, ein weißes Hemd und mein einziges Jackett aus anthrazitfarbenem Harristweed, eine Sonderanfertigung mit besonders vielen Seiten- und Nebentaschen für alle Zwecke.

In einer der Innentaschen ruhte die Brieftasche mit der Vater-
epistel und Kopien einiger Seiten aus der Betriebswirtschafts-
lehre, von Stoll mit dem ergiebigen Thema *BESTATTUNGS-
UNTERNEHMEN*, Kapitel II a: Checkliste zur Ermittlung der
Kapazitätsauslastung.

Getränke, die man aus Zuckerrohrmelasse gewinnt, üben eine
lang anhaltende Wirkung auf den Organismus aus, schwächen
ein wenig die Konzentrationsfähigkeit und haben einen nicht
besonders günstigen Einfluß auf die Magenschleimhäute. Ich
bekämpfte alle diese Einzelsymptome mit ein paar Büchsen
Guinness.

Diese Liste hatte vier übersichtliche Hauptpunkte: den Standort, die Konkurrenzbeobachtung, die Betriebsräumlichkeiten,
und zuletzt tauchte ein Fahrzeugpark auf, der aus Überführungs-
fahrzeugen, Betriebs- und Gerätefahrzeugen und Pkws für Haus-
besuche bestand.

Einleuchtend war die Sache mit dem Standort, die folgende
Punkte enthielt:

Die Altersstruktur der Bevölkerung, das Gemeinwesen vor
Ort, Kirche und Friedhöfe, die Stammkundschaft, die Auslastung
des Angebots und die soziale Struktur der Kundschaft; der Ausdruck ‚Struktur' ist in Ordnung, wenn man weiß, wo man ihn pla-
zieren soll. Mehr Sorge bereitete mir der andere, das schöne,
verläßliche Wort ‚Stammkundschaft'.

Man kann ja wohl schwer von einer Stammkundschaft sprechen, denn die Kundschaft kommt ja nur einmal und nie wieder
und wird dann endgültig zum Verschwinden gebracht. Oder der
Verfasser meinte in seiner Liste uralte Familien, die seit Jahrzehnten dem Unternehmen treu geblieben waren. Der Lazarus-
Effekt, das Traumgeschäft eines jeden Bestattungsunternehmers,
konnte schwerlich eine Rolle spielen.

Dann mußte ich wohl eingeschlafen sein; kurz vor Berlin
weckte mich mein Nachbar am Fensterplatz, ein dicker, rosiger

Tölpel, und sagte, der Landeanflug habe begonnen, er könne seine Angst (bei Abflug und Landung) nicht ertragen, wenn er sie nicht mit jemandem teilte. Ich bot ihm meine letzte Büchse Guinness an, die er ablehnte.

Aber ich danke Ihnen für ihre großmütige Geste, sagte er, gestatten: Maurina.

Maurina, Maurina, murmelte ich, ein baltischer Name, wie?

Sicher, sagte er, aber ich bin nicht – ja in keinem Fall – auch nur im geringsten verwandt mit dieser Zenta Maurina.

Ich sagte, das hätte ich auch gar nicht vermutet, außerdem sei das ein sehr verbreiteter Name.

Leider durften wir nicht landen wegen irgendeiner Panne am Boden und mußten über einem Flughafen kreisen, der nicht im geringsten an den alten Airport Tempelhof erinnerte.

Maurina wurde zutraulich, ich trank meine letzte Büchse.

Alkohol sei schädlich, sagte er vorwurfsvoll, und ich stimmte ihm zu.

Und ich sei wohl Bestattungsunternehmer?

Ich stimmte ihm abermals zu.

Dann, sagte er, hätten wir zwei ähnlich hochstehende Aufgaben zu erledigen, ich sei der Praktiker und er der Theoretiker.

Maurina war nach Berlin gekommen, um eine Praxis für Alltagsethik in einer stillen Straße nahe dem Zentrum zu etablieren.

Das Guinness entfachte seine wohltuende Wirkung, und ich sagte, das sei eine schöne und fruchtbare Idee, ob er einer bestimmten Lehre verpflichtet sei, zum Beispiel Mackie oder dem alten Moore oder gar Whitehead, der früher einmal sehr hübsche Sachen über Ethik und Moral geschrieben habe. Kenn' ich nicht, sagte Maurina; das Heil komme aus Osteuropa.

Wie denn das, fragte ich, ausgerechnet aus Osteuropa?

Maurina klärte mich auf. Der Kapitalismus habe den Osteuropäer in seinen ethisch-moralischen Grundreserven noch nicht unterminiert; die alten Werte seien noch – und nicht nur in Rudimenten – überall vorhanden, vor allem in armen, aber intakten Gefühlen, einem gesunden Nationalgefühl und einem gediegenen Glauben an die Dreifaltigkeit.

Wo, fragte ich, er seine Zelte aufschlagen wolle.

Ich sehe, sagte der Ethiker befriedigt, daß Sie auch als Geschäftsmann denken. Zelte, Massenzulauf, der große Stil, das alles käme später, wenn er mit seiner Alltagsethik erst einmal fest im Sattel säße. Sie, sagte er mit feuchten Augen, sind ein Mensch der Zukunft, denn auch mein Motto ist: Begehe jeden Tag eine gute Tat. Und Ihre Geste mit dem Bier gegen die Angst, das war eine solche gute Tat.

Ich war leicht gerührt, neben mir saß tatsächlich jemand, der jeden Tag eine gute Tat beging.

Was er denn mache, wenn es ihm nicht möglich gewesen sei, eine gute Tat zu begehen?

Dann, sagte er, denke oder fühle ich mit allen Kräften etwas Gutes, obwohl eigentlich in meinem System Absichten nicht so viel zählen wie Taten.

Nach diesem Satz sackte die Maschine in ein Luftloch; dabei hatte sie sich seit dem Abflug von Gattwick wunderbar ruhig benommen.

Oha, sagte Maurina, oha, bitte nicht wieder.

Ihm wurde unwohl. Sein rosiges Gesicht bedeckte sich mit winzigen Schweißperlen, seine dicken Hände mit den kurzen Fingern und den rosigen Nägeln zitterten.

Nehmen Sie, sagte ich, eine Tüte, nehmen Sie besser zwei, und wenden Sie sich doch bitte zum Fenster.

Maurina stöhnte und schwieg.

Wir kreisten und zogen Schleifen, hin und wieder kam eine Turbulenz, und ich schlug Pontormos *Il Libro Mio* auf, Tagebuchaufzeichnungen (1554–1556) mit dem schönen Zufallsfund auf der Seite 51:

– Dienstag machte ich das Bein, den Schenkel unterhalb des Rückens da oben meine ich –

Zum Abendessen den halben Kopf des Zickleins.

Mittwoch zwei Eier, und am Abend traf Cecho, den Bäcker, der Schlag. –

Maurina stöhnte und bedeckte mit einem rosa Taschentuch mit den Initialen C. M. seinen Mund.

Es ist nur der Kreislauf, sagte er beschwichtigend.

Bevor er ganz überlief, beging ich eine gute Tat und bestellte bei der Stewardeß eine Flasche Champagner im Piccolo-Format.

Trinken Sie, sagte ich, er werde sich dann besser fühlen.

Sein Blick war von einem wäßrigen Blau und ziemlich verzweifelt, aber er trank tapfer in vorsichtigen, kleinen Zügen.

Ich legte die P.-Epistel auf Pontormo und überschlug noch einmal in Gedanken das Tableau, das mich unwiderruflich in Berlin erwartete. Was hatte ich vergessen? Das verdammte Speichermodell von Ebbinghaus, was immer das sein mochte.

Und wieder fiel mein Blick auf den mehr als zweifelhaften Satz auf Seite zwei: Es müssen Opfer gebracht werden. Das war schon ein bedenkenswerter Satz, der eine Moral enthielt, aber welche. Man mußte die Opferrolle exakt studieren in all ihren Höhen und Tiefen, was ihre Dauer, Intensität und ihr Volumen betraf.

Dann überlas ich noch einmal die verstreuten Hinweise auf das Personal. K. sen. unterhielt offenbar zwei Schwestern, die ihn pflegten, eine hieß Allegra und die andere Margot, und eine alte Bassetthündin namens Sonja. Dann war da noch ein gewisser Dr. Gussjew, der nicht der Hausarzt war, denn der hieß Fossler. Und wieder stolperte ich zum x-ten Mal über das Wort ,Tripel'. An den Rand hatte ich Webster's klare Definition geschrieben: Tripel (lat./ franz.): das, Neutrum, die Zusammenfassung dreier Dinge, auch Dreieckspunkte u. Dreiecksseiten.

Der nächste Punkt, der im Dunklen lag, war die Krankheit, an der der alte Herr laborierte, der Morbus Pick oder die Pick'sche Krankheit, über die mein *Populäres Lexikon der Medizin* die Auskunft verweigert hatte.

Nach einem Luftloch fragte ich beherzt meinen kranken Nachbarn Maurina nach der Pick'schen Krankheit, und zu meiner großen Überraschung belebte sich seine morose Miene, und er sagte mit großer Sicherheit, der Morbus Pick sei ihm leider allzu bekannt.

Vor Freude bestellte ich noch zwei Fläschchen Champagner, aber leider mußten wir nun doch landen.

Namensgeber, sagte Maurina, ist ein Prager Psychiater namens Arnold Pick, und es handelt sich um eine Hirnatrophie von charakteristischer Lokalisation; allmählich entwickele sich eine Verblödung schweren Grades, aber einfachere geistige Funktionen wie Zählen oder Buchstabieren blieben relativ lange erhalten; im Verlauf der Krankheit käme es dann zu Enthemmungen, Taktlosigkeiten, triebhafter Unruhe, aber auch zu sehr schönen Antriebsmängeln bis zur Apathie; in seiner Familie seien Fälle präseniler Demenz überaus häufig, und er habe viele bis zum Schluß gepflegt, betreut und begleitet, kurz, lauter gute Taten begangen. Meine Mutter, fügte er hinzu, litt an dieser Krankheit, die von der Umgebung nur mit einer rigorosen Moral überstanden werden kann.

Nach der Landung, auf dem Boden, wurde dem Ethiker aus dem Osten übel. Stoisch hielt er die Paßkontrolle durch, und dann erbrach er sich ausgiebig, aber dezent hinter einer Zeitung versteckt, in einen Papierkorb.

Gehen Sie in die Hotelpension Fasanenstraße, sagte er, dort gute Menschen; aber passen Sie auf – und ich mußte ihm rasch Pfefferminzdrops wegen seines Atems geben –, Sie merken die Atmosphäre, Sie verfolgen die Zeitungen, die Weltnachrichten?

Mitunter, sagte ich, hin und wieder, nicht sehr oft.

Es wird passieren, sagte Maurina, eine Revolution, und ob ich nicht helfen wolle, seinen Kabinenkoffer zu tragen.

Zwischen den Gummischlangen des Förderbandmauls erschien ein riesiger, senfgelber, an den Ecken mit dunklem Metall beschlagener Koffer; in Maurinas Blick flackerte Wiedersehensfreude auf, und ich verabschiedete mich, so schnell es ging. Mein Bedarf an guten Taten war gedeckt.

Auf diese Weise landete ich ohne viel Anstrengung in der Hotelpension, in der es extrem still war. Eine Gruppe Ärzte, Teilnehmer eines Gerontologenkongresses, war gottlob gerade abgereist.

Mein Zimmer, die angenehme runde Nummer 33, hatte ein hohes Fenster zu einem stillen Hinterhof mit einer jungen Kastanie neben einem Sandkasten, in dem sich Spatzen herumtrieben. Der Raum mit dem Bett, einem dunklen Schrank, der leicht schwankte, wenn man ihn passierte, dem Damenschreibtisch, dem Stuhl, dem Sessel und einer Fernsehkiste auf einem Nachttisch, erinnerte wegen seiner Länge, Höhe und Enge ein wenig an einen Sarg. Nach dem Anruf setzte ich mich an den Schreibtisch und ergänzte das nach neuen Ereignissen durstige Tagebuch.

Auch ich war durstig. Leider enthielt die gut getarnte Minibar keine Büchsen Guinness oder Lager. Das Bier war in Flaschen, und so trank ich traurig aus Flaschen und aß eine Tüte Peanuts.

Und dann setzte ich mich auf das Bett, dessen Matratze einladend nachgab, und präparierte mich auf K. sen., meinen Erzeuger, der an dieser merkwürdigen, wohl für alle Beteiligten beschwerlichen Krankheit litt. Als es zu dämmern begann, hörte ich mit dem besinnlichen Suff auf und ordnete die wenigen Bücher und die Papiere. Dazu legte ich den Brief des alten Herrn, den noch einmal zu lesen nicht gelohnt hätte.

Aus dem Diario Pontormos sah ein Blatt hervor, es war das Blatt Butcher.

Das Interpretieren gehört wohl zu recht zu den schwierigsten Aufgaben der Welt, sagte ich zum Blatt Butcher. Vor der Abreise hatte ich in der Pension der Witwe ein Büchlein eingesteckt, das unter der Mappe mit der Sammlung der *Tausend Frauenbeine* schlummerte – Wainrights *Grenzen der Interpretation*; schon im Kapitel römisch I macht W. einen Unterschied zwischen der Interpretation eines Textes und seiner Benutzung. Das leuchtete mir sofort ein, und ich benutzte den Text. Die Schreibtischlampe hatte einen grünen Schirm aus Metall, geformt wie ein kopfunter hängender Pilz. Alle Sätze, die der Reißwolf ausgespuckt hatte, waren Behauptungssätze; sie waren, nach Wainrights hilfreicher Auffassung, entweder wahr oder falsch. Manche waren aber weder wahr, noch falsch, sondern nur in einem eingeschränkten Sinn ,richtig', d.h., man konnte zustimmen oder ablehnen.

Die Behauptung, ich sei Jungfrau, ist nicht korrekt.

Die Bemerkung über Harding, er wichse mit Vivian Neves, war erstens seine Privatsache und zweitens unüberprüfbar, und zudem durchaus verständlich. Ich ging jetzt der Reihe nach vor, von oben nach unten; eine Ordnung war nicht erstrebt worden, wer immer diese Sätze verfaßt haben mochte. An die Möglichkeit, daß Butcher sie irgendwie in seinem schweren Metall-Leib eigenmotorisch selbst gemodelt hatte, glaubte ich keinen Augenblick. Rätselhaft blieb die Empfehlung, ich solle mich in einen Sarg legen und den Deckel schließen; vielleicht ein Konkurrent in der schwülen und uneindeutigen Plummer-Sphäre, wer weiß.

Daß ich die Zeichen der Zeit nicht kapierte, auch diese Behauptung war halb richtig und halb falsch; ich war nicht hinter diesen Zeichen her und gab mir auch keine Mühe, sie zu verstehen. Diese Zeit interessierte mich nicht, das war alles und keiner Interpretation wert.

134

K. informiert sich durch Reader's Digest, auch diese Behauptung stimmte nur zum Teil. Ein längst toter Abonnent der Witwe hatte die Jahrgänge 1953 bis 1986 nicht auf seine letzte Reise mitgenommen, und die Witwe verbannte sie in drei niedrige Bücherregale im Flur. Mich selbst interessierten nur die guten alten verläßlichen Nummern bis 1979, Artikel über Tiere, gut geschriebene Geschichten und populäre Berichte aus Medizin und Wissenschaft; auf der Toilette las ich die neueren Jahrgänge und bereicherte meinen Wortschatz. Diese Zeitschrift war ein wahres Füllhorn von Informationen, und ihre medizinischen Artikel zeugten von einer tiefen Verantwortung gegenüber Mensch und Kultur, Zivilisation und Geschichte. Leider kommentierte ein Idiot, ebenfalls ein Toilettenleser, diverse Artikel mit dummen Partikeln wie *GENAU* oder *SIC* oder einem *WOW*.

Die Bemerkung über Swanson und seine Impotenz gefiel mir; sie hatte etwas beruhigend Lapidares, mochte es stimmen oder nicht. Allerdings gab mir der darauffolgende Satz ‚Swanson schläft selten und nur bei Mondschein mit den Schwestern Plummer, und die Witwe sieht zu' zu denken und noch mehr, zu meinem Leidwesen, zu fühlen. Leicht mondsüchtig, wie ich nun einmal bin, hatte ich in Mondnächten niemals auch nur das geringste Geräusch gehört; und wenn ein schwedischer Riese, ein gelehrter Gorilla, mit zwei Schwestern schläft, dann muß es verdächtige Geräusche geben. Der Witwe Hawkins traute ich viel zu, aber die Idee, sie habe dieser entsetzlichen Triole beigewohnt, war wider alle Wahrscheinlichkeit.

Im Flur klingelte das Haustelephon neben der Garderobe, man hörte Schritte, eine Stimme sagte zweimal: ‚Aber um Gottes Willen', dann hörte man wieder Schritte und es war still.

Über das Mitleid bei Schopenhauer nachlesen!, das war ein wichtiger Hinweis, den man beherzigen sollte; warum Dilthey ein Trottel sein sollte, ist ein noch ungeprüftes Faktum. Der anonyme Verfasser kannte auch Dr. Searl, aber seine Behauptung

135

war leider korrekt, wie leider auch die, mein Nest sei voller Mäusedreck. Ich erinnerte mich an meine Mäusefamilien, ihre eleganten Spaziergänge und an die vielen Pompes Funèbres im Garten.

Aber welche Sätze wären für meine momentane Lage wichtig, welche könnte man in der Praxis anwenden, oder welche nicht?

Ehe ich darüber in Ruhe weiter nachdenken konnte, ging mir das Bier aus, und ich fragte in der Rezeption, wo man es auftreiben könne, wurde zu einem großen Kühlschrank geschickt, der im Osten des großen Flurs lag, und kehrte mit vier neuen Flaschen zurück.

Kacz säuft wie ein Loch! – Wie beklagenswert wahr.

Zwei Daten strich ich mit meinem Edding-Stift an: das Datum des voraussichtlichen Ablebens der Witwe an einem Abend des Mai, eine etwas vage Zeitangabe, und das zweite Datum, das auch nicht präziser war: einen 12., an dem Oshima die Buchbestände von HE bis LA abfackeln werde.

Dann folgte ich dem Rat, ‚Schnapp dir Hardings Libido-Theorie‘, duschte in einer Naßzelle mit rostigem Wasser, putzte lange die Zähne mit Euthymol, legte mich zu Bett und las den ersten Satz der Abhandlung, der da hieß: Das sexuelle Verhalten des Menschen ist wie alles menschliche Verhalten nicht unmittelbar natürlich, sondern durch geistige Einstellungen vermittelt.

Es bedurfte keines Schlafmittels mehr; beim Einschlafen flüsterte der Wind mit der Kastanie.

19 Ich war im Bestattungsinstitut Ambrosia, und der Besuch war nicht besonders erquicklich. Da hat man seinen alten Herren seit ewig nicht gesehen, eilt ans Sterbelager mit Blumen, Pralinen und wohlpräpariert und wird nicht vorgelassen. Das ist schon ein merkwürdiges Verhalten, das ich nicht billigen kann.

Aber der Reihe nach; nach einem leichten Frühstück fuhr ich mit dem Taxi nach Lichterfelde. Berlin war häßlich und überfüllt, es fuhren zu viele Autos herum, und unaufhörlich gab es dumme Stauungen an Baustellen. Schön war der Berliner nie gewesen, aber ein bißchen enttäuscht war ich schon. Und die Kleidung! Irgendwo hatte ich einmal gelesen, daß sich der Berliner als Typus seit 100 Jahren nicht verändert habe, auch das kein Trost.

Das Institut befand sich in einer breiten, baumreichen Straße mit einem Streifen Katzenkopfpflaster. Das Haus war ungeheuer groß und sein Architekt ein Verrückter, vielleicht auf der Basis von wenig Talent und viel Kapital. Ich habe noch niemals einen derart eklektischen Bau gesehen. Es gab Fassaden in drei verschiedenen Stilen und Dächer in allen Formen und Höhen, mal spitz, mal rund, mal eckig.

Vom Taxifahrer erfuhr ich, das Ding sei im 19. Jahrhundert ein Hotel gewesen, und jeder Besitzer oder Nach-Eigentümer habe angebaut. Nun, das erklärt vieles.

Zwischen zwei dorischen Säulen war ein vergittertes und verglastes Portal, daneben, zwischen zwei Pilastern, eine kleine Tür mit Schild und Messingklingel, die ich drückte.

Ein feister, glatzköpfiger Mann in einem schmutzigen Kittel öffnete und fragte: Was ist?

Sohn Kacz, sagte ich, pardon, Alfred Kacz, ich will zu meinem kranken Vater.

Sie sind das, sagte der Herr, ist aber schlechte Zeit jetzt.

Melden Sie mich, sagte ich, sofort meinem Vater, der mich erwartet.

Ist ganz schlecht, sagte der Herr und wiegte kummervoll seinen Glatzkopf, aber ich habe Brief für Sie von Herrn Papa. Gestatten, mein Name ist Gussjew, Dr. Gussjew, Vorname tut nichts zur Sache.

Ich erkannte die Telephonstimme jetzt wieder und den rätselhaften, vielleicht russischen Akzent.

Ob es meinem Vater schlechter ginge, fragte ich, während ich einen dünnen Brief entgegennahm.

Aber überhaupt nicht, sagte dieser Dr. Gussjew, im Gegenteil, ist aber als Zeit schlecht im Augenblick. Wir telephonieren, wenn Sie mir geben die Nummer von Hotel.

Ich gab ihm die Nummer der Hotelpension und suchte mir wieder ein Taxi.

Die Gegend um das Institut war beinahe ländlich. Gegenüber dem schwarzen Metallschild mit den goldenen Buchstaben *BESTATTUNGSINSTITUT AMBROSIA, VICTOR KACZ, INH.* befanden sich mehrere kleine Kellerläden – eine Kohlenhandlung, ein kleiner Pornoshop und ein Blumengeschäft. In der Hotelpension las ich im Clubzimmer, einem Salon voller alter Sessel und einer Musiktruhe, den sehr kurzen, leicht gereizten Brief meines alten P. Es war eine sehr mißgelaunte Stimme, die da zu mir sprach, vorausgesetzt, ich hörte sie im richtigen Tonfall.

Immerhin hast Du Dich gemeldet, gut so.

Eine so plötzliche Begegnung kann natürlich nicht stattfinden, ich muß mich vorbereiten. Auch Du mußt Dich vorbereiten, d. h. Du wirst morgen, um zwölf Uhr mittags bei unserem Dr. Gussjew eine kleine Prüfung ablegen. Hast Du die absolviert, steht einer Visite nichts mehr entgegen.

Gruß V.

P.S.

Hast du den Toaster und den Hermeneuten mitgebracht? Die englischen Zigaretten und das von Zierlinsky gestohlene Buch *Jenseitsbaedeker*?

Dein alter Vater, i. Hse.

Ich war ein bißchen düpiert. Und was sollte diese Prüfung bedeuten, was zum Teufel sollte denn geprüft werden.

Ich machte Kassensturz; am zweiten Tag dieses wohl langwierigen Aufenthaltes hatte ich noch 84,49 DM, ein paar ägypti-sche Pfund und zwei Sixpence.

Man muß über das Tragische ganz anders nachdenken; in Wirklichkeit und in all seiner aufdringlichen Tatsächlichkeit ist es der Literatur irgendwie überlegen, das weiß ich jetzt; denn ich hatte durch Zufall eine kurze, nichtsdestoweniger erschütternde Begegnung mit meinem armen alten, todkranken Vater, K. sen., die für beide Teile befriedigend verlief. Ich war natürlich – wie immer – nicht präpariert, das heißt, der Rührung nicht immer Herr da am Bett des Moribunden, aber Gefühlsaufwand und Ertrag standen während des ganzen Besuches in einer harmoni-schen Proportion.

In der Nacht hatte ich im Traum ein nacktes, elephantengros-ses Meerschweinchen klaftertief begraben; schon in den Nächten zuvor hatte ich ununterbrochen große Objekte versenkt; gegen 10 Uhr vormittags klingelte das Flurtelephon, und ein Zimmer-mädchen rief mich zum schwarzen Hörer, der an der geblümten Wand pendelte. Am anderen Ende war niemand anders als Kacz sen. mit einer leisen, etwas krächzenden Stimme, die sagte:

Alfred, komm sofort her. Benutze den Kellereingang im Garten. Ich habe Gussjew in die Staatsbibliothek geschickt, Dr. Fossler weilt auf einem Kongreß, und die Schwestern baden gerade, natürlich nicht zusammen. Benutze, wiederholte er, den Kellereingang, und Obacht vor Mergel, der der Engel des Sarg-magazins ist. Und geh' leise. Ich liege im 1. Stock, nach der Treppe gleich links die erste Tür. Und bringe doch bitte Les Langues Dorées von Demel mit.

Die was, fragte ich betäubt.

Katzenzungen, Idiot, sagte der alte Herr, aber von Demel.

Demel, sagte ich geistesgegenwärtig, sei eine Confiserie in Wien.

Das weiß ich, schrie der Alte mit schwacher Stimme, und ich solle mich nicht mit Kleinigkeiten verzetteln.

Dann legte er auf. Ich bestellte ein Taxi, ließ unterwegs an einem Supermarkt halten und besorgte einen kleinen Karton mit Katzenzungen. Ich fragte mich, ob die Krankendiät Schokolade erlaubte. Nach einer halben Stunde erreichte ich abermals die Villa oder das Institut Ambrosia, ging durch den Garten und fand auch einen Souterrain-Eingang aus Sandstein. Die Tür war geöffnet, und ich war in einem staubigen Labyrinth von Gängen und Stollen ohne Licht. Dann fand ich endlich einen Schalter, den Gang, der zu einer Treppe führte, und eine schwere Tür, die mich in eine Halle ließ. Und wieder stieg ich eine Treppe hinauf, eine prachtvolle Treppe, mit einem bordeauxroten Läufer bespannt, das Geländer war aus Mahagoni mit Art-nouveau-Ornamenten, und, endlich im ersten Stock, klopfte ich an die erste, elfenbeinfarben lackierte Doppeltür.

Eine Vogelstimme sagte: Ja doch, herein! und hüstelte dann.

In einem herrlichen Biedermeier-Nachenbett lag, inmitten fetter Pfühle und opulenter Kissengebirge, den Kopf an ein weißes, kompaktes Kissen-Massiv gelehnt, der kleine, ausgemergelte Körper meines Vaters, Herr Viktor Kacz persönlich. Auf einem großen Nachttisch standen Weinflaschen, Pillendöschen aus Silber, eine Familienflasche Infludo – der Kacz-Clan schwor seit dem Ende des Zweiten Weltkriegs auf anthroposophische Heilmittel –, Bücher und Broschüren, keine einzige Zeitung und ein Taschenteleskop aus Messing.

Papas Gesicht war tiefbraun, als setzte er sich täglich einer Höhensonne aus.

Mach, sagte er dann, die Tür zu.

Ich schloß die Tür und starrte ihn an. Das also war mein leiblicher Erzeuger, den ich 25 Jahre nicht gesehen hatte.

Ja, Gottchen, wenn du schon einmal hier bist, dann setz dich, sagte er, such dir einen der Sessel.

Ich griff nach dem erstbesten Möbel.

Papa schrie: Halt, Idiot, doch nicht den, nimm dir einen anderen.

Der vierte Sessel war dann der richtige, auf dem ich, nahe an seinem Kopfende, Platz nehmen durfte.

Wie findest du das Haus, fragte er, und eine lange, leicht belegte Zunge erschien in seinem Mundwinkel und verschwand wieder.

Die Architektur sei ein bißchen seltsam, sagte ich.

Der Architekt hieß Mehltau, erwiderte mein P., und er war verrückt. Seine Schwäche waren Erker, Nischen und Podeste.

Wir schwiegen. Wegen meines Magenknurrens hatte ich unterwegs die Katzenzungen gegessen, die jetzt dort klebten und ein glühendes Sodbrennen erzeugten.

Hast du, fragte K. sen., an die Katzenzungen gedacht.

Unaufhörlich, sagte ich, habe aber leider keine auftreiben können.

Schade, sagte er, sie mögen ausschließlich Katzenzungen.

Wer, fragte ich.

Na, wer, sagte K. sen., die Engel natürlich.

Engel, sagte ich. Meine Stimme klang, das weiß ich noch, tonlos, wie man so sagt.

Ja doch, sagte der Alte gereizt – und du hättest dich beinahe auf den Sessel gesetzt, auf dem Holden immer sitzt.

Ich fragte mit gebotener Vorsicht, wer Holden sei.

Einer der Engel, sagte K. sen. und hob seine blutunterlaufenen Augen an die Decke mit der grauen, fliegendreck-inkrustierten Stukkatur.

Vater, sagte ich mitfühlend, Engel gibt es nicht, das ist wissenschaftlich ohne jeden Zweifel erwiesen.

Ach was, sagte er, wo der Toaster sei?

Vergessen, sagte ich, wegen des überraschenden Anrufs, den ich nicht erwartet hatte wegen seines Briefes.

Wegen welchen Briefes, fragte er, an wen er denn Briefe schreiben solle.

Ich reichte ihm den Brief, P. las und sagte: Gottja, deine Prü-

141

fung bei Gussjew, die hätte ich beinahe vergessen. Wer weiß, wann Gussjew aus der Bibliothek kommt. Er hat den Auftrag, herauszukriegen, was eine chronische Maus ist. Weißt du, mein Junge, es gibt so viele Rätsel.

Vater, sagte ich wieder mit einiger Sicherheit, die Maus, chthonisch, verkörpert in der Mythologie die Mächte der Finsternis, der unaufhörlichen Bewegung und der sinnlosen Geschäftigkeit.

Das hat Holden auch schon behauptet, sagte der alte Herr und sabberte ein bißchen, aber ich wollte es einfach nicht glauben. Dann sah er mich unbewegt aus seinen grauen Augen an, schloß sie und war im nächsten Augenblick eingeschlafen.

Ich stand auf und machte eine Wanderung durch das riesige Zimmer. Die Wände waren weiß getüncht und voller Fingerabdrücke, von den Leisten bis in eine Höhe von ca. einen Meter und achtzig. Überall standen Möbel herum, die in braune Laken gehüllt waren. Ich zog eines der Laken von einem der großen Möbel, und es zeigte sich ein Schreibtisch im klassizistischen Stil aus Nußholz, mit Intarsien aus Birnenholz.

Wo bist du abgestiegen, fragte seine Stimme aus dem Bett.

In einer Hotelpension, sagte ich, in der Fasanenstraße. Gut, daß du mich daran erinnerst, könntest du mir mit ein wenig –?

In diesem Augenblick bebte der Holzboden unter dem dicken, schmutzigen Perserteppich voller Löcher, die Tür öffnete sich, und eine hagere Dame in einer roten Gummischürze erschien. Sie trug eine Hornbrille an einer straßbesetzten Kordel und die Haare wie Tante Sophie aus Calw, die eine strenge Pietistin war.

Das ist Schwester Allegra, sagte mein Alter, sie kommt zur Massage.

Ich kann, sagte ich, im Flur warten.

Ach was, sagte K. sen., sei nicht so verklemmt.

142

Schwester Allegra reichte mir eine eiskalte, beschlagene Hand mit bläulichen Fingernägeln in entzündeten Betten.

Diese Person mit der Aura eines Lazarus nach einer mißglückten Geschlechtsumwandlung nahm sich nun mit gesträubtem Schnurrbart – wohl zu viele männliche Hormone – meines armen Vaters Körper an, zog ihm die Pfühle vom Leib weg, rollte ihn auf den Bauch, krempelte sein Nachthemd zum Nacken und begann, ihn mit großer Sanftheit und Zärtlichkeit von den Waden über die Hinterbacken bis zu den Vogelknochen seiner Schulterblätter zu massieren.

Der Alte stöhnte vor Behagen und sagte, sie ist ein Drachen, sie hat keinerlei erotische Ausstrahlung, und sie kocht beschissen, aber bei ihrer Massage hört man die Engel singen. Manchmal, setzte er, den Kopf in den Kissen, hinzu, verschafft sie mir eine Erektion, die natürlich ganz überflüssig ist.

Schwester Allegra drehte den Greis auf den Rücken und massierte Schenkel, Leistengegend und Brust; zwischen seinen Beinen ruhte auf einer dunklen, gekräuselten Skrotalhaut ein kleiner, nußbrauner Penis. Ich war so gerührt, daß ich zu atmen vergaß.

Früher, sagte der alte Herr, habe ihn Schwester Margot massiert, aber die Annehmlichkeiten ihrer Massagen hätten sein altes Herz doch so belastet – Systolen und Diastolen am laufenden Band –, fügte er hinzu, daß er nach dem Rat des Dr. Fossler von den Behandlungen durch ihre Hände habe absehen müssen.

Schwester Allegra grunzte, wischte sich mit zwei Fingern die Stirn und legte sich ordentlich ins Zeug. Mein Alter schnaufte, ächzte und stöhnte.

Der letzte Akt begann. Viktor K. sen. wurde mit einer seimigen Lotion eingerieben, und die hagere Schwester ließ nicht eine Stelle, nicht eine Pore und nicht eine Leibeshöhle aus, inklusive des Rektums, das sie sorgsam mit einer Spindel aus Zellwolle säuberte.

Dann verpaßte sie dem Alten ein neues Nachthemd aus blauer Shantungseide, tätschelte seine beiden Wangen mit den Fingerspitzen der rechten Hand und sagte: Zeit für Ihre Erfrischung.

K. sen. seufzte dankbar und sagte, es sei auch wirklich an der Zeit. Schwester Allegra goß aus einer dunklen Flasche eine rote Flüssigkeit in ein Glas aus Hyalith in wunderschönen Farben – von rostbraun bis indigoblau – und so delikat gemasert wie die Flügeldecken eines Pfauenauges.

Nicht so zittern, sagte sie. Nach dem ersten Schluck ist's immer vorbei, sagte sie zu mir und entblößte in einem furchtbaren Lächeln meerschaumgelbe Zähne mit breiten Lücken.

Mein Vatergreis trank gierig und stellte dann das kostbare Glas – aus der Glasmanufaktur Egermann, Böhmen, wie ich später erfuhr – mit absolut sicherer Hand wieder auf den geräumigen Nachttisch. Die Schwester verließ das Zimmer, und der alte Herr sagte, nun müsse gearbeitet werden.

Was zum Teufel, dachte ich, versteht der Alte unter Arbeit, was soll das für eine Art von Arbeit sein?

Mergel, das Faktotum, sagte der alte Herr, werde mich am nächsten Tag durch das ganze Institut führen. Wann ich hier einzuziehen beabsichtigte?

Ich geriet ins Stammeln.

Herrgott, sagte mein alter Herr, das erste Stockwerk hat neun Zimmer, das zweite Stockwerk hat acht Zimmer, der Dachboden ist riesengroß, selbstverständlich ziehst du hier ein.

Vater, sagte ich, als ich auf dein Telegramm hin sofort kam, mußte ich textgemäß annehmen, daß du im Sterben liegst; darauf war ich vorbereitet. Aber ich kann unmöglich hierbleiben, weil es dir, ganz offenkundig, und deinem Morbus Pick gut geht, vorausgesetzt, ich lese die Zeichen richtig und interpretiere sie korrekt. Ich habe meine Zelte am College und in der Pension aus diesem Grunde nicht – und an dieser Stelle fehlte das richtige Verb.

Junge, sagte mein Alter, du hast so einen kurzen Verstand wie deine Mutter. Hast du denn meinen Brief nicht bekommen, in dem ich die Lage erklärte?

Selbstverständlich hätte ich den Brief erhalten, begriffen und angemessen reagiert, was mein Aufenthalt in Berlin beweise, aber der aktuelle Zustand, in dem er sich befände, decke sich nicht mit dem Text des Briefes.

Gieß mir ein, sagte mein Vater und starrte mich aus seinen Schildkrötenaugen an.

Ich goß ihm das schöne Glas voll; es war Rotwein. Meine Hände zitterten, und mein Mund wurde sehr trocken.

Ach, ach, ach, sagte der alte Herr mit schöner Ironie, man möchte auch einen Smith Haut Lafitte, sieh an, sieh an, man ist bedürftig? Tja, mein Lieber, ich weiß Bescheid. Die Korrespondenz mit der Witwe im letzten Vierteljahr war recht ergiebig. Du bist also Alkoholiker.

Aber nein, sagte ich, nur hin und wieder ein Schlückchen, um meine Dispositionen zu dämpfen, ja, dämpfen –.

Denke ich an diese Passage meines Besuches, glaube ich, daß der alte Herr seinen zittrigen Sohn mit einer gewissen Sympathie betrachtete.

Alle, sagte mein P, und zeigte auf die Flasche. Aus einer silbernen Dose fischte er einen Messingschlüssel und bat mich, die Tür des Nachttisches zu öffnen. Das tat ich. Der schöne polierte Kasten beherbergte vier geschnitzte Fächer, in denen die Hälse und Körper diverser Flaschen leuchteten. Das unterste Fach nahm die leeren Flaschen auf, die Schwester Allegra in regelmäßigen Abständen entfernte.

Ich öffnete eine neue Flasche von dem köstlichen Zeug und trank aus einem zylindrischen Glas.

Wir tranken und sahen uns an. Das Zittern der Hände hörte nach zwei Gläsern auf. Ich war froh, die Katzenzungen im Leib zu haben.

Welche Aufgaben, fragte ich, in diesem Hause zu erledigen seien.

Warte, warte, sagte der Alte und suchte in der Schublade unter dem Marmordeckel nach einem Notizbuch, das er an der Stelle aufschlug, an der eine taubenhalsgraue Feder lag.

Ich werde, sagte er, wie immer, in ca. zehn, höchstens zwölf Minuten, einen meiner Anfälle kriegen, also müssen wir uns beeilen.

Ich war ziemlich entsetzt. Was für Anfälle, fragte ich.

Es sind irgendwelche Krämpfe, sagte der alte Herr, die so schnell gehen, wie sie kommen, nicht weiter bemerkenswert, aber lästig, und man macht dabei keinen günstigen Eindruck.

Ich schwieg achtungsvoll und machte mich auf einiges gefaßt, was ich in der Gerassimow-Gedenkbibliothek unter den reich illustrierten Rubriken wie klonische, tonische und chronische Krämpfe nachgeschlagen hatte.

Jedermann in meiner Umgebung, sagte mein Alter mit der Nase in seinem Notizbuch, erwartet, daß ich endlich sterbe; aber ich will unter keinen Umständen sterben, hast du das verstanden?

Ich sagte, das sei ein verständlicher Wunsch, den man nur billigen und verstehen könne.

Bon, sagte er, das hast du kapiert: Ich will nicht sterben.

Unter einem Laken stöhnte eine alte Stutzuhr, deren Ticken uns die ganze Zeit begleitet hatte, dann schnarrte sie und schlug in einem sonoren Ton zwölf mal.

Sie weiß nie, welche Zeit es ist, sagte K. sen., wo waren wir stehengeblieben?

Du willst nicht sterben, sagte ich, das war die Stelle.

Richtig, sagte er und sein linker Mundwinkel begann zu zucken. Geh', sagte er, doch lieber in den Flur ... In einer halben Stunde werden wir uns weiter unterhalten.

Ach, und bringe doch bitte mein Survival-Food aus der Küche von Schwester Allegra, aber flirte nicht mit ihr.

Bei meiner starken Empfänglichkeit für Eindrücke aller Art dankte ich Gott oder einer dafür zuständigen Instanz, daß ich dem Anfall nicht beiwohnen mußte. Ich schloß die Tür sehr leise hinter mir.

Im Flur roch es stark nach angebranntem Haferbrei, Essigessenz und Seife. Durch die Dosis Rotwein arbeitete mein Jacobsonsches Organ mit Konzentration. Beim alten K. sen. hatte es nach der hellen Lotion gerochen, ein bißchen nach Schweiß, Urin und verschüttetem Wein und die Gummischürze der Schwester Allegra nach Metall; sie als Subjekt dagegen neutral.

Ich ging bis an das blinde Ende des Flurs und zählte rechts vier Zimmer, links fünf. Alle Türen waren geschlossen. An der weiß getünchten Wand im äußersten Norden war ein sorgfältig gemaltes Schild aufgehängt. Es handelte sich um einen Aphorismus von La Rochefoucauld, wie der unbekannte Künstler unter dem Zitat angemerkt hatte:

Gefühllose Menschen sind leicht gerührt.

Ich kratzte mir lange und nachdenklich den Schädel hinter dem rechten Ohr.

Ein sehr beherzigenswertes Zitat, sagte eine wohl modulierte, alterslose Stimme hinter meinem Rücken.

Dr. Fossler, sagte ein kleiner weißhaariger, sehr ordentlich gescheitelter Herr in einem weißen Kittel, als ich mich vorsichtig umgedreht hatte. In einem Haus, in dem sich Engel herumtreiben, muß man aufpassen.

Sie müssen Alfred Kacz sein, sagte der Arzt. Wir machten shake hands, wie es üblich ist, und dann fragte ich, woran mein armer Vater, exakt ausgedrückt, eigentlich litte.

Tja, tja, tja, sagte der Doc und lächelte, es sei wohl die Pick' sche Krankheit, aber mit einem gänzlich atypischen Verlauf.

Eine Atrophie, sagte ich. Das habe ich in einem medizinischen Lexikon nachgeschlagen.

In der Tat, sagte Fossler, eine Schrumpfung entwicklungsgeschichtlich junger, spezifisch menschlicher Rindengebiete des Stirn- oder Schläfenlappens, seltener des Scheitellappens, und die führten zu einer gewissen Persönlichkeitsveränderung und schließlich, mitunter, aber nicht unter allen Umständen, zur Demenz.

Was Sie nicht sagen, sagte ich, und handelt es sich da um einen Infekt oder existieren andere Auslöser.

Nicht, daß ich wüßte, sagte der Doktor, man könne den Morbus Pick zu den Alterskrankheiten zählen.

Es könne also, fragte ich, jeden erwischen?

Selbstverständlich, sagte Fossler, aber eher später als früher, das sei doch ein gewisser Trost.

Ich dachte an die schrecklichen Illustrationen aus dem Lehrbuch im Vierfarbendruck und fragte, wie sich diese Krankheit äußere.

Vielfältig, sagte Fossler, das könne man sagen.

Bei Atrophien dieser Art, sagte ich, fänden doch wahrscheinlich Verluste statt.

Selbstverständlich, sagte der alte Herr, in der Hauptsache – und ich zitiere jetzt aus einem veralteten Lehrbuch, das aber vorzüglich definierte – ‚zeigen sich wohl Verluste der höherstehenden seelischen Leistungen, auf welcher die geistige Gesittung beruht‘.

Wie, er macht also Zügelloses oder Schweinkram, fragte ich.

So könne man das nicht ausdrücken, sagte der Doktor mißbilligend. Seine intellektuellen Leistungen seien perfekt, der Rotwein tonisiere ihn ganz ausgezeichnet, und es sei eigentlich nur hin und wieder eine kleine Enthemmung zu beobachten.

Gestatten Sie mir eine Frage, sagte ich, wie krank ist mein alter Herr wirklich, und wann muß man sein Ableben fürchten.

Im Augenblick ist Ihr Herr Vater, erwiderte der Doktor, durch einen Infekt ein bißchen geschwächt, aber an ein Ableben muß man nicht im Geringsten denken; hat er mit Ihnen schon über seine Visionen gesprochen?

Sie meinen diese Engel-Geschichten? fragte ich.

Exakt die, sagte Fossler und flüsterte, reden Sie ihm diese Engel aus. Engel existieren nicht! Wissen Sie, wenn er seine Idee, Engel suchten ihn heim, christlich gefaßt hätte ... in der Form einer Selbstbesinnung ... vielleicht im Hinblick auf eine Vorbereitung auf das Jenseits ... dann wäre alles in Ordnung. Aber ihr Herr Vater glaubt an Lebensretter-Engel; und da ist vor allem ein Engel namens Holden -

Kenn' ich, sagte ich, der saß vorhin auf dem Chintzsessel mit dem schwarzen Seidenkissen.

Der Doktor sah mich scharf an.

Haben Sie dieses ... Ding, sei es nun Subjekt oder Objekt, gesehen, fragte er, haben Sie es berührt, haben Sie mit dem Ding gesprochen? Hatte es eine Aura, eine Konsistenz oder einen Geruch?

Nichts dergleichen, sagte ich, es war eine Behauptung meines armen Vaters, der diesen Engel zu sehen glaubte; ich selbst glaube nicht an die Existenz von Engeln oder Dämonen.

Soso, sagte der Doktor, Sie sind ein Rationalist, nun, ich habe zu tun. Und blitzschnell verschwand er in dem zweiten Zimmer nach dem Krankenzimmer und schloß die Tür.

Da war also Hoffnung, dachte ich, aber Hoffnung worauf. Wenn man an einer Krankheit laboriert, deren Verlauf atypisch ist, kann eine Menge Zeit vergehen. Ich seufzte. Ich seufzte mehrmals, während ich im Flur herumstand. England, das College, die Schwestern Plummer, die Pompes Funèbres für die kleinen Tiere, meine stillen Studien, alles versank hoffnungslos in einer Nebelbank, sehr fern und entrückt. An diesem Nachmittag beschloß ich, obwohl Entschlüsse mir enorm schwerfallen, zu recherchieren, wie alt man im Durchschnitt in unserer Familie wurde und welche Leiden mit welcher Zuverlässigkeit von die-

149

sem unserem Jammertal erlöst hatten; Mortalitäts-Statistik war ohnehin recht interessant.

Man mußte die Lage erkennen, damit man den Überblick nicht verlor, und am besten, wieder ein Entschluß, begänne ich mit dem 1. Stockwerk. Die dritte Tür rechts war nicht verschlossen. Ich trat ein, es war dunkel. Dann sah ich einen schwarzen Katafalk, auf dem, wie schlafend, ein Bassett ruhte. Auf einem Stuhl hinter dem Katafalk leuchteten auf einem Kandelaber sieben schwarze Kerzen, die jetzt durch einen kleinen Luftzug aus dem Nichts flackerten.

Es war ein schönes, sinniges Tableau. Die Leiche mußte die Hündin Sonja sein, die imstande gewesen war, Geister, Engel oder Dämonen wahrzunehmen.

Dann holte ich aus der Küche Papas Survival-Food, eine graugrüne Masse von zäher Konsistenz in einer Nierenschale – sonst kleckert die süße Sau noch herum, sagte die eisige Allegra –, und klopfte abermals an die Tür des Krankenzimmers, das kein Sterbezimmer war. Im Zimmer schrie mein Alter: Komm schnell, schreib's auf.

Was, fragte ich mit dem Blick auf das Tablett mit seinem Fraß, und dann entdeckte ich, daß mein alter Herr unter dem Bett und nicht im Bett lag.

Es war, sagte er, kein Anfall, nein, aber zum ersten Mal sei ihm Holden am Nachmittag erschienen.

Wann, fragte ich, Holden sonst erscheine?

Pünktlich, aber nicht regelmäßig, sagte mein Alter da unter dem Bett, den Kopf hinter einem würdigen pot de chambre, einer Wiener Arbeit, wie mir später gesagt wurde, exakt zwischen null und ein Uhr. Der Geist habe diese Zeit wegen der Erdumdrehung gewählt.

Was hat die Erdumdrehung damit zu tun, fragte ich.

Sei nicht so entsetzlich begriffsstutzig, sagte K. sen. Wie jedermann wisse, setze die Erdumdrehung alle achtundvierzig

150

Stunden für eine milliardstel Sekunde aus. Das wüßte doch jeder Idiot.

Ich seufzte und fragte, was Holden so geplaudert hätte, dazu noch an einem Nachmittag.

Hilf mir ins Bett, sagte mein alter Herr und krabbelte wie eine Raupe auf den Läufer vor dem Nachenbett.

Ich kann, sagte er, jetzt nicht darüber sprechen. Es sind dies alles sehr merkwürdige, zum Teil unverständliche, ja kryptische Botschaften, und der Ton, in dem sie mitgeteilt werden, erleichtert das Verständnis nicht. Holden, erklärte mein Vater, als er wieder im Bett lag, ist ein sehr starker und eigensinniger Geist.

Papa, sagte ich mit unmenschlicher Geduld, es gibt weder Engel noch Geister.

Ich sei verbohrt und phantasielos, sagte er und schwieg.

Ich band ihm eine Serviette um den Schildkrötenhals, und er löffelte mit vielen Pausen seinen Brei.

Astronautennahrung, sagte er undeutlich, und ein kleiner graugrüner Faden lief von der Unterlippe auf sein Kinn und verschwand als Rinnsal zwischen zwei Rotweinflecken auf seinem Nachthemd.

Du hast mit Fossler gesprochen, sagte er, gieß mir das Glas ganz voll, ja, so ist's gut. Er trank geräuschvoll. Was Doktor Fossler sagt, ist Mumpitz!

Was hat Holden dir mitgeteilt, fragte ich wieder.

Ist Gussjew schon aus der Bibliothek zurückgekehrt, fragte der Alte und sah unbewegt zur schmutzigen Decke.

Keine Ahnung, sagte ich, ob er im Augenblick noch etwas brauche.

Danke, danke, sagte er abwesend, er sei versorgt.

Wann soll ich einziehen, fragte ich resigniert, noch heute oder morgen? Und ich hätte keinen Pfennig Geld mehr.

Morgen, sagte der alte Kacz, zieh' morgen ein. Du bekommst

das große Biedermeierzimmer im 2. Stockwerk, genau über mir; aber kaufe dir gefälligst Puschen, ich meine Pantoffeln. Und Geld, Geld findest du im zweiten Nachttisch vor dem Paravent, rechts von der Tür. Und nun laß mich allein. Ich muß denken.

Im Nachttisch fand ich einen Schuhkarton, in dem ein paar klebrige Rollen Geld lagen, mit Gummibändern umwickelt. Ich nahm mir eine Rolle und verschwand dann, um in die City zu fahren. Der Furor Mitleid hatte mich wieder, allerdings ruhte er gepolstert auf einer feisten Rolle blauer Hundertmarkscheine.

20 Ungeheuer ist viel. Doch nichts ist ungeheurer als der Mensch, sagte wohl mal der alte Sokrates, aber es kann auch Antisthenes in einer schwachen Minute gewesen sein. Der Satz hat, von seiner schönen Figur abgesehen, einen gewissen Wahrheitswert; denn ich habe nun endlich Dr. Gussjew kennengelernt und mußte mich einen Tag von ihm erholen. Nach dem Kleruskalender der Schwestern Plummer war es der Gedenktag einer Heiligen Katharina, ich packte mein leichtes Gepäck aus und reiste zum dritten Mal ins Vaterhaus, selbstverständlich mit einem Taxi.

Wir fuhren auch an der berühmten Mauer vorbei, aber die sagte mir nicht viel; ich hatte sie mir irgendwie größer, höher und auch schöner vorgestellt.

Da ich mich telephonisch avisiert hatte, öffnete mir der Dr. Gussjew eigenhändig. Diesmal trug er einen himmelblauen Russenkittel und reichte mir eine dünne, langbefingerte, eiskalte Hand.

Ihr Herr Vater, sagte er, schläft, Dr. Fossler hat ihn sediert. Das Holden-Erlebnis hat ihn doch sehr stark mitgenommen, zu unser aller Leidwesen. Selbstverständlich wacht Schwester Allegra mit all ihren unschätzbaren Kompetenzen an seinem Lager wie ein Engel, pardon – und er warf mir einen kurzen Blick zu –, während Schwester Margot zu ihrer Mutter nach Düsseldorf fahren mußte. Ihr Herr Vater hat Sie wohl über unsere kleine Aufgabe informiert?

Gottlob fiel mir die ‚Prüfung‘ ein, und ich sagte ein paarmal, daß ich gern alles täte, was sinnvoll sei.

Nun ja, nun ja, sagte Gussjew und keckerte tief in der Kehle, Sinn oder nicht Sinn, das sei immer die Frage.

Wissen Sie, sagte er im ersten Stock, ich habe alles vorbereitet. Am besten wir gehen in mein Zimmer. Dort ist Papier, ein Papierkorb, zur Not steht Gebäck bereit – Sie mögen doch Russisch Brot? Und wir werden diese kleine Aufgabe schnell erledigen.

Was speziell, fragte ich, er unter einer Aufgabe verstehe?

Nun, sagte Dr. Gussjew und rieb sich die Hände, Ihr Herr Vater, der ein großer Geist ist, clare et distincte, wie der Lateiner sagt, hat mich inständig gebeten, Sie einem kleinen, einem überschaubaren Eignungstest zu unterziehen.

Eignung, sagte ich, Eignung wofür?

Wir waren vor der dritten Tür links angekommen, auf der ich eine blasse Nummer im Holz entdeckte, eine 83. Die Acht war in die Horizontale gefallen, ein Unendlichkeitszeichen, eng an die Drei geschmiegt.

Man muß die Symbole sehen, wie und wo sie fallen, sagte ich und öffnete die Tür. Auch dieser Raum war groß, die Wände mit kleinen, ziemlich wackligen Regalen bedeckt, in denen die Bücher sehr wild standen und lagen, als wäre jedes einzelne unaufhörlich im Gebrauch. Vor der Balkontür stand ein Gartentisch, davor ein kleiner Thonetstuhl ohne Bespannung; er wackelte nachgiebig und weich.

Gussjew setzte sich an seinen Schreibtisch, ein schlichtes

Büromöbel ohne Ornamente, und schlug eine schwarze Mappe aus Plastik auf.

Ich habe, sagte er, ein paar elementare Fragen vorbereitet, eine Art Fragebogen, gemäß einer Methode, die ich selbst erdacht habe. Sie basiert auf Erhebungen, die ein Geistlicher 1963 in San Quentin bei den Todeszellenkandidaten anstellte; er hieß Jordanus, beging 1972 im Affekt einen Doppelmord und wurde dann selbst auf dem elektrischen Stuhl hingerichtet. Und er starb in Gott, erste Frage:

Glauben Sie an Gott.

Nein, sagte ich wahrheitsgemäß, dieser Glaube sei mir leider nicht vergönnt. Ich hätte es oft versucht, aber es sei immer schiefgegangen. Gussjew setzte eine dunkle Brille auf, nickte ganz langsam und machte sich eine Notiz auf dem Blatt mit den Fragen.

Haben Sie homosexuelle Beziehungen unterhalten, fragte er, früher oder jetzt.

Ich sei, sagte ich, an Männern nicht sonderlich interessiert, und in keinem Fall sexuell.

Das ist tröstlich, sagte Gussjew, machte sich eine Notiz und stellte die dritte Frage:

Glauben Sie an Geister?

Tut mir leid, sagte ich, aber auch hier fehle es mir am Glauben.

Woran, fragte er, glauben Sie; ich müsse keine vollständige Erwiderung leisten, eine Aufzählung genüge ihm vollauf.

Gott, meine Güte, woran glaubte ich?

Dann fiel's mir ein und ich sagte: an das Mitleid, an das Mitgefühl und alles, was es so an Synonymen in der Klasse gebe.

Aha, sagte Gussjew und keckerte zufrieden, das Mitleid also, und ob ich Herr meiner Gemütsbewegungen sei?

Leider nicht, sagte ich, ich bin immer entsetzlich leicht gerührt, ja der geringste Anlaß genüge.

Gussjew bat mich um eine Handvoll Beispiele.

Beispiele, sagte ich, Beispiele, na, zum Beispiel sei ich immer

154

dann gerührt, wenn ich etwas Gutes läse, hörte oder empfände. Ich sei besonders dann gerührt, wenn ich eine gute Tat beginge –

Über wen oder was, fragte Gussjew, ich in diesen Augenblicken gerührt sei?

Nun, sagte ich leise, über mich.

Pause.

Dr. Gussjew lehnte sich zurück und schaukelte mit den Zehenspitzen auf dem alten, abgeschabten Teppich.

Durch das offene Balkonfenster flog eine Schmeißfliege in ihrem glänzenden Panzer aus blauem und grünem Metall, suchte sich ein Plätzchen, vielleicht um auszuruhen oder ihre gefiederten Beine zu putzen, setzte sich auf die bleiche Glatze Gussjews, etwa in die Gegend des Thalamus – von ganz oben betrachtet – und verlor ihr Leben durch den exakten Schlag seiner bleichen Hand. Der Leichnam ruhte zerquetscht auf seiner Kuppel. Und er entfernte ihn mit einem einstmals weißen, jetzt grauen, mit rostroten Flecken gesprenkelten Taschentuch. Leichnam und Taschentuch steckte er umständlich in die linke Hosentasche, nachdem er sich geschneuzt hatte.

Lieber Dr. Gussjew, sagte ich nach diesem vandalischen Akt an einem unschuldigen Tier, was sollen diese Fragen? Sehen Sie, ich bin Rationalist und weiß eigentlich immer, welchen Zweck das hat, was ich gerade unternehme oder unterlasse. Sie werden bemerkt haben, daß ich nicht den sogenannten ‚Sinn' dieser Fragen in Zweifel ziehe, aber es scheint mir – und Sie mögen mir verzeihen –, daß es diesen Fragen an einer Ordnung mangelt.

Sie haben recht, sagte Gussjew, aber leider sei das Jordanus-Verfahren eben so, wie es nun einmal sei, und es mache auf den unvoreingenommenen Betrachter immer einen etwas chaotischen Eindruck – entscheidend seien aber nicht die Fragen, sondern die Antworten.

Die nächste Frage, ich hatte die Zahl längst aus den Augen

verloren, weil ich, nach einer Boulette mit viel Senf, an einem Kiosk verzehrt, Durst litt –, lautete: Hatten Sie jemals authentische Erlebnisse mit Engeln?

Engel, sagte ich wieder, gibt's nicht.

Mein Examinator ließ dann offenbar einiges aus: Glauben Sie, daß Tiere eine Seele haben? Selbstverständlich, sagte ich, alle, ohne Ausnahme, ausgenommen vielleicht Kleinstorganismen wie Sporen oder Amöben.

Eine andere Frage, sagte Gussjew – leiden Sie unter Ihren Mitleids- oder Mitgefühlsanwandlungen?

Ich leide, wenn es darauf ankommt, sagte ich, enorm unter diesem Ansturm, der sich ja, wie Sie wissen, durch rationale Gründe nicht vollständig in Schach halten läßt.

Da machte Gussjew eine Pause, wischte sich mit dem Taschentuch die Wangen, nahm die Brille ab, betupfte die Augen und sagte: Mein lieber Alfred, ich darf Sie doch so nennen, da haben Sie gemacht eine ganz ausgezeichnete Bemerkung, in deren Lichte ich nun doch einige Ihrer Antworten neu werde bewerten müssen.

Das könne er tun, sagte ich, dagegen hätte ich nichts, aber im Grunde genommen sei es mir gleichgültig.

Was sind für Sie, fragte Gussjew nach einem Augenblick der Besinnung, ‚Gute Taten‘? Und welche haben Sie schon begangen? Sie können auch die trivialen nennen.

Ich nannte ein paar.

Ich hatte Stockton durch seinen dunklen Kosmos geführt und ihm Farben und Formen von Wolken und Wasser beschrieben; ich hatte meine Mäuse bis zu ihren überraschenden Abgängen ordentlich gepflegt; ich hatte niemals eine Frau unsittlich berührt.

Moment, sagte da Dr. Gussjew, Sie als präziser Mann, was verstehen Sie denn unter einer sittlichen Berührung im Gegensatz zu einer unsittlichen?

156

Stellen Sie, sagte ich, bitte die nächste Frage.

Nun wird es ein bißchen abstrakt, sagte Gussjew und beugte sich dicht über sein satzreiches Blatt.

Ich bat ihn um eine Erfrischung.

Verbindlich bot mir Gussjew Fruchtsaft, Tee und einen Schnaps an. Da ich nicht wußte, was noch kommen würde, wählte ich den Schnaps. Es handelte sich um einen österreichischen Schnaps, den man mit Pfeffer versetzt hatte. Der erste Schluck war furchtbar – Gussjew hatte das Zeug auf einem silbernen Tablett aus einem Schreibtischfach geholt –, der zweite ging glatt hinunter.

Stellen Sie getrost Ihre Fragen, sagte ich aufgeräumt. Zu dem Schnaps hätte ein gutes Guinness gepaßt, aber ich wollte nicht wieder stören. Es war eine so besinnliche Atmosphäre inmitten dieser sonderbaren Examinierung.

Bevorzugen Sie, sagte Gussjew, eine bestimmte Moral oder Ethik? Und wie würden Sie für sich selbst ethisches Verhalten definieren?

Man müsse das trennen, sagte ich, Moral sei die Grunddisposition und Ethik ihre Begründung; ansonsten hätte ich keine bestimmte Theorie.

Gussjew kratzte sich mit dem langen Nagel seines rechten kleinen Fingers unter dem linken Auge und stieß hörbar Luft aus.

Wir kommen jetzt, sagte er, schon zu den letzten Fragen: Wenn ein Engel ... oder ein Wesen ... oder ein Geist erschiene, Ihnen persönlich, wären Sie dann imstande, an diese Erscheinung zu glauben?

Ganz entschieden nicht, sagte ich, weil Engel oder Geister oder Dämonen nicht existierten.

Das sei immerhin eine entschlossene Antwort, sagte Gussjew, und dann stellte er endlich die Frage, die in einer stillen Kammer meines Gedächtnisses schlummerte – glauben Sie, daß Ihr Vater, Viktor Kacz, verrückt ist?

157

Ich weiß es nicht, sagte ich aufrichtig. Er schrieb mir nach England einen Brief, der zumindest auf einen leicht zerrütteten Geisteszustand habe schließen lassen. Aber ich sei weder Arzt noch Analytiker, so daß ich diese Frage nicht befriedigend beantworten könne.

Glauben Sie, daß Ihr Vater Alkoholiker ist, fragte Gussjew nach einer langen Pause, in der er in den wilden Garten starrte.

Wie ein kluger Freund aus England namens Clemm einmal sagte, behauptet ein Alkoholiker immer, daß er keiner sei; nur in den Stunden der Nüchternheit und des Katers räume man sich ein, vielleicht einer zu sein, aber schon der erste Schluck zerstreue dieses Gefühl, und nichts bleibe von ihm übrig, als vielleicht ein sehr kleines, verstörtes Moralempfinden gegenüber der Leber, war meine vollständige Antwort.

Ist für Sie, lieber Alfred, irgend etwas auf der Welt tragisch, fragte Dr. Gussjew, aber bitte denken Sie über diese Frage nach.

Oja, sagte ich, das sog. Tragische sei ja wohl immer eine Frage des Standorts, der Definition und des persönlichen Unterscheidungsvermögens. Was für den einen tragisch sei, könne für den anderen lächerlich sein.

Der Philosoph Pieper, sagte Gussjew, definiert Tragik auf die folgende Weise: außergewöhnlich schweres, schicksalhaftes, Konflikte, Untergang oder Verderben bringendes, unverdientes Leid, das den außenstehenden Betrachter durch seine Größe erschüttert. Stimmen Sie dieser Definition zu, Alfred?

Sie hat was, sagte ich, aber über das Tragische hätte ich noch nicht so richtig nachgedacht.

Dann trank ich einen Schnaps und suchte nach Zigaretten.

Sagen Sie mal, lieber Dr. Gussjew, rauchen Sie?

Er habe keine Zigarette mehr angerührt, sagte er, seit ihn mein Herr Vater, der ein großer Geist sei, in dieses Haus gerufen habe.

Welche Rolle spielen Sie hier, fragte ich.

Ich bin, sagte Dr. Gussjew bescheiden, eine Art Privatsekretär, und er legt großen Wert auf meine spirituellen Kontakte ... auf meine Erfahrungen, die ich in einem leidvollen Leben ... äh ... durchleiden mußte ... äh – und durfte, nehmen Sie noch einen Schnaps.

Gussjew, sagte ich, sagen Sie mal, geht das Bestattungsgeschäft? Ich meine, funktioniert oder floriert es? Kurz, wirft es etwas ab?

Im Augenblick, erwiderte Gussjew, herrsche eine kleine Flaute, aber die sei, allgemein und statistisch gesehen, nicht beunruhigend, in Zeiten einer Krise oder eines Wechsels oder der Rezession sei die Sterbefreudigkeit aus unerfindlichen Gründen auf einem sehr niedrigen Level.

Mir gingen viele Gedanken durch den Schädel. Soso, sagte ich, ist sie das ...

Draußen wurde es ziemlich dunkel. Die Bäume im Garten, die ich immer noch nicht besucht hatte, schüttelten ihre Zweige unter heftigen Windstößen. Die Fensterflügel klapperten, und irgendwo schlug ein Fenster mit einem kleinen Donnerschlag zu.

Ein Gewitter, sagte Gussjew freudig bewegt, stand auf und ging an das offene Fenster. Der Widerschein eines Blitzes illuminierte seinen kahlen Schädel und den schwärzlichen Haarkranz, der an den Spitzen grau meliert war.

Ich habe, sagte er, von jeher eine Schwäche für erhabene Naturschauspiele wie Gewitter, Feuersbrünste im Wald, Erdbeben und Überschwemmungen, Vulkanausbrüche, Blizzards und Hurrikans – natürlich immer betrachtet aus einer angemessenen Entfernung; leider war es mir nur selten vergönnt, sie in dieser uneingeschränkten Unmittelbarkeit zu bewundern, nur einmal, in den sechziger Jahren, erlebte ich ein anspruchsloses kleines Erdbeben in San Francisco, auf der Richterskala ähnlich niedrig wie unsere augenblickliche Mortalitätsquote. Sehen Sie nur, wie das zarte Geäst vom Wind verwirrt und vom Regen dunkel wird und erschauert, sagte er und winkte mich an das Fenster. Es war nicht mehr zu sehen als ein mittelprächtiges Gewitter. Und da mußte ich eine Beobachtung machen, die mich erschütterte: Dr. Gussjew flossen Tränen über das Gesicht, unverkennbar echte Tropfen, die den Schatten seiner dunklen Brille verließen, die Nasenflügel entlangpilgerten und dann über seinem Kinn absprangen. Und aus einem seiner Nasenlöcher quoll langsam ein purpurrotes Tröpfchen Blut, so ähnlich, wie ich es schon einmal auf einem Gemälde über die Peinigung des Heiligen Sebastian gesehen hatte, ja, es war ein vollkommenes Tröpfchen, das dem guten Doktor da langsam entfloh.

Meine Güte, dachte ich während eines veritablen Donnerschlags, der Mann ist gerührt; und es sieht so aus, als tropften Blut und Tränen auf eine nicht mechanische Weise, sozusagen im Einklang mit dem Aufwand, den die Emotion eben gerade erforderte.

Mann, Gussjew, sagte ich, warum und weshalb sind Sie denn gerührt?

Es sind, sagte Gussjew mit fester Stimme, diese herrlichen Schauspiele der Natur, die mich hinreißen. Leider ist immer Nasenbluten dabei, was in gewissen Situationen mehr als lästig ist, aber man kann nichts dagegen tun. Ich habe schon viele Kapazitäten, auch in Amerika, konsultiert, aber es gibt keine stimmige Diagnose für dieses Phänomen.

Moment, sagte ich, und ein gewisses Interesse begann zu schwelen. Donner ist gut und auch eindrucksvoll, aber die Arbeit leistet der Blitz. Wovon sind Sie denn gerührt, wenn Sie's mal so richtig sind?

Ach wissen Sie, Alfred, sagte er vertraulich, eigentlich von allem. Ja ich leide unter allem Möglichen, ich leide andauernd, auch ohne einen bestimmten Grund. Da ist ein Grundgefühl und eine heiße Welle hinter den Augen. Und dann ergibt's immer Blut und Tränen, gottlob in geringen Mengen.

Da sind Sie nicht zu beneiden, sagte ich mitfühlend, das sei ja – mit diesen unübersehbaren Zeichen eine lästige Angelegenheit.

Wem sagen Sie das, sagte Gussjew weinerlich. Wie fing es denn bei Ihnen an? Ihr Vater Viktor deutete einmal bei einem guten Bordeaux eine ähnliche Schwäche bei Ihnen an.

Wir tranken noch einen Schnaps. Gussjew verschwand und kehrte nach langer Zeit mit einer Flasche Rotwein zurück.

Ein Château Figeac, nicht erste Klasse, wegen des Jahres, aber trinkbar, sagte er stolz.

Schwester Allegra verstecke neuerdings die Weine an den unmöglichsten Orten, zum Beispiel unter ihrem Bett, wo jetzt ein wahres Depot warte.

Wir setzten uns wieder. Ergeben fing mich der fragile Korbstuhl auf und wiegte mich in einer Erschütterung, die mein Körper erzeugte.

Gott, was soll ich sagen, natürlich kam man sich näher; Dr. Gussjew war einfach ungeheuer und, bei Licht betrachtet, nicht mehr ganz nüchtern, eine Art von Konkurrent.

Ich fragte nach den Fragen.

Ach Alfred, sagte er, Ihr Herr Vater Viktor, der ein großer, gütiger und verstehender Geist ist, bat mich, als Humanwissenschaftler sozusagen, durch diese wohlformulierten Fragen etwas über Ihre Qualifikationen in Erfahrung zu bringen.

Wessen, fragte ich korrekt, während der fossile Flaschenöffner, dessen Griff wie ein Knochen geformt war (es war aber eine Geweihstange aus Jäger- und Förster-Trinkerkreisen), seine Spirale nur widerwillig in den Korken treiben ließ.

Dessen gewiß, daß, sagte Dr. Gussjew mit großer Präzision, daß auch Sie ein ethisch hochstehender Mensch sind, mit einer unbeirrbaren Moral, die die Ähnlichkeit im Unähnlichen und die Unähnlichkeit im Ähnlichen wohl zu unterscheiden weiß.

Nach dieser Leistung – ein solcher Satz fällt nicht jedem ein, der fünf Pfefferschnäpse intus hat – reichte ich ihm ein Glas von dem Figeac, den er redlich verdient hatte. Ein bißchen Korken hatte der Wein, aber wir waren so empfindlich nicht mehr.

Ich richtete mich auf, holte mehr Luft, als notgetan hätte, und fragte Dr. Gussjew:

Was hat es mit diesem Haus auf sich? Das Bestattungsgewerbe, also das Geschäft, ist doch 'ne tote Hose, die Krankheit meines Vaters ein Witz und die Idee mit den Geistern eine Zumutung für den Rationalisten; schon der Name Ambrosia sei doch mehr als sonderbar, etymologisch gesehen und angewendet auf ein Bestattungsinstitut, und dann der Passus II von Papas Brief nach England!

Ich suchte verzweifelt nach der Papa-Epistel, fand sie aber erst nach fünf Minuten. Und da war die Stelle, die ich nicht komplett zitieren wollte, aber dann tat ich es wegen meines Freundes Gussjew ohne falsche Scham:

Die Schwestern abwesend und Dr. Gussjew kämpft in der Gasttoilette mit seinem Dämon, da erschien mir ein unrasierter Geist, eine kleine, quittegelbe Wesenheit ... ein Ding ... nicht ganz von dieser Welt – ich übergehe das jetzt, es roch nach Sulfur. Und dann kommt die Beschreibung: Die Wesenheit wabert irgendwie, sie ist unstet, hat einen opaken Kern und soll aussehen wie die Röntgenbilder eines Darms und gleichzeitig pulsieren. Und dann spricht das Ding auch noch und sagt – ich zitiere wieder, Moment, ich kann die Stelle nicht finden – jedenfalls wedelt die Erscheinung danach mit dem Schwanz und verschwindet.

Bitte, sagte Gussjew, wie lautet das Zitat dieses – Wesens?

Ich finde die Seite im Augenblick nicht, sagte ich und suchte. Dann hatte ich es. Es war, sagte ich, ein Juvenal-Zitat: Allein der Tod läßt erkennen, wie klein doch die Körperchen der Menschen sind.

162

O mein Gott, rief Gussjew, ich erinnere mich, das war ein sehr glücklicher Fund in einer Bibliothek, Viktor armiert sich nämlich, und wir haben keinen Wein mehr.

Wein muß sein, murmelte ich mit schwerer Zunge. Gussjew verschwand und kehrte nach einer Viertelstunde mit zwei Flaschen Figeac zurück. In der blauen Dämmerung des Gartens glitzerten jettschwarze Zweige, und eine Amsel intonierte mit vielen Pausen ein Abendlied.

Platzbehauptung, sagte Gussjew, nichts weiter, und entkorkte die Flasche Numero zwei.

Kennen Sie diesen bedeutenden Ausspruch Byrons, fragte er, kurz nachdem er den abgesoffenen Shelley in der Bucht von La Spezia am Strand crémierte? ‚Im Leben ist das Beste nur der Rausch‘.

Wir tranken und wir rauchten. Gussjew war der Versuchung erlegen und mußte nach dem ersten Zug furchtbar husten.

Sie werden sich wieder daran gewöhnen, sagte ich voller Mitgefühl.

Als ich aufstand, um mein Tweedsakko zu suchen, verfing sich einer meiner Füße in einem Loch des Teppichs, und ich stürzte, samt Glas in der einen und Zigarette in der anderen Hand, auf einen Lederpouff, der nach Zimt duftete.

Sie haben sich etwas getan, sagte Gussjew teilnahmsvoll, wie gut ich Stürze nach Erfrischungen kenne. Einst, in meiner Jugend, trank ich einmal auf Kreta zuviel Retsina, ein grausames Gesöff, und stürzte eine Treppe hinab, tat mir aber nichts wegen spezieller Schutzengelaktion. Tut weh?

Es geht, sagte ich, krabbelte auf allen Vieren zum fragilen Stuhl und setzte mich wieder.

Hier ist ein neues Glas und auch eine neue Zigarette, sagte Gussjew. Was verachten, fürchten und verabscheuen Sie am meisten auf der Welt?

Das gehöre nicht zu allgemeinbildenden Fragen, sagte ich und

163

atmete die gute Regenluft ein, aber ich könnte, so sagte ich nach einer langen Pause, irgendwann eine Liste anfertigen; in diesem Zustand brächte ich nicht mehr viel zusammen.

Sind Sie gerührt auch von amerikanischen Filmen, fragte der Gastgeber aus weiter Ferne, wie mir schien.

Je dümmer und trivialer, sagte ich stockend, um so größer der Aufwand der Rührung.

Allgemeinbildung, meine, sagte Dr. Gussjew, ehe meine persönliche, objektive Erinnerung abrupt aussetzte. Sie werden wissen, daß ein solcher Ausbruch dem Subjekt exakt 28 Tränen entpreßt, pro Leben vergießt man 65 Liter Tränen aus 28 haardünnen Kanülen, und sie sind so salzig wie der Nil in Suez.

Was ich antwortete, kann ich beim besten Willen nicht mehr rekonstruieren. Als ich aufwachte, lag ich in meinem alten Kinderzimmer, ein vergessenes Reich.

21 Da lag ich nun auf dem Rücken unter einem dicken Pfühl, den Schädel in einem allzu weichen Riesenkissen mit zwei bedrohlichen Zipfeln neben meinen Ohren. Eine kleine Tiffanylampe auf kupfernen Löwenbeinchen stand am Kopfende auf einem Messingtisch, der bunte Schirm produzierte ein Regenbogenmuster in Form eines Trapezes auf die weiße Tapete mit den blassen Blumen.

Aus unerfindlichen Gründen ließen sich meine Extremitäten nur schwer bewegen; die großen Zehen an den Füßen waren gottlob opponierbar. Im Kopf rotierte eine glühende Kugel bei jedem Lidschlag, bei geschlossenen Augen ergaben sich viele Farbsensationen mit feurigen Sternschnuppen in rötlicher Dunkelheit. Es war natürlich nicht mein altes Kinderbett, sondern ein anderes aus Mahagoni mit gedrehten Säulen, und auch das Zimmer stimmte nicht, aber alle Objekte waren traulich versammelt, die Ruinen meiner zerstreuten Interessen, und schlummerten in einem unmäßig großen, weiß lackierten Regal. In der ersten Reihe von oben saß eine ganze Truppe Teddybären in diversen Größen und miserabler Verfassung. Einigen fehlten die Glasaugen, die Arme oder Beine, besonders die Einäugigen glotzten mich mißbilligend an. Ich hatte sie verlassen, und sie hatten recht. Eine Armand-Puppe namens Armgard, eine hübsche Brünette mit einem Schmollmund und zwei winzigen Schneidezähnen, starrte mich aus gänseblauen Pupillen an. Die Rücken der Kinderbücher im Fach darunter waren gleichgültig, niemand auf der Welt würde sie je wieder aufschlagen. In einem Buch, Rosa von Tannenburgs *Genoveva,* schlief, seit Jahrzehnten ungeküßt, eine Schwarzweiß-Photographie von Leslie Caron.

Fach drei, die Sammlung Wiener Tierbronzen: Löwen, Leoparden, Kamele und ein Laubfrosch, der unproportionierte König dieser Gruppe, größer als das Kamel. Ich weiß es wieder, es war kein Kamel, sondern ein Dromedar. Die anderen Objekte zeigten mir die kalte Schulter, auch das alte Epidiaskop, mit dessen Hilfe ich Pyramiden, Sarkophage, nackte Frauen und gerichtsmedizinische Photos vergrößert auf der weißen Tapete zwischen zwei mordshäßlichen grauen Sesseln betrachtet hatte; die Sessel standen immer noch unbewegt und warteten auf Besuch. Dann tauchte ich eine Weile unter die Oberfläche des Bewußtseins; als ich die Augen öffnete, fiel der Blick auf das vierte Fach, in dessen Tiefe ein kleiner Bally-Karton stand mit ca. 100 wunderschönen Glasmurmeln, inklusive einer großen Kugel mit einer Schneeprinzessin in goldenen Pantoffeln.

Nach einer neuerlichen Dämmerstunde erschien ein Engel mit Locken in einer Schwesterntracht oder mit einer weißen Schürze; die Details dieses Nachmittags sind schwer zu entziffern.

Da beugte sich ein schönes, bleiches Gesicht mit dunklen Augen über mich und fragte etwas, was ich nicht verstand. Dann kam das Gesicht näher, und – doch ein schönes Detail – ich sah die dreieckigen Nasenlöcher, eine volle blasse Unterlippe und atmete den Duft von Mitsouko.

Durst, sagte ich, und sie verschwand. Nach langer Zeit des Dämmerns lag ich mit unruhigem Puls auf dem Lager, bis der Dr. Fossler erschien, in der Hand ein Glas Mineralwasser.

Werden Sie, fragte er, nachdem ich getrunken hatte, öfter nach Alkohol-Konsum einfach ohnmächtig?

Nein, sagte ich aufrichtig, ich sei gut bekannt mit dem sog. Blackout, aber Ohnmachten seien mir unbekannt.

Wir werden den Alkohol komplett absetzen, sagte Dr. Fossler, und jetzt schlafen Sie; wissen Sie, so ein Figeac enthält mitunter doch mehr, als man ahnt. Gute Nacht.

Der Doktor hatte nach Kukident gerochen; nach einer halben Stunde wachte ich wieder auf, und ich roch Wein und Zigarettentabak; es war mein Freund und Gastgeber, der gute Dr. Gussjew, der mich aufgehoben, wiederbelebt und sodann gebettet hatte.

Sie fielen einfach, sagte er, plötzlich vom Stuhl. Aber bei vier Schichten alter Teppiche kann nicht viel passieren.

Ein dicker schokoladenbrauner Bär fiel aus dem Regalfach, stürzte mit ausgebreiteten Tatzen auf den Bauch und gab ein sonores Quaken von sich.

Dr. Gussjew traf beinahe der Schlag; er zuckte zusammen und biß sich auf die Zunge.

Dann beruhigte er sich, hob das Tier auf und legte es wie einen Kranken auf den Rücken in das Regal zurück.

Morgen, sagte er, mein lieber Alfred, ist ein großer Tag. Holden hat Viktor, Ihrem Vater, einige ungeheuerliche, in seinen Konsequenzen nicht abzuschätzende, ganz unkalkulierbare Eröffnungen gemacht. Ihr Herr Vater hat alles durch Schwester Margot nachträglich protokollieren lassen, und morgen findet nun eine Sitzung statt. Viktor bittet Sie, morgen früh in Ihre Hotelpension zu fahren, Ihr Zimmer dort aufzulösen und komplett mit Ihrer Habe hier einzuziehen, nicht als Gast, so drückte Viktor sich aus, sondern als Sohn des Hauses, als Interpret und als Spezialist für die Kommunikation.

Und, Alfred, er fragte sehr nach dem englischen Toaster.

Am nächsten Morgen verließ ich das gastliche Vaterhaus, fuhr in die Fasanenstraße, und die weißen Umschläge dreier Briefe leuchteten auf dem Schreibtisch meines Zimmers.

Der erste war von Dr. Searl, der zweite von der Witwe Hawkins und der dritte – ich mußte mich setzen, so schwindlig wurde mir einen Augenblick – von den Schwestern Plummer. Den Plummer-Leckerbissen hob ich mir auf und öffnete den Brief der Witwe.

Lieber Alfred, mußte ich lesen, der Kater ist auf der ganzen Linie eine Enttäuschung. Er ist ein stattliches, männliches Tier mit einer rosigen Nase, und alle finden ihn niedlich, aber das ist keine Kämpfernatur. Ich weiß nicht, was Ihnen Dr. Stamp verkauft hat, aber er ist kein Killer. Ich kaufte ihm eine weiße Maus im Zoogeschäft und sperrte beide in die Besenkammer. Nach einer halben Stunde habe ich nachgesehen, und was glauben Sie, welcher empörende Anblick sich mir bot: Der Kater hockte zitternd im Besenschrank, das Gesicht mit seinen aufgerissenen, knallrunden gelben Augen unter den Staubfäden eines alten Mobs, und vor ihm saß diese weiße Maus und putzte sich mit beiden Vorderpfoten die Schnurrhaare. Ich bin fest entschlossen, Dr. Stamp zu verklagen. Wer einen Killerkater im Haus braucht, benötigt kein Sensibelchen, und sensibel ist das Tier bis ins Mark. Fällt ein Blättchen im Garten, White Devil – was für ein Name für dieses Weichei –, er flieht und bekommt einen dicken Schwanz. Und letzthin, im Garten, verfolgte ihn eine Hummel. Freilich, springen kann er, aber nur aus Angst. Einmal setzte sich eine Fliege auf seinen Kopf, und er sprang aus dem Stand kerzengerade mit allen vier Pfoten in die Luft und landete in den Levkojen. Wann kommen Sie zurück? Ich habe vier Interessenten für Ihr

Zimmer, und Sie schulden mir noch anderthalb Monatsmieten. Wenn Sie nicht in drei Tagen wieder hier sind, vermiete ich Ihr Zimmer anderweitig. Und wenn ich das machen muß, was soll dann aus Ihrem Krempel werden? Wenn Sie nicht wieder erscheinen, dann pack' ich alles in die großen Kartons und tu' sie in den Keller. Trotz alledem denke ich gern an unsere gepflegten Unterhaltungen. Sie sind ein sehr guter Zuhörer, aber meschugge irgendwie. Das macht nichts, die meisten Menschen sind meschugge. Aber Sie sind's besonders, das sagen auch die Schwestern Plummer. Ist Ihr Vater schon hinüber? Das zieht sich manchmal. Als mein Gatte, der Wissenschaftler, Sie wissen schon, abging, hatt's auch lange gedauert, obwohl er's wollte. Aber vor Gott zählen die Wünsche der Menschen gar nichts, das weiß ich jetzt.

Mir ist ein Engel letzte Nacht erschienen, mit Bart, was ungewöhnlich ist, aber so Flaumfedern und Schmuckfedern hatte er schon irgendwie, das war wohl korrekt, und hat mir den Sherry und überhaupt Alkohol verboten, was ja nicht ganz falsch ist, aber wo käme der Mensch wohl ohne Alkohol hin – eben auch dahin, wo er nicht hinwill –, bedenkt man's mal richtig. Auf den Schreck habe ich erst einmal eine ganze Flasche Tawny-Port trinken müssen; der bärtige Engel hat dann 'ne Fliege gemacht, aber was soll's, wenn er beleidigt war.

Trinken Sie noch soviel? Ich meine, Sie vertragen den Alkohol ganz gut, aber vielleicht sind Sie mit Ihren Abhandlungen nie zu Potte gekommen, weil er doch einen Schaden anrichtet. Ich soll Sie von Harding und Casullo grüßen, der eine Lebensmittelvergiftung hatte. Sie werden sich an seinen ewigen Tuppertopf im Kühlschrank erinnern, in dem ist irgendwas faul geworden, aber Casullo hat's zu sich genommen und kroch mitten in der Nacht im Flur herum und hat so furchtbar gereihert, daß ich gar nicht weiß, woher er das alles genommen hat, so als Menge betrachtet, und es war gelb und grün. Es war eine ganz blöde Sauerei, bis der Krankenwagen kam. Sie haben ihm den Magen ausgepumpt, und ich hab' ihn dann besucht, zusammen mit Harding, und Casullo hat gesagt, er rührt sein Lebtag keinen Tuppertopf mehr an mit seiner Spezialnahrung, so eine Art Nährbrei mit Vitaminen und all dem Zeug. Zu gesund leben ist eben auch schlecht und macht krank. Herzliche Grüße.

Ihre Rose Hawkins.

PS. 1 Und denken Sie ans Geld, wenn Sie wiederkommen.

PS. 2 Gibt es denn wohl eine Medizin für den Kater, die die natürlichen Killerinstinkte weckt? Der Killerinstinkt ist natürlich und angeboren, was mein toter Gatte immer bestritten hat. Aber das hat er jetzt davon! –

Ich fand, insgesamt, die Nachrichten der Witwe erfrischend und sehnte mich zurück in den Dunst der Pension.

Dann nahm ich mir den Brief von Dr. Searl vor. Seine Handschrift auf dem Luftpostumschlag sah aus, als habe er jeden einzelnen Buchstaben neu erfinden müssen. Die meisten lehnten sich wie Betrunkene aneinander, andere schwebten über der schiefen Reihe, als wollten sie davonfliegen. Das zarte, blaue Papier roch stark nach Spiritus, und mir schwante Unheil, das der Brief leider bestätigte; Dr. Searl hatte einen schweren Unfall gehabt und lag nun sehr bandagiert im Medical Center, ‚kein Einzelzimmer‘, schrieb er gekränkt so gut wie diagonal, ‚im Nebenbett liegt ein Protestant!‘

Lieber Alfred, schrieb das liebenswürdige Wrack, mein Herz schlug in den letzten zehn Jahren an die 370 Millionen mal, und abgesehen von einer kleinen Überdosis Gin zur Unzeit, stieß mir niemals etwas Ernstliches zu. Last saturday wollte ich Zwiesprache mit meinem Dodo halten – You remember die Holzkiste neben dem Paravent – und befreite ihn aus diesem Grund aus seinem Gefängnis, setzte ihn auf den Schreibtisch und putzte ihn. Seine Nasenlöcher waren furchtbar staubig, seine Augen verschleiert, und ich reinigte sie mit ein wenig Dispersionsöl, damit wir einen guten Blicke-Kontakt haben konnten. Auch seine breiten Füße mit den kurzen Beinen (die sein Unglück waren oder war es vielleicht doch seine Indolenz?) waren unsauber, ja, und dann strahlte sein Gefieder, und wir hielten Zwiesprache, die von five o'clock bis später dauerte. Ich möchte die Unterhaltung lieber nicht wiedergeben, aber sie war sachlich, ernst und getragen von gegenseitigem Vertrauen.

Leider wollte ich mir etwas zu trinken besorgen, während des Blickes, den ich mit dem alten Dodo austauschte, und so verwechselte ich zwei Flaschen von ähnlichen Körperformen, nämlich die Flasche mit dem Port und eine andere, in die ich einmal für Notzeiten mit Wermut verdünnten Spiritus gegossen hatte; Gott, früher waren wir stark und vertrugen auch starke Getränke. Mrs. Seraphim, einstmals eine Geliebte, die mich wegen der Eifersucht auf den Dodo verlassen hat, leistete Erste Hilfe, goß Unmengen Milch mittels eines Trichters in meinen Schlund und brachte mich dann in ihrem kleinen Morris zum Medical Center. Alles in Ordnung! Aber die Magenschleimhaut ist irgendwo perforiert, und ich werde wohl sterben. Nun habe ich eine Bitte, lieber Alfred, kommen Sie so rasch wie möglich nach Brighton, wenn Sie Ihre Studien in Berlin abgeschlossen haben werden. So lange halte ich in jedem Fall durch, ich war schon immer ein Willensmensch auf beiden Füßen. Bringen Sie mir bitte eine Tischlampe mit, die sich von einem Akku ernährt. Die Steckdosen sind allzu weit entfernt von meinem Bett.

Wie geht es Ihren Senk-, Spreiz-, Plattfüßen? Sie müssen sie hüten, denn alle Schäden an Subjekten gehen immer von den Füßen aus.

Hier ist die Lage so: leider kein Einzelzimmer, und im Nebenbett liegt ein Protestant. Nun, ich ertrage, selbst in meinem Zustand, kranke Christen, aber was zuviel ist, ist zuviel. Wirklich too much! Den lieben langen Tag spricht er ins Leere und sagt immerfort, ich übersetze: Ist Gott oder ist er nicht? Geh ich dahin oder nicht?

Die Leselampe brauche ich für meine Lektüre; ich versuche gerade ein Buch zu lesen mit dem sehr einleuchtenden Titel *Die seelischen Kosten der Arbeit* von einem gewissen Dr. Cherubim Kater, einem amerikanischen Psychiater.

Die Lektüre fällt mir schwer, weil sie in diesem Doppelzimmer das Licht um 22 Uhr ausschalten. Fernsehen wäre erlaubt, aber ich habe dem Apparat den Strom entzogen, indem ich ihm – der Protestant war auf dem Klosett – Leitungswasser zwischen seine dünnen, schwarzen Plastikrippen goß. Als man ihn einschalten wollte, ist er sofort gestorben, und ihm entfloh ein bißchen Rauch.

Ich sorge mich um meinen Dodo. Er müßte wieder zurück in seine Kiste, weil ihn die Außenwelt ängstigt; Sie kümmern sich um ihn? Eine Putzfrau müßte für's Haus auch bestellt werden; meine Exgeliebte Molly Seraphim würde es nie tun, sie haßt Schmutz, vor allem meinen Schmutz.

Woran leidet Ihr Dad? Ist's reine Demenz, ein glatter Alzheimer oder nur eine zerebrale Gefäßsklerose? Gürtelrosen sind schmerzhafter, allerdings nicht für die Umgebung des Kranken, das sage ich als Praktiker.

Lesen Sie den Spatz, wenn der alte Herr den Pick hat, der ist Schwund-, also Atrophiespezialist und hat schöne Sachen darüber geschrieben. Aber auch Allison ist nicht schlecht, den ich einmal anläßlich eines Kongresses in London kennenlernte. Das Werk hieß, glaube ich, *Aktive Behandlung der Altersdemenz.*

Aber, Alfred, mein junger Freund mit dem Alkoholproblem, Demenz ist nicht gleich Demenz, und die meisten Menschen sind irgendwie dement, und ist es doch der Pick, du liebe Zeit, den Verfall der Sitten und Werte, Antriebsschwäche, die Zeichen triebhafter Enthemmung und den Verlust affektiver Steuerung sehen wir auf der ganzen Welt verbreitet. Das ist kein Unglück, wenn man den Patienten heiter stimmt, ihm Alkohol gibt und ein paar hübsche Krankenschwestern. Auch Vorlesen hilft und lenkt ab. In vier Minuten wird uns wieder das Licht entzogen.

Schöne Grüße. Ihr Jonathan Searl.

Eine sonderbare Lage. Der Orthopäde lag in Brighton und wollte sterben, während K. sen. in Berlin lag und es partout nicht wollte. Ich beschloß sofort, Searl zu schreiben, und verwarf es dann wieder. Ich hätte ihn doch nur enttäuschen müssen, denn ich konnte ihn unmöglich besuchen. Eine andere Idee war effektiver; ich würde den Schwestern Plummer schreiben oder Mrs. Hawkins, die den Kranken besuchen und den Dodo in Sicherheit bringen könnten.

22   Und dann, dann öffnete ich den azurblauen Briefumschlag der Schwestern Plummer, E 1 und E 2, dem der zarte Duft von Esterhazy entströmte.

Lieber Alfred, schrieb das liebliche Pärchen, wie geht es Ihnen, erging es Ihrem kranken Dad und dem Morbus Pick? Ich hoffe, alle (unleserlich) wohlauf. Wie war die Beerdigung? Wir hätten auch beinahe eine gehabt, weil Harding seine Libido-Theorie an einem falschen Objekt ausprobiert hat, wie er uns im Krankenhaus sagte. Er lag in der Orthopädie, und wir wollten natürlich wissen, was schiefging und ob in der Theorie oder der Praxis, weil seine Theorie unausgereift war, aber er sagte, er könne nicht darüber sprechen. Schade, aber Harding sah aus, als habe er ein Gespenst gesehen. Wir brachten Sweets mit, aber er lehnte alles ab. Wir denken, er hatte Fieber, aber welches, denn es gibt ja viele Arten von Fieber. Wir saßen ruhig an seinem Bett, die Sonne schien, die eine links, die andere rechts von ihm, und er sah uns an, zuerst mich und dann sie, immer abwechselnd, und sagte in einem so zweifelnden Ton der Reihe nach:

Ich liebe Dich,

Du liebst mich?

Geliebte, liebe mich!

Liebende, ich liebe Dich,

Nimm mich Dir!

Gib Dich mir!

Das klang wie Gesang, aber der Sänger war krank irgendwie. Nach der vierzehnten Wiederholung sind wir dann gegangen.

In der Bibliothek ist auch etwas passiert, und zwar am 12. April – voller böser Ahnungen suchte ich auf dem Blatt Butcher das Datum, und in der Tat, es war ein Zwölfter, ohne Monatsangabe – brannte es im ersten Stock, in der philosophischen Abteilung. Es war nur ein kleiner Brand, aber zwei Fächer, mit den Buchstaben HE bis LA sind beinahe verkohlt, und nur das beherzte Eingreifen von Mrs. Kapulski mit einem Blecheimer aus der Bibliothekstoilette konnte größeren Schaden verhindern.

Und wissen Sie, wer HE bis LA verbrennen wollte? Niemand anders als unser guter, harmloser, polyglotter Oshima, der ruhig auf der Fensterbank saß und eine Zigarette rauchte. Sonja fragte ihn natürlich warum und wieso, und Oshima sagte auf deutsch:

Ich konnte sie alle nicht mehr sehen, wie sie ruhig und selbstgewiß in ihren Büchersärgen einem ungewissen Ruhm entgegenschlafen.

Ein rätselhafter Satz, finden Sie nicht. Wir erzählten die ganze Geschichte Swanson, mit dem wir uns übrigens verlobt haben, und der sagte, die Bemerkung Oshimas enthielte einige logische

Unstimmigkeiten im Hinblick auf Sinn oder Bedeutung des Satzes.

Sonst gibt es nicht so besonders viele Neuigkeiten, die Sie interessieren könnten. Stockton hat seine alte Mutter an einem nebligen Tag vom Südquai stürzen wollen, kam aber irgendwie in Konflikt mit seinem Stock, stolperte, fiel ins Wasser und wäre um ein Haar selbst ertrunken. Seine Mutter hat ihn gerettet und ihm verziehen. Als wir sie besuchten, sagte sie: Diese Blinden finden sich auf dem Land einfach nicht zurecht. Sie will ihm jetzt einen Blindenhund aus der Zucht von Dr. Stamp schenken, ein Weibchen aus einer deutschen Schäferhundfamilie mit Stammbaum, und wieder heiraten. Ob sie dann alle zusammenwohnen, das hat sie nicht gesagt. Casullo hatte eine kleine Lebensmittelvergiftung und ist jetzt wieder wohlauf. In der Nacht davor hat er uns einen Brief geschrieben. Es war ein Liebesbrief, aber ein schweinischer, und wir waren ganz erstaunt, daß Casullo derart viele perverse Dinge kennt, die wir nicht nennen wollen. White Devil ist ein ganz süßer Kater geworden, schneeballweiß und rund wie eine Kugel, aber er fängt keine Mäuse, zum Kummer von Witwe Hawkins, aber es gibt auch keine mehr zu fangen, seit Sie abgereist sind, ein wahres Mysterium, wo es doch früher so viele von ihnen gab ...?

Wie geht es Ihrer Libido? Wir haben uns oft über den schönen letzten Abend unterhalten, und wir sind zu dem Schluß gekommen, daß Sie eigentlich ein ganz attraktiver Mann sind, der zu viel trinkt, viel zu entlegene Interessen hat und zu schüchtern ist. Wann kommen Sie wieder?

Herzlich,

Ihre Schwestern Plummer (E 1 und E 2).

Ich sammelte meine vier Sinne, beruhigte das arme Herz mit einer großen Dosis Büchsenguinness und überdachte die Lage; wie konnten sie, dachte ich, die Tatsache ihrer Verlobung nur so beiläufig mitteilen – in einem Nebensatz. Und was sollte das ‚wir', denn sie konnten sich ja unmöglich beide mit dem widerlichen, behaarten, blonden Geisteswissenschaftler verlobt haben.

Korrespondenz dieser Qualität muß man sofort erledigen. Und so setzte ich mich hin und schrieb zuerst Madam Hawkins:

Und wenn ein Kater, wider seine Natur, pazifistisch gesonnen ist, so ist diese Tatsache begrüßenswert. Killer, liebe Mrs. Hawkins, gibt es genug, vor allem unter den Menschen. Haben Sie einmal bedacht, daß des Katers Unschuld genetisch bedingt sein könnte? Vielleicht sollten Sie sich einmal um seine Familie kümmern, ist doch gerade die Genealogie hochinteressant und aufschlußreich, wenn man etwas über einen sog. Charakter erfahren will, ein Konstrukt, eine Erfindung etc.

Daß Sie mich für meschugge halten, kränkt mich nicht; auch ich fühle mich selten wohl in meiner Haut und möchte mich elementar ändern, das ist eine Tatsache wie andere auch.

Wer sind die vier Interessenten für mein Zimmer? Ich möchte es eigentlich behalten und schicke Ihnen in den nächsten Tagen 200 Pfund für vier Monatsmieten, vermieten Sie also in keinem Fall weiter.

Eine letzte Frage, liebe Mrs. Hawkins, an Sie, eine lebenserfahrene Frau: Glauben Sie oder haben Sie jemals in Ihrem Leben erfahren, daß es Geister (oder Dämonen oder Engel und dergleichen) gibt? Und wenn, wie zeigen sie sich? Wie äußern sie sich? Ich habe in Ihrer Flurbibliothek, in dem kleinen, braunen Regal mit den durchhängenden Brettern, bei einem Gang auf die Toilette einen Band mit dem Titel *Meine Erfahrungen mit den Geistern* gesehen von einem gewissen Fitzmaurice, wohl einem Anglofranzosen.

Schöne Grüße Ihres Alfred Kacz.

Dann schrieb ich an den Patienten:

Lieber Dr. Searl, Ihr Unfall hat mich bestürzt und gerührt, ja wirklich, dieses Unglück ist auf eine ganz furchtbare Weise zusammengesetzt, die Elemente des Zufalls mischen sich mit objektiven oder subjektiven Absichten, und wenn das der Fall ist – ohne Kontrolle –, kann ja nichts Gutes herauskommen. Wie hat denn Ihre Kehle den Spiritus überstanden? Hoffentlich ohne Löcher. Ich schicke Ihnen für alle Fälle eine Röhre mit 20 Frubienzym-Tabletten, die immer lindernd auf die Schleimhäute wirken. Hier in Berlin ist alles ganz entsetzlich unübersichtlich. Mein alter P. leidet, wie Sie wissen, unter der Pick'schen Krankheit, dem Morbus Pick, aber er leidet eigentlich überhaupt nicht und ist sehr munter, trinkt einen guten Rotwein und beschäftigt eine schöne und eine häßliche Krankenschwester. Effizient sind sie beide. Was ich hier tun soll, weiß ich nicht. K. sen. wünscht, daß ich in das Haus ziehe, aber ich wohne ganz ruhig und bequem in einer alten Berliner Hotelpension. Ich frage mich immer, welche Aufgaben ich im Bestattungsinstitut oder im Krankenzimmer denn hätte, aber ich kann es beim besten Willen nicht sagen.

Im Augenblick trinke ich extrem wenig und vor allem keine scharfen Sachen. Wie Sie vielleicht nicht wissen, habe ich alle meine unfertigen, angefangenen Arbeiten, die Abhandlungen und die Essays, verbrannt, und das war gut so. Wer bitte ist Dr. Cherubim Kater, der ebenfalls eine Studie *Über die seelischen Kosten der Arbeit* geschrieben hat?

Eine dumme Erfindung? Eine unverschämte Mystifikation? In jedem Fall ein Pseudonym. Kein Mensch, der denken kann, heißt auf dieser Welt Cherubim Kater. Nach einer akkubetriebenen Leselampe werde ich mich umsehen, weiß aber nicht, wann ich zur Post komme.

Für heute grüße ich Sie herzlich.

Ihr Alfred K.

PS.: Ist an der sogenannten ‚Beseelung‘ der Dinge etwas dran? Hat es damit irgend etwas auf sich? Und was wissen Sie über verbürgte Erscheinungen von Geistern? Ich weiß, die englische Literatur wimmelt von kultivierten Gespenstergeschichten, aber die gehören doch wohl zu einem infantilen Irrweg der Literatur und basieren nicht auf authentischen Erfahrungen, nicht wahr?

Habe dann adressiert, frankiert und die Briefe zum Postamt in die Lietzenburger Straße gebracht. Mir schien, als habe ich etwas erledigt, ein bißchen ausführlicher hätte ich schreiben können, den Schwestern vielleicht zärtlicher, aber was soll's, in uneindeutigen Verhältnissen faßt man sich besser kurz.

Der Berliner Verkehr hörte sich in der Hinterhoflage wie eine zahme Brandung an. In der Kastanie stritten sich Spatzen, und heute zur Teezeit suchte ein Elternpaar ein Plätzchen für die Familiengründung. Zogen dann mißgelaunt ab; der Gattin gefiel's nicht.

Ach, Familiengründung – die Schwestern Plummer waren verlobt mit Swanson, dem Athleten. Da kann man die Vorteile der Sublimation noch so gut studiert und ihren Nutzen für das Individuum und damit für die Allgemeinheit eingesehen haben, aber in manchen Situationen ist sie einfach für die Katz!

Ich suchte meine Frauenbein-Sammlung heraus, und auch ich sammelte mich, um ans Ziel zu kommen, aber aus unbekannten Gründen wirkten sie nicht mehr wie früher, alle diese wohlgeformten Beine, sorgsam aus Vogue oder Harper's Bazaar ausgeschnitten. Und so ließ ich diese Erleichterungs-und Entlastungssache sein, packte alle hundertundvier Beine wieder in meine Mappe und beschloß, Dr. Gussjew damit eine Freude zu machen, der mir ähnlich bedürftig schien.

Einen deliranten Brief (immerhin sechs Büchsen Guinness ohne Mittagessen) entwarf ich an die Schwestern: Liebe Emmy, ich liebe Dich, liebe Evelyne, ich liebe Dich auch, aber wenn ich an Euch denke, verschwindet ... – ich zerriß dieses Blatt und ging traurig ins Bett. In meinen Träumen packte ich die Frauenbein-sammlung in den Kulturbeutel und legte mich mit ihm in die alte, weiß emaillierte Wanne mit den gespreizten Füßen eines Nöck, wachte aber oft auf, immer mit dem Gedanken: Jetzt muß gehandelt werden.

23 Endlich im toten Haus.

Ich habe im zweiten Stock ein Zimmer mit blassen, rostroten Tapeten bezogen, dessen Unmöbliertheit mich sofort überzeugte; mit Gartenblick, der Garten ist eine Wildnis, aber hübsch.

Habe Mergel kennenlernt, den Hüter des Sargmagazins, das leider eine traurige Stätte des Zerfalls ist. Mergel ist ein sehr gebildeter Mann, früher Taxifahrer, Museumsdiener, Samenspender, Friedhofswärter und Amateur-Ägyptologe, ehe Kacz sen. ihm diesen Job während der Kremierung einer gemeinsamen Freundin anbot. Mergel hat einen großen, gewichtigen Oberkörper, fleischige Brüste und extrem dünne Beine. Als ich ihn das erste Mal im spärlich beleuchteten Saal sah, erinnerte er mich an eine Plastik Echnatons, des dritten Amenophis Sohn, der, eunochoid, krank und verrückt, die schöne Nofretete heiratete und sich dann dem Sonnenkult ergab.

Wir kamen uns, Mergel und ich, für meine speziellen Verhältnisse, recht nahe und tauschten uns über den allgemeinen Kultur- und Werteverfall dieser Zeit aus. Mergel bedauerte vor allem den Verfall der Sargkultur und sagte, Holz führe zu nichts. Früher, in alten Zeiten, habe man Sarkophage gebaut, ausgelegt mit Alaunschiefer, der die Verwesung befördert habe, und er nannte mit einem schwärmerischen Blick an die Decke mit den rostigen Rohren den Namen des Materials ... Alumen Schisti Linne.

Ach ja, sagte er, früher kümmerte man sich angemessen um die Toten – und ich habe auch den Eindruck, als habe es mehr von ihnen gegeben –, aber jetzt will man sie nur zum Verschwinden bringen.

Ich stimmte zu und fragte, woran das liegen könne.

An der Verantwortungslosigkeit, sagte Mergel, und seine aquilinen Nasenflügel arbeiteten, der Bestattungsunternehmer. Früher war der Unternehmer ein Kulturträger der Beseitigung, der alle jene begrub, die sich nicht selbst begruben. Das sei eine vorläufige Definition, aber sie habe etwas Triftiges.

Ich sagte, ich verstünde diesen Witz.

Mergel warf mir einen kurzen Blick aus seinen grüngrauen Katzenaugen zu und schwieg.

Dieser Witz, sagte ich, kursiere in der philosophischen Abteilung meines Colleges und ginge so: Es gibt einen Barbier in Sevilla, der alle jene rasiert, die sich nicht selbst rasieren.

Ja, wie denn, fragte Mergel, rasiert er sich denn oder tut er's nicht?

Wir standen in einem engen Gang mit einer nackten, trüben Glühbirne unter einem Gebirge von Särgen in allen Formaten.

Das sind meine Särge, sagte Mergel, ich liebe jeden einzelnen, mag er noch so alt und schadhaft sein; ich habe sie alle numeriert in diesem Wartezimmer vor der Ewigkeit. Hören Sie die Stille? Da liegen sie, stumm und deprimiert, und warten, und alle sehnen sie sich nach einem angemessenen Lebensinhalt und einer gewissen Tiefe, manche nach dem Feuer. Und ein jeder Sarg hat einen Charakter... spüren Sie's?

Außer Durst spürte ich nichts Besonderes, aber ich folgte Mergel durch alle Gänge und Nebengänge.

Da gab es seidenmattierte Särge, schwarze und weiße, die sich nach Kandelabern mit brennenden Kerzen verzehrten. In den satinierten Flächen und Kuben spiegelten sich die Körper der hoffnungsmüden Brüder. Ein kleiner, kalkweißer Sarg stand in einer Ecke auf einer Lafette und fröstelte.

Mergel entzog einem dunklen, verschlossenen Sarg den Deckel. Man sah eine makellose Steppdecke. Er richtete den Strahl seiner Taschenlampe auf die Falten und Täler des Stoffs, und aus einer fahlen Stoffwunde flogen ein paar Motten und stürzten vor Mattigkeit ab.

Das ist der erste Feind, sagte Mergel bitter, Motten, ich kenne diese Tiere aus dem ff. Sie sind empfindlich gegen Sonnenlicht, und bei einem Grad Celsius überstünden sie nur drei Wochen; aber die Kühlanlage ist kaputt. Es war eine tapfere Kühlanlage, aber sie bekam eines Tages eine Erkältung, hustete und schickte in ihrem Fieber heiße statt kühle Luft durch die Drüsen, pardon, Rohre. Motten! Baumwolle, Jute, Natur- und Kunstseide oder synthetische Gewebe nehmen die Feindeskinder, pardon, die Larven, nicht an. Man könnte die Stoffe, Bezüge, Kissen und Decken natürlich mit einer Plastikhülle schützen, aber das ist Viktor, Ihrem alten Herren, zu teuer. Inzwischen sind die Motten gegen alles resistent, Sonnenbestrahlung mögen sie, und Plastik nehmen sie auch gern an, und Insektizide beleben sie. Vor einem mürrischen, brünetten Sarg in einer Kastenform blieb mein Totenführer stehen und sagte, das sei der Behälter, den Dr. Gussjew für spätere Zeiten sich erwählt habe.

Herr Gussjew, setzte er hinzu, ist allem Prunk abhold.

Ich sah, wie eine Motte das Licht, ein bißchen Hoffnung am Horizont.

Sagen Sie, lieber Mergel, hat mein Vater sich auch schon einen Sarg ausgesucht, fragte ich en passant, von nervösen Motten umflattert. Es roch erstickend nach Mottenkugeln in diesem Magazinlabyrinth.

Ob Viktor, rief Mergel, aber selbstverständlich, oh kommen Sie, kommen Sie!

Seine Stimme war leicht und heiter geworden.

In einer Krypta stand auf der eisernen Lafette in der Tat der schönste und stattlichste Sarg, den ich je außerhalb eines

Museums gesehen habe, ein Mahagonisarg mit feuerbronzierten Griffen, geformt wie die Waden feister Putti.

Sehen Sie hinein, sagte Mergel mit Entzücken, werfen Sie einen Blick ins Innere, was sagen Sie nun?

Der Sarg war mit geschliffenem Schiefer in handgroßen Kacheln ausgelegt, die vom Sargboden bis zum Sargdeckelabschluß immer kleiner wurden. Mergel deckte den Sarg wieder zu.

Der Schiefer, sagte er, stamme aus der schwäbischen Alb, ich solle jetzt den Deckel würdigen.

Die Sichtplatte bestand, wie Mergel erklärte, aus geschliffenem Bernstein, der das Gesicht des präsumptiven Toten wiedergäbe wie auf dem berühmten, konvexen Selbstporträt im Spiegel des Malers Parmigianino. Mergels Augen leuchteten, sein rötlicher Haarkranz sträubte sich, er richtete den kühlen Strahl des Halogenlichts auf die Flanken des Traumsarges. Der Künstler hatte Fabeltiere wie Drachen, fliegende Frösche und Einhörner mit Nußholz intarsiert. Auf der anderen Seite konnte man eine Uräusschlange, eine Pyramide und an ihrer Spitze eine Maus sehen, die mit gestreckten Vorderpfoten in eine flammende Sonne flog, eingelassen als Elfenbeinzungen. Lange Zeit betrachteten wir schweigend das schöne Ding.

Ursprünglich, sagte Mergel, habe sich ein Industrieller namens Blumenfeld diesen Sarg 1932 machen lassen, von dem berühmten Kunsttischler Apota aus Bologna. Wenn ich mehr über diesen Sarg erfahren wolle, müsse ich meinen Vater fragen. Ein Höhepunkt europäischer Sargtischlerkunst, sagte Mergel träumerisch und führte mich in einen zweiten, nicht ganz so hohen Saal.

Hier, sagte er wieder bedrückt, schlummern die Wunschanfertigungen von Klienten, denen es leider nicht vergönnt war, sie endgültig zu beziehen. Hier zum Beispiel ist ein Objekt im Ottoman-Boule-Stil, für einen Potentaten aus dem Nahen Osten,

181

der leider während eines belanglosen Interfluges mit einer Iljuschin abstürzte und im ionischen Meer versank.

Das Ding sah ein bißchen überladen aus. Der ägyptische Architekt des Finalbehälters hatte versucht, das schwarze Holz wie Granit aussehen zu lassen, dem Material, in dem die Apisstiere des Alten Reiches beigesetzt worden waren.

Spüren Sie die Atmosphäre der enttäuschten Hoffnungen, fragte Mergel. Alle diese nicht abgeholten armen Särge, die da auf ihre eigentliche Bestimmung warteten, seien gekränkt und zeigten ihre Wunden, angebuffte Ecken, Löcher von Holzwürmern, eingefallene Flanken, als wollten sie sich kleiner machen, als sie sind. Und es sind Schönheiten dabei, rief Mergel, sehen Sie sich dieses Möbel an.

Ich sah nichts weiter, als eine Art Baumstamm mit einer hübschen Längsmaserung.

Der war, sagte Mergel kummervoll, bestimmt für einen alten Ethnologen, der die Begräbnissitten auf Borneo 30 Jahre lang studiert hatte und nur diese Form angenehm fand.

Allmählich fand ich die Luft ein bißchen dumpf, und es schien mir, als röche ich in dem ganz Staub und Moder etwas, was verfaulte.

Und das, sagte Mergel mit Enthusiasmus, ist der Sarg eines berühmten Philosophen, der sich leider verbrannte, bevor er endgültig umzuziehen Gelegenheit hatte; schauen Sie nur: polychromiertes Holz, und an den Flanken sind lauter platonische Körper eingeätzt. Eine herrliche Arbeit.

Ich muß, sagte ich mit schwacher Stimme, jetzt nach oben, Dr. Fossler erwartet mich.

Dr. Fossler, sagte Mergel, ist ein Mann, der die Urnenbestattung präferiert.

Wir erreichten ein neues Kellergewölbe, in dem nur ein zierlicher, weiß lackierter Sarg auf einer Lafette schlummerte. Mergel befreite ihn liebevoll von seinem Deckel. Auf einem Kissen ruhten zwei blaue, hochhackige Stiefelchen aus Leder, besetzt mit schwarz umrandeten blauen Schuppen.

Ferragamo-Schuhe, sagte Mergel mit Wehmut, sie gehörten einer Dame, die wir hier gebettet hatten, eine junge, eine schöne Dame, Autounfall, und am nächsten Morgen war sie fort und ließ ihre zauberhaften Schuhe liegen. Ich hatte sie gewaschen, die Haare gelegt und leicht onduliert – sie war eine Aschblonde –, ich hatte sie geschminkt, ach ja, und jetzt nichts mehr ... gar nichts mehr, und alles geht kaputt und verrottet, und Mergel schnüffelte feucht.

Ich verabschiedete mich. Mergels Hände waren trocken und kalt.

Alle diese armen Körper, sagte er und zeigte auf seine Kollektion, sind nicht mehr recht gesund.

Glauben Sie an Engel, fragte ich vor der steinernen Kellertreppe, die aufwärts ins Parterre führte.

Aber nein, sagte Mergel, Engel gibt's nicht. Grüßen Sie bitte Viktor. Und gute Besserung.

In der Eingangshalle, endlich wieder im Reich der Lebenden, sah ich zum ersten Mal das Schild über der Rezeption, Gold auf Schwarz:

Wenn es keine Lebenden mehr gibt, wird es auch keine Toten mehr geben.

24 Das Zimmer im zweiten Stockwerk, in das ich mich einquartiert hatte, war nicht so übel, wenn man ein paar Nachteile in Kauf nahm.

Die Dielen des Fußbodens waren schief, an der Tür war des Raums höchstes Niveau, und dann führte es unmerklich abwärts bis zum Fenster, unter dem eine Zentralheizung mit gußeisernen

Rippen hin und wieder behutsam gluckste und laue Wärme verbreitete. Unter dem Heizkörper führten zwei dicke, staubige Rohre streng parallel von links nach rechts. An der linken Wand preßte sich ein langer Tisch aus Holz mit dünnen Beinen an die Wand mit der rostroten Tapete, an der rechten Seite räkelte sich ein flaches Bett mit einer überaus beschlafenen Matratze, die einen Jammerton ausstieß, als ich mich einmal setzte. Ein dunkler Schrank mit blinden, ovalen Spiegeln, ein sehr schmales, wackliges Regal und ein Waschbecken aus Porzellan vervollständigten die Einrichtung meines neuen Domizils. Leider fehlte ein Kühlschrank. Von der schmutzigen Stuckdecke hing ein fünfarmiger Lüster. Eine 60-Watt-Birne im Sockel einer stilisierten Kerze aus Metall beschien traurig smaragdgrüne Glastränen, die bei jedem Lufthauch wie Totenglöckchen klingelten. In der Ecke hinter dem langen Tisch ruhte ein alter Fernsehapparat von Grundig, der zu meiner Überraschung – nach dem furchtbaren Nachmittag im Sterbezimmer – alte Filme und Serien zeigte, ganz unabhängig vom offiziellen Programm.

Auch Gerüche waren da in meinem Zimmer, an die man sich gewöhnen mußte. Aus der Matratze stieg der Geruch von Mottenkugeln, und aus dem Porzellanbecken drang das Odeur von alten Exkrementen; aber solche Geruchs-Korrespondenzen sind in alten Häusern nicht ungewöhnlich. Im Schrank fand ich die friedliche Mumie einer Maus neben der Wachsleiche eines Käses, einen Karton mit Photographien, eine kleine Gipsbüste Goethes und das wasserfleckige Exemplar des Bildwörter-Dudens, stark beschabt und stark bestoßen, wie der Antiquar sich ausdrückt. Ach, viele Objekte im Zimmer waren beschabt und bestoßen.

Stand ich in einer bestimmten Position zwischen Tür und Fenster, neigte sich der Schrank leicht nach vorn, öffnete seine Spiegeltüren und gab ein seufzendes Knarren von sich.

Ich legte mich auf eine rote Steppdecke, die über dem Bett lag, und dachte nach; dann stand ich auf und notierte:

Ich muß hier weg. Ich bin nüchtern. Ich muß das Haus verlassen.

K. sen. schrieb, er sei im Begriff zu sterben. Dr. Fossler sagte – und der ist eine Kapazität, er könne auch, wenn er nur wolle; aber wie es jetzt aussieht, denkt er überhaupt nicht daran, was meine Lage nicht rosig macht.

Vor der Sitzung oder dem Konvent packte ich meine Handbibliothek und die Schätze aus und legte sie nebeneinander auf den unpolierten Tisch. Das Blatt Butcher legte ich in die grüne Ledermappe zu der Frauenbeinsammlung. Den Manilaumschlag mit den schönsten Nacktphotos der geliebten Vivian Neves versteckte ich in einem Buch, das einsam in dem dürren Regal vor sich hin gedämmert hatte: *Grundformen der Verwandtschaft*, von einem gewissen Albert Schmitz. Alle Bücher legte ich so hin, daß ich ihre Titel quer lesen konnte: *Sterbehilfe leichtgemacht* von Cocksell, Honywells *Geschichte des Sarkophags*, die *Tagebücher* Pontormos, die in einer jeden Lage Trost und Ablenkung verschaffen, und endlich Samuelsons *Englisch für Kaufleute*, aus dem ein Zettel flog. Es war das beinahe leere Notizenblatt zu meiner groß geplanten Abhandlung *Körnerdiät und Exkursionswille*. Zu Vivians Umschlag legte ich die Briefe von Searl, der Schwestern Plummer und der Witwe, wie die handschriftlichen Kopien meiner Erwiderungen. Dann war auch diese Arbeit getan, und ich hängte meine Garderobe in den Schrank.

Im Haus war viel Unruhe. Mein Bett gab alle Erschütterungen über die Pfosten, den Rahmen und die alte hängende Matratze getreulich wieder; Möbel wurden unter mir gerückt, ein Stuhl fiel auf den Rücken, ein Gegenstand aus Glas fiel auf Linoleum und zerbrach nicht, die Beine eines Sessels kreischten, als er eine Ortsveränderung erleiden mußte, und direkt hinter meinem Schädel klirrten Messingringe, die einen schweren Vorhang von rechts nach links beförderten.

Die Hellhörigkeit dieses alten Hauses war ein gewisses Problem; an diesem Nachmittag schob ich das Phänomen auf meine Nüchternheit; die Sensorien funktionierten einfach besser.

Als ich hinter einem Vorhang aus Nessel, der das unterste Fach des Regals schützte, ein herrliches Sortiment alter Jahrgänge von Reader's Digest entdeckte, jener Quelle unerschöpflichen Vergnügens für geistig abgespannte Erben, klopfte es, und Dr. Gussjew bat mich mit aufdringlichen Gutturallauten und vielen explosiven Rs nach unten, in das Sterbezimmer, das keines war.

Denke ich an diesen Nachmittag, dann wäre es doch besser gewesen, sich tot zu stellen und in Ruhe das Beste aus Reader's Digest zu lesen.

25 Auf der breiten Treppe, hinab in den ersten Stock, las ich das Blatt, das mir Dr. Fossler am Vormittag in der Haupthalle mit maßlos besorgter Miene zugesteckt hatte; während der Lektüre wurde mir schwindlig, von Stufe zu Stufe ging's mir schlechter, und kurz vor dem Treppenfuß und der Stufe mit einem Brandfleck im Sisal-Teppich taperte ich so langsam wie ein Greis. Fossler hatte eine runde, kleine präzise Schrift, die darüber hinwegtäuschte, daß mit ihm wohl etwas nicht ganz in Ordnung war.

Bericht über Viktor Kacz, i. Hse.:

Ob der Kranke simuliert oder krank ist, läßt sich selbst nach zwei Jahren der Beobachtung nicht sagen. Es fehlt das letzte Glied, und das ist die Gewißheit (certainty!). Diagnostizieren läßt sich allein, daß V. K. eine Krankheit des Kopfes hat, vulgär und für den Laien gesprochen. Daß die Pick'sche Krankheit, so der Name, die sog. Persönlichkeit verändert, steht ganz außer

Frage. Aber was ist Persönlichkeit ... Lassen Sie mich weiter rekapitulieren. Wie weit nun der Pick die Persönlichkeitsveränderungen des Patienten bewirkt hat, läßt sich nicht so leicht sagen, weil der Kranke die Symptome, die typisch sind für eine präsenile Psychose, nach Belieben wechselt oder modifiziert.

Ich nehme an, ein heimliches Studium med. Lit.

Nach zwei Jahren sollten die Prägungen der Persönlichkeit durch elementare Antriebsstörungen und die Verarmung von Initiativen etc. weit stärker ins Gewicht fallen, als sie es bei diesem Patienten zu meinem Leidwesen tun. Im Gegenteil, der Patient ist voller Willenskraft – trotz des Alkohols und dessen Kontraindikation –, und er könnte, siehe meine Untersuchung vom Mai letzten Jahres, sexuell durchaus aktiv sein. Seine Antriebsenergien sind schubweise so krankhaft enorm, daß die gelegentlichen Hemmungs-Episoden nicht ins Gewicht fallen. Ob seine Anfälle, die petits mals, nur gespielt, also simuliert sind, ob sie endogene oder exogene Ursachen haben oder allein auf den Konsum von Alkohol zurückzuführen sind, läßt sich mit Bestimmtheit auch nicht sagen. Freilich sind seine Wutanfälle, die immer mit einer Ohnmacht enden, in einem Kausalnexus zu sehen. Aber andererseits – was ist schon ein Kausalzusammenhang in dieser zweifelhaften Sphäre?

Der Patient leidet unter einer Zwangsvorstellung, einer idée fixe, einer monomanischen Obsession, die in Expansion begriffen ist, nämlich der, ihm erscheine in einem unregelmäßigen Turnus eine Art Engel, d.h. eine Art Wesen namens Holden.

Typisch für diese idée fixe ist die Tatsache, daß er diese Idee mit niemandem teilt, außer den Schwestern Allegra und Margot sowie dem aus wissenschaftlicher Sicht hochbedenklichen Dr. Gussjew. Eine kleine Recherche meinerseits hat ergeben, daß Gussjew seinen Doktor in den sechziger Jahren in Tripolis gemacht hat, an einer Universität jedenfalls, die nach offiziellen Hochschulverzeichnissen nicht existiert. Welche Rolle nun die

Person Gussjew in der Kombination Patient – Holden spielt, ist gänzlich ungeklärt und bedarf weiterer Untersuchungen, denen ich leider nicht mehr gewachsen bin. Die Atmosphäre dieses Hauses hat mich krank gemacht, und ich mußte an mir selbst starken Tremor, Ausfälle des Kurzzeitgedächtnisses, Blut im Urin, Absencen und Kopfschmerzen diagnostizieren, und gewisse Wortblindheiten bei der Suche nach dem mot juste. Lassen Sie uns weiter kapitulieren.

Es steht fest, daß sich Schwester Margot, Schwester Allegra und der Herr Dr. Gussjew an diesen Holden gewöhnt haben.

Was der Patient von diesem ‚Geist' will und der ‚Geist' vom Patienten, ist der Untersuchung vorgegeben.

Ich muß unterbrechen. Furchtbares Sodbrennen.

Nun einige Details, die ich über diese Erscheinung oder Wesenheit – ein Ausdruck, den Viktor K. nicht schätzt wegen der gewissen Nachbarschaft zu den Anthroposophen – in mühsamer Beobachtungsarbeit herausfinden konnte. Holden soll klar und deutlich sprechen, er sei, sagte Dr. Gussjew einmal in einer trunkenen Phase, polyglott; er bevorzugt (der Geist Holden, nicht Gussjew) einen Sessel am Fenster des Krankenzimmers, auf dem immer ein Muff aus Maulwurfsfell liegen muß; er soll Katzenzungen schätzen, Rotwein, aber nur Bordeaux-Lagen, und Toast mit Butter. Ich setzte im Dezember letzten Jahres, kurz nach dem ersten Erscheinen dieses Dings, Gussjew unter Alkohol, um zu eruieren (ich denke, es ist korrekt geschrieben?), wie denn Holden aussehe, also Größe, Volumen, Farbe, Geruch undAura. Unser Dr. Gussjew faselte etwas von einem opaken Kern in der Mitte und vier Pseudopien oben wie unten, was eine vage Auskunft ist. Auf die Frage nach dem Geschlecht wurde G. wütend und sagte, bevor er vom Stuhl fiel, Engel hätten kein Geschlecht.

Das Sodbrennen will gar nicht aufhören, und ich muß mich jetzt auf die Suche nach der Schachtel Bullrichsalz machen.

Der Patient Viktor Kacz hat sich ein beinahe – ach, beinahe

kann gestrichen werden – undurchdringliches, kaum interpretierbares, schwer zugängliches, in der Gesamtbedeutung für seine Krankheit schwer zu kalkulierendes, so gut wie hermetisches System konstruiert, das nur er beherrscht – oder das System ihn, was in diesem Fall auf das Gleiche hinausliefe.

Nach ermüdenden Recherchen – ich bin Polyrheumatiker – habe ich herausfinden können, daß der Geist Holden dem Patienten nicht nur ein langes Leben, sondern ein extrem langes Leben versprochen hat, was aber nur unter bestimmten Konditionen funktionieren soll. Ob gar der Ausdruck Unsterblichkeit im Spiel war, ist nicht bekannt und im Sinne der natürlichen Lebenserschöpfung und auch im Interesse des Patienten nicht zu hoffen. Ich hätte jetzt, denke ich, das Verb befürchten an die Stelle von hoffen setzen müssen, dann aber wäre es notwendig gewesen, den vollständigen Satz neu zu beginnen, wozu mir der Mut fehlte. Meine humane Absicht, die ich ausdrücken wollte, dringt wohl durch. Zusammengefaßt läßt sich sagen, daß Holden unverständliche und verständliche Botschaften, Nachrichten, Orders und Imperativa in einem apodiktischen Tonfall äußern soll; er gibt Bestellungen für Objekte auf, er ordert bestimmte Personen, die noch leben, und er übermittelt Informationen, die nichts auf der Welt betreffen, die man mit dem sog. Diesseits gleichsetzt.

Marginal zur Personen-Order: – im Januar dieses Jahres bestellte sich Geist H. eine alte Dame, deren Name mir entfallen ist wie so vieles, die vor 30 Jahren die Geliebte Viktors war; sie sollte ihm Katzenzungen von Demel als Präsent mitbringen, mit ihm eine Flasche Bordeaux leeren, die Toilette besuchen und dann wieder gehen. Von solcher Art sind die abstrusen Einfälle Holdens.

Zu meinem Leidwesen hat dieses ungute, irrationale Ding auch eine Moral, die keine ist, die für einen Kranken in dem Zustand tödlich sein kann. H. sagt, alles sei erlaubt.

Und dann stand auf einem Stück Toilettenpapier, das Gussjew, der häufig unter Diarrhöen leidet, auf der Toilette des 1. Stockes fand:

Wenn Du Dir alles erlaubst, wird es Dir immer besser und besser gehen, bis es besser gar nicht mehr geht.

Abgesehen von der grammatischen Form, ist die Botschaft natürlich unlogisch. Gottlob, und mitunter muß der verantwortungsvolle Arzt dankbar sein für die Pharmazie, stand Viktor K. in den letzten vierzehn Tagen unter sedierenden Mitteln, die es ihm nicht erlaubten, irgendwelche Orders oder Imperativa von H. zu realisieren, die ihm dieser trübe, moralisch minderwertige, ethisch verkommene und verworrene Geist insinuierte.

Zur Wahn-Konstruktion gehört eine krankhafte Empfindlichkeit und eine immer präsente Empfindsamkeit des Patienten, was die potentielle Gefährdung oder Relativierung seiner Holden-Idee betrifft.

Als ich einmal die Bemerkung machte, der Morbus Pick bringe in einem bestimmten Stadium unspezifische Zustände des persönlichen Irreseins hervor, reagierte der Patient spezifisch. Er richtete sich mit Hilfe der Schwester Margot, einem ohnehin leichtfertigen Geschöpf, auf, nahm eine Vase, die noch nicht entleert war, und warf sie mir an die rechte Schläfe. Dann ergriff der Patient ein volles Weinglas und schleuderte es mit unvermuteter Kraft auf meine Brust, warf die Bettdecke beiseite, packte seine Bettente – aus Plastik, aber voll! – und schmiß sie mir genau zwischen die Beine, d.h. auf die Testikel. Sie wissen als Mann, wie schmerzlich gerade eine solche Erfahrung ist; ich wurde einen Moment bewußtlos. Nur das Gebären bei einer Steißlage erzeugt einen ähnlich intensiven Schmerz. Nun gut, ich bin nicht nachtragend; ein Patient riß mir während meiner Praktikantenzeit in Tiefenbrunn, einem Irrenhaus inder Nähe Göttingens, während der Untersuchung mit einer Zange das linke Ohrläppchen ab. Lästig sind derlei Erlebnisse immer.

Als ich auf dem Boden lag, groggy, wie man sich denken kann, bewarf mich, wie ich später erfuhr, Viktor K. noch mit einem nassen Schwamm und dem Strickzeug von Schwester Allegra. Nach dieser Reaktion wurde der Pat. inkontinent, und er stieß eine Reihe von Flüchen und Verwünschungen aus, deren Reichhaltigkeit in Wortschatz, Intensität und Obszönität ich rückhaltlos bewundere.

Kurz, er darf nicht gereizt werden. Ich habe ein paar Höflichkeitsformeln aufgeschrieben, auf die er sanftmütig und wohlwollend reagiert, natürlich nur unter günstigen Umständen. Hegen Sie Zweifel und wollen Sie sie ausdrücken, dann wären die folgenden Satzintroduktionen am besten:

Ich hatte leider nicht das Vergnügen oder die Ehre, Sie zu verstehen / Sie vollständig / in der wünschenswerten Weise zu verstehen ...

Diese Voraussetzung opfere ich Ihnen gern, aber unglück-licherweise habe ich Ihre glorreiche / große / gute / bestechende Idee nicht / nicht vollständig / unzureichend / inkomplett verstanden.

Wenn ich Sie recht verstanden habe, dann denken Sie / dann glauben Sie da ...

Darf ich zu recht / zu unrecht annehmen, daß ...

Ich bin untröstlich, daß ich diesen nahezu vollkommenen Gedanken, dem Sie im Augenblick Ausdruck verliehen haben, nicht / nicht vollständig / nur unvollkommen verstanden habe.

Möglich sind auch Ausrufe wie: Unbedingt! Allemal! Sicherlich!? Klar!? Wie anders könnte es sein?! Selbstverständlich?!

Dies ist die eine Möglichkeit unterlaufender Intervention: Zustimmen und Bestätigen, Ermutigen und Befördern!

Bei dieser Methode wäre es möglich, allerlei herauszufinden.

Freilich gibt es die andere: Das Wahnsystem Holden sabotieren!

Der Schatz solcher Erwiderungen, die Zweifel, das Mißbehagen bis zur Verzweiflung und das Große Unbehagen am Scheitern eines sonst gütigen Geistes (ich meine jetzt Patient Viktor K. und nicht Geist Holden) zu dokumentieren (– daß das ein richtiges, aber an falscher Stelle plaziertes Wort ist, liegt auf der Hand).

Ich muß ein Glas Rotwein trinken, Sie werden das verstehen, lieber Alfred, Sie sind mir sympathisch. Ich wußte im ersten Augenblick unserer Begegnung, daß Sie ein klarer, scharf denkender, ethisch hochstehender, rationalistischer Mensch sind, der des Lebens Unbill nur durch Alkohol kompensieren und die Unglücksfälle gewöhnlicher Konversation durch einen guten Bordeaux nivellieren muß.

Bedenken Sie immer, rief Dr. Fossler, nachdem er ganz offenbar eine ganze Flasche intus hatte, alle Ideen sind sterblich, vor allem die, man sei nicht sterblich.

Nun sind da noch einige Details letzter Hand, die ich Ihnen nicht vorenthalten möchte.

Eine neue kleine Wesenheit, verzeihen Sie den Ausdruck, ist neuerdings (seit ca. drei Wochen) aufgetaucht, die sich beim Erscheinen um Mitternacht (so sagte Gussjew nüchtern einmal) auf der alten, wertvollen Kommode von Röntgen niederläßt. Sie soll (ich zitiere Dr. Gussjew, immer noch nüchtern) nach Sulfur riechen, einen dicken, bleichen Schädel haben, unrasiert sein und Sherry bevorzugen. Der Name ist mir noch nicht bekannt, aber das neue Ding soll fließend lateinisch sprechen, oft furzen, die lateinischen Zitate – in den meisten Fällen Spinoza – in holpriges Deutsch transkribieren und beim Abgang einen kegelförmigen Kleinhaufen Exkremente zurücklassen, die rasch petrifizieren – ich denke doch, das heißt versteinern.

Sollten Sie die Linie des rational gefestigten Unglaubens und der elementaren Skepsis einschlagen, was ich sehr hoffe, so bestätigen Sie einfach alle Phänomene, über die Ihnen berichtet wird oder werden wird. Die Tempus-Formen haben mir schon immer Schwierigkeiten gemacht.

Ich fürchte, bei mir ist's eine tückische Frühform des Alzheimer – ich vergesse immer häufiger, was ich vergessen habe.

Wir wollen doch alle friedlich-natürlich abgehen; machen Sie Ihrem Herrn Vater behutsam klar, daß das Sterbenmüssen keine Frage des menschlichen Willens ist. Patient Kacz sen. wird sterben, weil alle sterben müssen eines schönen Tages.

Details und Informationen allerletzter Hand, denn im Gastrischen kämpft eine Dose Thunfisch (Fett gegen Alkohol!) gegen den Wein, was wieder im Mentalen eine ungewisse Wirkung entfaltet; zudem klebt der Thunfisch im Dentalen, was wieder auf das Mentale, Sie verstehen mich?

Es soll doch uns allen vergönnt sein, in Würde dahinzugehen, meinetwegen bis zum Schluß physisch und geistig saniert, erigiert und spiritualisiert; aber einmal muß Schluß sein, und man kann den natürlichen Prozeß nicht durch fixe Ideen aufhalten. Denn was hätte Ihr Herr Vater davon, wenn er seinen Morbus Pick überlebte. Sehen Sie, jetzt fangen die typischen Fehlleistungen wieder an. Ich vertrage nicht mehr viel. Nach drei Flaschen fühle ich doch schon eine gewisse Mattigkeit, und Wodka – wie der Gussjew – vertrage ich schon lange nicht mehr.

Da sollten Sie einmal Viktor sehen! Ein Wunder des Unterlaufens der Verträglichkeitsmarke – oder sagt man Markierung?

Ich muß jetzt schließen.

Vor zwei Tagen faselte einer der Geister, deren exakte Zahl oder Unzahl mir im Augenblick nicht präsent ist, etwas von einem Buch, einer magischen Schrift oder einer obskuren Broschur mit dem Titel *Jenseitsbaedeker*. Ich weiß absolut nicht, was damit gemeint sein kann, es sei denn, es handelte sich um einen Reiseführer für mobile und reiselustige Tote, Reisen, die ja ohnehin im Nichts enden.

Rätsel über Rätsel.

Wir müssen, trotz meiner Krankmeid – pardon, wieder eine

Fehlleistung, und es wird nicht die letzte sein –, eine gemeinsame Front bilden. Beobachten Sie jetzt bitte genau die Geister, den Kranken, seinen Morbus, die Schwestern, deren Strickzeug, die Flaschen, den Monsun nein Konsum von Dr. Gussjew.

Wieviel wiegen die Geister, wie hoch ist ihr spezifisches Gewicht, wie dicht sind sie, wieviel Körpervolumen bringen sie auf die Pseudopien, wonach riechen sie und wie sehen die Verkehrsformen aus – das sind die Aufgaben!

Ich wohne im ersten Stock in einem Zimmer mit einer Acht, es kann sich aber auch um eine halbierte Drei handeln. Früher lag in der Ziffer immer eine gewisse Sicherheit, aber alles hat einmal ein Ende. Ich appelliere an Ihre Vernunft! Treten Sie in mein Zimmer ohne anzuklopfen, ich schütze mich seit Monaten mit Oropax, ja Pax tut Not, eine Pazifizierung der irrationalen Mächte! Dieses Bestattungsinstitut ist nur ein Modell. Oropax hilft nicht gegen den inneren Lärm. Ich habe für unsere Konferenz am Abend einen kleinen Vorrat eines guten Chambertin. Leider riß ein Kretin das Etikett ab, aber Etikette ist nicht alles.

PS.: Wie fühlen Sie sich? Schlecht? Der gute Dr. Gussjew hat Sie vergiftet. Geben Sie Obacht und eine Acht auf sich, wie die Zimmernummer.

Immer der Ihre. Fossler.

Rätselhaft, dieser Dr. Fossler, ganz offensichtlich ein sogenannter Zwangscharakter, in der Kindheit vielleicht sogar Bettnässer, die später gern in den helfenden Beruf gehen, wie ich einmal in einer Broschüre gelesen hatte. Ich weiß noch, daß ich mit einem Fuß auf der Stufe mit dem Brandfleck stehen blieb und mit dem anderen über dem grauen Meer des Linoleums schwebte und mir wie ein Idiot sagte: vergiftet! Wie vergiftet? Wann und wo? Und warum eigentlich? Ich konnte keiner Fliege etwas zu leide tun, das wußte Bruder Gussjew, das hatte mir seine mitleiderregende Reaktion mit der Träne im Auge und dem Tropfen Blut im linken Nasenloch in aller Klarheit gezeigt. Und auf einem Beine stehend, wie ein schläfriger Marabu, horchte ich auf innere Symptome oder äußere Zeichen; aber da war nichts, außer einer gewissen Gleichgültigkeit gegen Gott, die Welt, den moribunden alten Papa und eine diffuse Sehnsucht nach einer wäßrigen Küste im Nebel Englands. Vielleicht, dachte ich auf einem Bein, sollte man Verluste zählen, aber welche?

Ich dachte an meinen Onkel Herbert, der sich in den mittleren Jahren seiner Existenz als Kunstpädagoge das sog. tragische Lebensgefühl angeeignet hatte, gut mit ihm auskam, es während einer Kreuzfahrt (eine Liebesgeschichte auf Deck C) einbüßte und es dann nie wieder in der alten Kompaktheit und Strenge wiedererlangte, obwohl die Dame seines Herzens vor der Küste von Réunion über Bord ging und ertrank; Onkel Herbert wollte es immer wieder in seine alten Rechte setzen, dieses Lebensgefühl, aber es erschien nur mehr in einer verkümmerten Form, die ihm nicht zusagte. Das waren Verluste!

Mir fehlte es nur an freudigem Mitgefühl auf der Basis einer Vortrauer über den bevorstehenden Verlust, das war alles.

Meine Sensorien funktionierten, und die Nase meldete am Fuß der Treppe den Geruch nach totem Hund. Gleichzeitig begann mein Magen zu knurren. Ich hätte ihm wenigstens ein Bier geben können. Aber jetzt war's zu spät. In einem der vielen Zimmer des ersten Stockwerks fiel ein schwerer, weicher Gegenstand zu Boden; es klang so, als fiele ein Lederpouff aus geringer Höhe auf einen Teppich.

Ich zählte meine Beine, sammelte zuerst das Spielbein, setzte es auf den Boden und folgte dann vorsichtig mit dem Standbein nach. Nach vier Schritten klopfte ich an die weiße Doppeltür zum Sterbezimmer und trat ein.

26

Die Logik der seelischen Ereignisse hat es nun doch und zu meinem Bedauern mit sich gebracht, daß ich kein besonderes Mitleid für den armen alten Papa hege, jedenfalls kein souveränes, wie es sich für einen guten Sohn gehörte.

Die erste Geruchsnahme war nicht schlecht, zum Teil sogar zufriedenstellend. Es roch nach Ata, nach Essig und Veilchenspray, Kukidentpulver, zwei unbekannten Parfums und Kernseife – und nicht mehr nach Urin.

Da lag mein Alter mit seinem gelben Gesichtchen in den Kissen seines Nachenbettes. Das Kopfende war eine schöne Arbeit mit zwei schwarzen Seitensäulen und einer intarsierten Lyra aus Ebenholz in Birnenholz, an der mir sichtbaren Flanke rechts mit floralen Intarsien.

Sein schütteres Haar war ordentlich zur Seite gebürstet. Er lächelte mir zu, und seine Prothese leuchtete unnatürlich weiß. In der rechten Hand hielt er eisern, ohne zu zittern, ein böhmisches rubinrotes Noppenglas. Ein seidenes Nachthemd bedeckte seine konkave Brust. Links am Kopfende saß Schwester Allegra, die unansehnliche, und strickte an einer Art Elephantenstrumpf; rechts räkelte sich die schöne Margot mit einem orangefarbenen Reclamheft, wie ich sehen konnte, einer zweisprachigen Ausgabe der *Ethik* des Spinoza, und es war im Raum, das läßt sich nachträglich nicht anders sagen, eine Bombenstimmung irgendwie. Der Kranke hatte ein Auge geschlossen und fixierte mich wie ein einäugiges Reptil ohne einen einzigen Lidschlag. Die Löcher der Teppiche waren bedeckt mit kleineren Teppichen.

In der Ecke vor dem großen Fenster zum Garten drängte sich ängstlich eine kleine Gruppe Biedermeiermöbel, eingeschüchtert von einer Reihe großer, sehr kommoder Fauteuils aus Leder. Es waren insgesamt fünf, und auf dem zentralen Sessel, einer schönen Wiener Arbeit mit ovalen Seitenwangen aus Mahagoni (und Blindholzbuche), lag auf einem weißblau gestreiften Seidenpolster ein alter Muff aus Maulwurfsfell, in dessen Maul eine in Silberpapier gewickelte Katzenzunge steckte.

Gott, dachte ich, das muß des Geistes Lieblingsplätzchen sein.

Der Dr. Fossler hat recht.

Der Alte ist gänzlich plemplem oder gaga.

Mit viel Zartsinn, wie ich's oft in der Literatur gelesen hatte, trat ich näher und sagte: Wie geht es dir? Bist du wohlauf? Ist das Fieber gefallen? War deine Verdauung in Ordnung? – was man eben in einer solchen Lage sagt, so man über den klassischen Kanon für's Krankenbett verfügt.

Schwester Allegra stieß einen grunzenden Laut aus, die liebliche Margot atmete ein, und der alte Herr sagte:

Junge, red' nicht so ,nen Scheiß, hock' dich wohin und hör' zu.

Düpiert setzte ich mich auf den Sessel, der der Tür am nächsten stand. Man konnte ja nie wissen. Ich hütete mich, den für Holden reservierten Sessel zu nehmen.

Tjaja, sagte mein Alter friedfertig, nun ist's passiert, nun sind die Daten alle gesammelt, die Fakten klar – aber die Botschaft ist leider krypta.

Kryptisch, sagte Schwester Margot und goß ihm aus einer Flasche reichlich Wein in sein Noppenglas. Der alte Herr trank so gierig, daß viel danebenging. Margot wischte ihn mit gespitzten Lippen ab.

Was, lieber Vater, fragte ich, ist passiert, welche Daten sind gesammelt und welche Fakten klar?

Die von Holden natürlich, sagte der Kranke, und ich solle bloß nicht so begriffsstutzig sein.

Pardon, sagte ich, natürlich, Holden. Was er denn so gesagt habe?

Der alte Herr richtete sich auf und nahm vor Erregung sein Gebiß heraus.

So gesagt, bellte er, so gesagt? Er hat mir die wichtigsten Botschaften meines Lebens übermittelt, gestern nach... ab null Uhr zwei, da, auf diesem alten Sessel mit dem Muff.

Botschaften, sagte ich etwas lahm, aha, Botschaften, ja was denn für Botschaften? Von drüben vielleicht?

Kacz sen. ließ sich wieder in die opulenten Kissen sinken, stürzte noch ein Glas und keckerte.

Nee, sagte er, nix von drüben, Blödkopf.

Wo Dr. Gussjew sei, fragte ich, um Zeit zu gewinnen.

Gussjew sei auf einem Botengang, sagte mein Vater aufgeräumt, der Geist Holden habe dringend nach Austern verlangt.

Oh, Vater, sagte ich, wir befänden uns im Monat Mai.

Holden, sagte der Alte, sei ein großmütiger Geist, der sich um die Jahreszeiten nicht schere.

Nun ja, sagte ich, das möge er sein; ob ich ein Glas Rotwein haben könne.

Mein Vater betrachtete zuerst seine blitzende Prothese, dann sein Noppenglas, und nachdem er die Prothese wieder im Mund hatte verschwinden lassen, nickte er gnädig, und ich durfte mir bei Schwester Margot einen hohen, wohlgefüllten Zylinder aus Kristall abholen.

Setzen, trinken, sagte mein Alter majestätisch, und zuhören.

Wir müssen einmal ernsthaft miteinander sprechen, sagte ich nach dem vierten Schluck.

Worüber, schrie der Alte mit schwacher Stimme und hüstelte.

Über Holden, sagte ich, denn ich muß leider zu Recht annehmen, daß du diese Erscheinung ... dieses Gespenst ...ernstnimmst.

Der ist kein Gespenst, sagte mein Papa und sabberte ein bißchen Rotwein aus dem linken Mundwinkel. Ganz und gar kein Gespenst.

Ich, erwiderte ich geduldig, glaube nicht an Gespenster und halte sie für einen beklagenswerten Irrweg der englischen Literatur.

Was du glaubst oder nicht glaubst, beklagenswert findest oder auch nicht, sagte Viktor Kacz klar und kühl, ist mir scheißegal. Holden ist mir erschienen, und er hat mir Botschaften, Instruktionen und Informationen gegeben, die meine Große Idee unterstützen.

Ach die, sagte ich, unglücklicherweise aber habe ich deine große, glorreiche, eminente oder gute und bestechende Idee nie komplett oder nur unzureichend, jedenfalls nicht in der wünschenswerten Weise ... verstanden.

Ich hielt mich exakt an die Instruktionen des vernünftigen Fossler.

Nee, wie, was, hast du nicht, schrie mein Vater und mußte dann wieder husten, Holden unterstützt meine Idee, Trottel, kleinmütiger, Blödkopf, kapiert?

Ich sagte, ich sei untröstlich, daß ich diesen Gedanken, dem er da eben Ausdruck verliehen habe, nicht recht verstanden –

Arschloch, sagte mein Vater und leerte sein Glas.

Margot, sagte er dann mit sanfter Stimme, lesen Sie doch einfach den Teil vor, den ich heute morgen diktiert habe.

Ich mußte in die Offensive.

Wie sieht Holden aus, fragte ich.

Wie Wesen eben so aussehen, sagte der Alte unerschütterlich. Es ist, sagte er geduldig, eine ernste Erscheinung, die mir hilft, die Große Idee zu füttern, zu nähren, zu päppeln und am Leben zu erhalten.

Ich verstehe, sagte ich, und ich bitte um Pardon. Ich trank sehr schnell. Was wäre denn nun meine Aufgabe, fragte ich.

Mein Sohn, sagte Kacz erläuternd zu den Schwestern, reagiert immer furchtbar affektiv, wenn er nichts zu trinken bekommt. Margot, gib ihm noch einen, am besten zwei oder eine ganze Flasche. Aber nicht auf der Kommode von Röntgen abstellen! Du weißt warum.

Aha, der kleine, nagelneue Geist, der auf der Kommode wohnt

oder erscheint, sagte ich mir mit einem gewissen Einverständnis, das meine rationalen Grundsätze durcheinander brachte.

Um 16 Uhr passierten drei Dinge auf einmal: Ich verliebte mich rettungslos in Schwester Margot, als sie mir eine Flasche Chambertin und ein Glas brachte, ich fühlte voller Entsetzen, wie mich die Atmosphäre infiltrierte, und dann, vielleicht unter dem Einfluß des gussjewschen Giftes, machten sich meine sämtlichen Rationalisten ruhig auf die Socken und verließen mich gemächlich, einer nach dem anderen. Hätte es sich um eine regellose Flucht gehandelt, wäre es vielleicht möglich gewesen, sie aufzuhalten; aber sie stahlen sich auf eine sehr dezente Art davon. Zuerst machte sich David Hume Esquire auf den Weg, der gewissermaßen einen hübschen Laubwald ohne Unterholz bewohnt hatte – eine sehr übersichtliche Landschaft. Meinem betäubten Gehirn hinterließ er lediglich eine alte Sentenz, die da hieß und leuchtete wie ein gepflegter englischer Rasen: *Ein moralisches Urteil entsteht, wenn die persönliche Billigung oder Mißbilligung einer Handlung Anspruch auf Allgemeingültigkeit erheben kann.* Wie wahr, dachte ich sentimental, während sich kurze Zeit später Sir Thomas Reid verdünnte, der Erfinder des Gesunden Menschenverstandes, der sonst ruhig seinen kleinen Vorgarten mit Steinen, Moos und einem kleinen Bächlein kultiviert hatte.

So ein Coup de foudre ist eine schöne Sache, aber erzeugt Herzklopfen, leichte Atemnot und die strenge Prüfung – Introspektion, Idiot, sagte einer der abtrünnigen Geister, während er retirierte darüber, ob der Gesamteindruck oder ein Detail den Coup de foudre erzeugt hatte. Meine Füße wurden eiskalt, dann die Hände, und zuguterletzt verschluckte ich mich an einem Schluck Wein, den ich zu lange in einer der Backentaschen aufbewahrt hatte.

Erst jetzt hörte ich die gereizte Stimme des Alten, der zu Margot sagte: Lesen Sie zuerst die Informationen, die uns Holden übermittelte.

Margot, die präsumptive Geliebte, hatte eine schöne, verhältnismäßig dunkle und modulationsreiche, spröde Stimme, bei der ein jeder Dämonenjäger geschmolzen wäre.

Ich bin, sagte ich, ganz Ohr, ob ich mir Notizen machen dürfe?

Aber sicher darf er sich Notizen machen, sagte K. sen. und streichelte mit den Knöcheln seiner rechten Hand die Kniekehle Allegras.

Vater, sagte ich, darf ich erfahren, wie Holden spricht. Ich meine, spricht er englisch, deutsch oder französisch?

Ein polyglotter Geist wie Holden, sagte der alte Herr, bediene sich aller Idiome.

Ich würde, sagte ich, gern mehr über die Art der Kommunikation erfahren, über das Schema gewissermaßen, die Struktur.

Gott die, sagte mein Alter und fixierte mit offenem Mund den Muff aus Maulwurfspelz, der gesträubt auf dem Kissen des mittleren Sessels ruhte, die sei einseitig. In den meisten Fällen spräche ausschließlich Holden.

Aha, sagte ich, die Sender- und Empfänger-Ebene.

Eine Kommunikation im Sinne wechselseitiger Verständigung, sagte der Kranke, gäbe es leider noch nicht, aber beide Seiten arbeiteten daran.

Schön, sagte ich, sehr, sehr schön.

Machen Sie schon, sagte Papa, wir dürfen keine Zeit vertrödeln.

Margots bleiche Stirn war rund und glatt. Hin und wieder betupfte sie ihre Oberlippe mit der Zungenspitze und seufzte dann.

Von weitem sah der Holden-Text wie die Transkription eines Gedichtes aus, was mir mißfiel, denn bei englischen Gedichten z. B. war ich nie weiter als bis zu T.S. Eliots *Waste Land* gekommen und Audens *Zeitalter der Angst*. Was die dramatischen Künste betraf, hatte ich das goldene Zeitalter Websters und Shakespeares nie verlassen. In der Prosa hatte ich's immerhin bis Dickens *Little Dorrit* geschafft, kehrte aber doch immer wieder reumütig zu *Oliver Twist* zurück.

In der deutschen Literatur war ich (bei Gedichten) bis zu Wilhelm Lehmanns Halmen, Käfern und Tautropfen gekommen, zu Dr. Benns *Labor* und Rilkes *Weltinnenraum*, der mir immer ein Rätsel bleiben würde. Bei diesen Erinnerungen an vergebliche Mühen mußte ich seufzen, während ich den Busen meiner Geliebten in spe am Sterbebett betrachtete, auf dem sich, geistig und auch sonst, in diesen Momenten viel verdichtete.

Ich sag's noch einmal, die Literatur ist, bei Licht betrachtet, eine schöne und wichtige Angelegenheit, und man kann viel aus ihr lernen, wenn man's richtig anstellt, nicht alles liest und sich immer Notizen macht. Aber was der Geist Holden, dieses Gespenst, das auf räudige alte Muffs fixiert war, was sich diese uneindeutige Krankenvorstellung, was sich die faule Frucht eines Morbus Pick leistete, war weder Prosa, noch ein Gedicht, es war kein Aufsatz und keine ordentliche Abhandlung, sondern lediglich eine Art von Notation im Halbschlaf eines halbinformierten Schwachkopfes:

Kacz jun. ist Alkoholiker und wichst auf Vivian Neves, so lautete der erste Partikel, den Margot leise vorlas.

Papa, sagte ich mit großer Entschiedenheit, was soll denn das? Willst du behaupten, das Ding verbreitet unqualifizierten Mist ohne Hand und Fuß, nahe einer Injurie, ja an der Grenze zur Unverschämtheit, unabhängig von einem sog. Wahrheitsgehalt?

Der Alte krächzte und sagte heiter, ich solle nicht immer ‚Ding‘ sagen zu dem Wesen Holden.

Lieber Viktor, sagte ich mit großer Reserve, es gibt ein Finanzwesen, es gibt ein Wirtschaftswesen, ja, es gibt sogar ein Ingenieurwesen, aber ein Wesen schlechthin gäbe es nicht und unter keinen noch so trübsinnigen Umständen, basta.

Der Kranke nuckelte an seinem Zahnfleisch, nahm dann voller perfider Gedanken, wie ich nach wie vor glaube, wieder sein Gebiß heraus und betrachtete in einer blinden Fixierung das rotweiße Objekt auf seiner Handfläche.

Gott, sagte er, Wesen könne man schon sagen, aber egal, wie man er/sie/es auch definiere, es sei als Wesen von unerschütterlicher Präsenz, umfassender Bildung und von unerhörter Herzensgüte. Und außerdem – bitte ein Glas von dem Wein, mein Kind – hat Holden die Unwahrheit gesagt, eine halbe Wahrheit oder gar gelogen?

Tja, und da war ich in der Falle. Ich hatte die Kunst der Vorausschau wieder einmal nicht in korrekter Weise betrieben, die alle dummen Zufälle ausschließt. Clemm hatte mir einmal in aller Freundschaft – selbstverständlich vor dem Unfall mit dem Goldfisch Ramsey – bei einem ruhigen Porter-Gelage gesagt:

Dein fundamentaler Mangel ist es, daß du niemals etwas hast voraussehen können, einfach deshalb, weil du niemals etwas in seinem strukturellen Zusammenhang begriffen hast.

Das sei, hatte ich erwidert, ein Zitat, und ich kriegte schon noch heraus, woher er's hätte.

Zitat hin oder her, sagte Clemm, Prost, mein Alter, es trifft auf dich und diverse andere Typen zu, die alle eines gemeinsam haben, nämlich nicht zwischen dem Wesentlichen und dem Unwesentlichen unterscheiden zu können, das sei uns angeboren, keine Macht der Welt, keine Anstrengung und kein Glückszufall werde mich fürderhin vor diesem Faktum bewahren können.

Bevor ich vom Stuhl kippte, in einer Hand mein Kristallglas mit dem Chambertin, in der anderen eine Zigarette, hörte ich aus weiter Entfernung Margots Stimme, die voller Zartgefühl fragte, warum ich denn wichsen müsse – und dann noch mit Vivian Neves –, während mein kranker, kerngesunder alter Herr giftig zu Allegras Knie sagte:

Er ist wie seine Mutter: Scharfsinn am falschen Platz, immer gerührt und dann Saufen, dann hörte ich in den Ohren ein tiefes Summen, es klingelte, als wolle jemand auf die gemähten Wiesen und die kahlen Hügel meiner armseligen Erinnerungen, und da muß ich wohl, wie Dr. Fossler sagte, sehr stilgerecht und leicht erstaunt, aus dem Sessel gefallen sein.

27 Kein Kranker, der auf sich hält, hat es gern, wenn ein angeblich Gesunder öffentlich Dinge treibt, die ihm vorbehalten sind; kaum war ich gefallen, da kriegte der Alte einen Anfall mit allen Schikanen. Aber ich war, wie ich später erfuhr, nicht im geringsten schuld, wie ich gefürchtet hatte; Dr. Gussjew trug durchaus allein die moralische Verantwortung, denn in dieser dramatischen Szene kroch er ins Krankenzimmer, vierzehn Austern in einer Kühltasche, scheußliche Farben, wie mir Dr. Fossler mitteilte, war angetrunken und setzte sich exakt auf den Holden-Platz. Kurz, er machte in einem Augenblick mit seinem mageren Hintern den Maulwurfsmuff platt, und erst da bekam K. sen. seinen Anfall, keine Sekunde früher.

Ich übergehe diese chaotische Szene, die in klinischer Hinsicht doch nur den Doktor interessiert hätte, und spare mir mein Mitleid für einen günstigeren Zeitpunkt.

Ich jedenfalls mußte Ordnung in meine Angelegenheiten bringen, und wie mir Dr. Holden – ich meine natürlich Dr. Fossler, an meinem Bett dringend riet, wäre es am besten, mit einem Entzug anzufangen.

Er meinte natürlich den Alkohol.

Eine vernünftige Idee war das, und ich notierte sofort in die laufende Agenda: Alkohol reduzieren.

Der Doc hielt nichts von einer Reduktion, ich solle das Zeug ganz in Ruhe lassen.

204

Sehen Sie, Doktor, sagte ich in meinem Bett liegend, entzöge ich mir den Alkohol vollständig, dann litte ich unter dem Entzug.

Nur die ersten drei Tage, sagte Fossler pragmatisch, dann fühlte ich mich wie neugeboren.

Ich fragte mich, ob das ein erstrebenswerter Zustand sei.

Die meisten Menschen, sagte Fossler, ertrügen ihn ohne jede Klage, jeden Tag etc.

Die sind auch nicht ich, sagte ich; ich für mich ertrüge den Zustand der Nüchternheit nur schwer und versuchte, ihm durch die Zufuhr von regelmäßigen Gaben guten Alkohols zuvorzukommen.

Er habe, erwiderte Fossler, sog. Spiegeltrinker schon immer bewundert, er selbst habe leider kein Talent dazu.

Wenn ich Ihnen, sagte er, eine gute Dosis Alkohol bringe, wären Sie dann wohl imstande, Ihre Eindrücke am Krankenbett objektiv, vorurteilsfrei und exakt zu beschreiben?

Oh Doc, sagte ich mit aller Wärme des Herzens, zu der ich fähig war, wenn Sie wirklich...? Dann wäre meine Beschreibung auch gleichzeitig eine Erklärung.

Die unwiderruflich allerletzte Dosis, sagte Fossler und verließ mich, der ich mir sehr aufgebahrt vorkam in meinem Flachbett, kehrte mit einer Flasche Gin, zwei Gläsern und einem kleinen Uher-Tonbandgerät zurück, applizierte mir eine weiße, eine gelbe und eine blaue Tablette aus Folien, murmelte etwas von Sedativa, und ich nahm einen Schluck von der bitteren Medizin des Dr. Sylvanus aus Leiden.

Woran leide ich, fragte ich, ich fühlte mich beschissen.

Da käme viel zusammen, sagte der gütige Doc vage, Kreislaufkollaps, vielleicht eine Stoffwechselstörung, gussjewsche Gifte und am Ende eine kleine Selbstvergiftung. Woran ich denn dächte bei diesem Ensemble von Symptomen?

Es war, sagte ich, ein Schock infolge zusammengesetzter Ursachen.

Schock, du lieber Himmel, worüber, fragte der Doktor und trank vor Schreck einen doppelten Gordon's.

Über diese irrationalistische Atmosphäre ganz allgemein, sagte ich, sodann über das zweideutige Tableau, das sich biete: ein todkranker Vater, der keine Lust habe zu sterben, der statt dessen blühend, trinkend und recht vital in seinem Nachenbett läge, umringt von attraktiven Damen, gepflegt von einem Verrückten namens Gussjew –

Ihr Herr Papa, sagte Fossler sanft, hält ihn – allerdings in sehr seltenen Augenblicken – für das schwanke Sprachrohr des Holden-Geistes, für eine Art Dolmetscher mit Handicaps.

– und unterhielte sich, sagte ich ganz unbeirrbar, mit einer sog. Wesenheit namens Holden.

Fossler setzte sich auf mein Bett und streckte seine Füße in schokoladenfarbenen Stiefeln aus.

Darüber, sagte er, wollte ich mit Ihnen reden, denn Sie waren dabei, Sie waren Zeuge. Sie sind Rationalist, also ein leidlicher Beobachter sonderbarer oder nicht erklärbarer Phänomene. Was haben Sie gesehen, beobachtet, wahrgenommen und registriert?

Was ich beobachtet hätte, fragte ich, das sage ich Ihnen – eine geschlossene Versammlung aller Attribute des Irrsinns.

Brav, sagte Fossler und flößte mir noch einen Gin ein, weiter im Text. Denken Sie nach, ich komme gleich zurück, setzte er hinzu.

Ich weiß noch, daß in meinem Schädel ein gewisser Nebel herrschte, die Wörter nur sehr schwerfällig ans Licht krochen, viele ungesuchte sich vordrängten und meine Extremitäten eiskalt waren.

Zu meiner Bestürzung betrat Dr. Fossler, der gütige, mein Schlafzimmer mit einem scheußlich senffarbenen Eimer aus Plastik, über dem linken Arm eine Serviette wie ein Kellner.

Er setzte sich auf einen Stuhl neben meinem Kopfende und umarmte den Eimer.

Was für einen Eindruck, fragte er, machte auf Sie die Persönlichkeit Ihres Vaters als krankes Individuum?

Einen kranken, sagte ich; und ich hätte ihn bestimmt nicht mit Absicht gereizt.

Guter Junge, sagte Fossler, braver Sohn, beschreiben Sie doch einfach Ihre gesammelten Impressionen in der Distanz, die Sie zu jenem Zeitpunkt einnahmen.

Patient im Bett, sagte ich, Sohn auf Sessel, ein Sessel frei, dann Sessel mit Muff auf blauweiß gestreiftem Rips.

Gut so, sagte der Doktor, haben Sie Holden oder gar die neue Wesenheit mit eigenen Augen gesehen, oder hatten Sie den Eindruck, nur der Kranke habe diese beiden Wesenheiten gesehen –?

Nach langem Überlegen sagte ich, das könne wohl nicht der Fall gewesen sein, denn, wäre Holden oder der neue Gast erschienen, dann hätte der Alte bestimmt eine Interaktion in der Form eines Grußrituals vollzogen.

Das klinge nicht unwahrscheinlich, sagte der Doktor. Und – überlegen Sie scharf – ist eine Emanation sichtbar geworden, vielleicht über der Sitzfläche des Sessels mit dem Muff?

Was ist zum Teufel eine Emanation, fragte ich, meine Kenntnisse in der Gespensterwissenschaft seien gering.

Ein Ausfluß, sagte Dr. Fossler, legte den Eimer ab und machte mit beiden Armen und Händen ein Riesen-O, wie ich es aus dem Eurythmie-Unterricht, long time ago, kannte, und erläuterte, es handele sich auch um das Effluvium einer seelischen Ausstrahlung.

Nein, sagte ich, ich hätte kein einziges Zeichen dieser Art wahrgenommen, weder in der Form eines O, noch in der eines nach oben offenen U.

Wissen Sie, sagte der Doktor, das ist bedauerlich, man kann an solchen Zeichen seelischer Energie unter Umständen viel herausfinden. Schade, kehren wir zurück zu den menschlichen Äußerungen, den Elaborationen des kranken Greises. Was hat er wie, unter welchen Umständen, zu welchem Zeitpunkt und Anlaß gesagt, getan, nicht getan, verhehlt oder gar vermieden?

Mir war ein bißchen übel, Gott weiß warum, an der Medizin lag's nicht, aber ich erwiderte mit vollständiger Klarheit, wenn auch mit Manövern in einer Art sirupartiger Zeitlupe, man könne in einer Situation niemals sehen oder beobachten, welche Handlungen eine Person vermieden oder verhehlt habe, weil das eine komplette Kenntnis ihrer Absichten oder Intentionen voraussetzte.

In diesem Augenblick wurde mir so übel, daß ich mich aufrichtete, um Ballast loszuwerden. Fossler hielt mit einer Hand den Eimer, mit der anderen meinen Kopf, soviel ich weiß, an den Haaren, ich erleichterte mich ausgiebig, und er fragte (mit dem Eimer in Hüfthöhe), ob ich noch einen Gin wolle.

Gott nein, sagte ich und sank zurück in die Kissen.

Wischen Sie sich ab, sagte der Arzt, wir befinden uns auf dem Weg zur Besserung.

Es dämmerte. Die Serviette über dem Eimer leuchtete in einem sanften Blau.

Was konnten Sie feststellen, fragte er, versuchen Sie, sich an Details zu erinnern, eines davon könnte wichtig sein.

Das Erinnern war mühsam. Dann wußte ich's wieder.

Es fiel der Satz meines alten Papa, sagte ich, ziemlich zu Anfang, vor Margot gewissermaßen: Nun sind die Daten alle versammelt und die Fakten klar, aber die Botschaft ist leider kryptisch.

Heureka, sagte Fossler, da haben wir ja doch einen Zipfel erwischt. Was meinten Sie soeben mit ‚vor Margot‘?

Es war, sagte ich, als ich mich in Margot verliebte, da war ich auf meinem Sessel sitzend mit einem Mal und ganz zwanglos ein beliebiger Partikel der Zimmeratmosphäre, wie ein Staubkorn unter anderen, und meine Rationalisten verließen ihre Gehege in meinem Kopf.

Sie sind, sagte der gütige Doktor, ein sehr ordentlicher

Mensch, nicht wahr, in Ihrem Bewußtsein existiert alles in Käfigen, Fallen, Gehegen, Gevierten, Gattern, Zäunen und kleinen Gärtchen mit Drahtgittern, nicht wahr; ich frage mich, wo Sie die gute Margot unterbringen werden, die keine Käfighaltung gewöhnt ist und von vielen geliebt wird.

Wieder eine Welle von Übelkeit.

Wir befinden uns auf einem richtigen, aber dornigen Pfad, sagte Fossler, aber an seinem Ende, nach rastlosen Reinigungen werden Sie nüchtern und so klar sein, wie noch nie in Ihrem ganzen Leben.

Das sei begrüßenswert, sagte ich mit Tränen in den Augen, fixierte den senfgelben Eimer und bat um eine Dosis Gin. Es hat keinen Sinn, eine bewährte Therapie nur deswegen abzubrechen, weil man sich im Augenblick mies fühlt.

Der Doktor sagte, ich sei stark im Nehmen und gab mir einen Doppelten. Jetzt solle ich meine Tränen interpretieren, aber aufrichtig.

Zum ersten, sagte ich, seien die Tränen eine physiologische Reaktion auf das Erbrechen, zum zweiten Ausfluß des Selbstmitleides wegen meines Zustandes und zum dritten eine Art diffuser Eifersucht.

In Wahrheit, sagte der Doktor, trügen ich, mein Körper, die Seele und der Geist ein Duell aus, und er gab mir ein Dragée, ein Relaxan mit einem viersilbigen Namen, das ich mit Gin hinunterspülte.

Sofort fielen mir wieder ein paar Details aus dem Sterbezimmer ein. Verträumt sagte ich, die Augen an die Decke gerichtet:

Schwester Margot trug keinen BH, sie hat schöne Brüste, aber wer kennt ihre Sommersprossen. Gussjew, das Sprachrohr, holte Austern für Holden. Im Mai gibt es keine Austern. Es ist der falsche Monat. Die Schwester Allegra hat keine Zähne und strickt an einem Elephantenstrumpf. Der Wein schmeckte gut, denn es war ein Chambertin, an das Jahr kann ich mich nicht erinnern. Einen Augenblick sträubte sich auf Sessel Nummer 3 der Maulwurfspelz, als sei er elektrisiert, aber ich konnte keine Funken sehen, keine Emanation, kein Effluvium ... nichts. Dann furzte der Alte, und es war ein weiches, sonores, langgezogenes Geräusch. Draußen sangen Vögel oder auch nicht. Papa machte andauernd ekelhafte Sachen mit seiner Prothese, die viel zu weiß ist. Seine Zunge war belegt oder sie war nicht belegt, das war auf diese Entfernung nicht zu sehen. Holden ist eine ernste Erscheinung, die mir hilft, die Große Idee zu füttern, zu nähren, zu päppeln und am Leben zu erhalten.

Moment, sagte Fossler, wer hat denn diese Äußerung getan?

Papa, K. sen., sagte ich, Viktor Kacz, im Bett, während ich Ihre Instruktionen befolgte, kein unachtsames Wort sagte und den Kanon der Höflichkeiten einhielt.

Ausgezeichnet, sagte Fossler, bitte eine allerletzte Frage: Hat Viktor K. über die Formen der Kommunikation mit den Geistern oder den Wesenheiten gesprochen?

Keine wechselseitige Verständigung, sagte ich, Unterhaltung einseitig.

Holden sendet, der alte Herr empfängt.

Hochinteressant, sagte Fossler befriedigt, vielleicht sogar signifikant. Aha, aha, keine Kommunikation im strengen Sinn. Und was konnten Sie über die sogenannten ‚Botschaften‘ Holdens erfahren?

Leider gar nichts, sagte ich, weil ich kurz davor ohnmächtig wurde.

Ach wirklich, sagte Fossler enttäuscht. Ich solle mit meinen Lebensäußerungen vorsichtiger umgehen, gleichgültig, ob es sich um Ohnmachten, Mitgefühl, vitale Anwandlungen oder gar das Mitleid handele, dann hätte ich schon viel gewonnen.

Schlafen Sie wohl, sagte er an der Tür, in ein paar Tagen, nach der Reinigung, werden Sie regeneriert sein und Ihre Arbeit anfangen. Mergel hat Ihnen ein Zimmer eingerichtet, in dem Sie,

immer in Koordination mit Dr. Gussjew – da müssen Sie durch –
an den Interpretationen der Holdenschen Botschaften ackern
können.

28 Der Durchfall, relaxation of the
bowels, wie der Engländer umständlich sagt, ist eine ganz furchtbare und lästige Angelegenheit, die den Organismus schwächt,
zu unvermutbaren Unterbrechungen führt und leider auch zu
beherzten Ausbrüchen alter Hämorrhoiden, aber als Akt der Reinigung darf man ihn nicht unterschätzen.

Das Arbeitszimmer ist eine Zumutung. Ich weiß nicht, was
Mergel sich dabei gedacht hat. Freilich bin ich immer nur zwischen den Gängen zur Toilette dort, aber das macht die Sache
nicht besser.

Das Zimmer ist eine kahle, hohe Mönchszelle, in dem gerade
ein riesengroßer Schreibtisch Platz hat, umringt von Stahlregalen, die leer sind. Zwei alte Holzstühle sind da, einer für Gussjew, der andere für mich, und wir schützen uns bei der Arbeit
voreinander durch große, aber gut konstruierte Bücherstapel.
Gussjew säße, wenn er einmal sitzt, mit dem Rücken zum Fenster und dem Blick zur Tür, und ich sitze, reine Symmetrie, mit
dem Rücken zur Tür und mit dem Blick zum Fenster.

Ich bin jetzt in der Lage mitzuteilen, wie der erste Arbeitstag
nach einer langen Bettruhe verlief, Nahrungsaufnahme nach diä-
tetischen Gesichtspunkten und ohne die kleinste Dosis Alkohol –
und ich muß sagen, daß die Nüchternheit durchaus etwas hat, mir
ist nur noch nicht vollständig klar, was.

Auf meiner Schreibtischseite fand ich eine froschgrüne
Mappe aus marmoriertem Leder, in der drei mit Gummiband
umwickelte Haufen Karteikärtchen in den Farben rot, grün und

weiß lagen: Holdens gesammelte, von der schönen Margot mit Pica-Schrift getippte Botschaften aus welcher Sphäre auch immer.

Ich hatte mich um 10 Uhr des Morgens an meinen Platz gesetzt; bis 11 Uhr mußte ich vier mal die Toilette aufsuchen, kurz, ich saß entweder auf meinem spartanischen Stuhl, dessen Lehne wackelte, oder auf einer Toilettenbrille aus Holz, die ebenfalls wackelte. Es ergab sich noch keine glückliche oder gar harmonische Relation zwischen beiden Tätigkeiten, von denen die eine notwendig und die andere recht überflüssig war. Das würdige Porzellanbecken hatte einen grauen Latz, der sich um sein Oval schmiegte, ich fürchte, es handelt sich um einen ausrangierten Flokati, der bessere Zeiten erlebt hat; jetzt war er gesprenkelt mit harten kleinen Flecken und stank. Die Population der eleganten Silberfischchen war zahlreich, und ich beobachtete sie gern, ohne zur Lektüre zu greifen.

Viel Regen, keine Ergebnisse, noch immer viel Rennerei. Auf lateinisch heißt Diarrhöe sehr klangvoll Alvi Profluvium und ist wirklich ganz das Gegenteil des Effluviums, nach welchem der Dr. Fossler fragte. Gussjew habe ich in die City geschickt, um mir in einer Apotheke Zäpfchen zu kaufen. Wer imstande ist, Austern im Mai aufzutreiben, kann nicht ganz erfolglos sein; ich irrte mich, der gute Doktor brachte mir irgendwelche Peremesin-Zäpfchen, die ich unmöglich gegen meine Leiden anwenden kann.

Mußte dann wieder auf die Toilette, während Gussjew Besorgungen im Keller hatte. Als ich auf meinen Platz zurückkehrte, saß er auf dem seinem. Ich fragte, was er für einen Doktor erworben habe, und er sagte, einen Dr. phil. Dann schickte ich ihn abermals in die City, um mein Gepäck, die Bücher und etwaige Post aus der Hotelpension in der Fasanenstraße zu holen. Froh, das Arbeitszimmer zu verlassen, ließ er mich allein. Auf seinem Platz lag eine Liste, über die er sich lange gebeugt hatte. Es war nichts anderes als ein Verzeichnis sämtlicher Esoterik-Heiler, die Berlin hervorgebracht hatte, ihre Namen, die mir obskur vorkamen, mit Telefonnummern und Preisen in DM, bei denen es sich wahrscheinlich um Mindestangebote oder die sog. VB handelte. Eine Alfine Fuadschi kannte *Magische Schutzrituale gegen böse Geister, auch Hausgeister* auf der Grundlage von Tarot-Karten. Eine Frau Jutta Rehlein versprach – gegen Vorauskasse – *Lichtbehandlungen für Körper;* ein Dr. h.c. Dorflamm (Preis nach Absprache) produzierte *Weiße Magie* für und gegen alles; Frau Sinaida Popp besprach auf *Voodoo-Grundlage Tahiti* Geschwülste aller Art; für alle Fälle schrieb ich die Telephonnummer auf die absolut leere Seite meines großen Notizbuches. Eine Yvonne France unternahm *Ruhigstellungen von negativen Einflüssen mit Hilfe von Kaffeesatz,* zwei Damen namens Moll aus Lichterfelde, ihres Zeichens *Seherinnen und Reinkarnationen im Lichtring e.V.,* machten Voraussagen für die ganz nahe und auch die ganz entfernte Zukunft, während, ganz zum Schluß dieser Liste, eine Madame Vlana Valanga *Mit mobilen Magneten Schmerzen* (zu) *lindern* versprach.

Jeder unserer Schreibtischplätze hatte einen Container mit vier Fächern. In Gussjews Fach unter der Platte lag ruhig eine Flasche mit einer goldenen Flüssigkeit; es war ein wunderbarer alter Calvados, den sich der Dr. phil. da angeschafft hatte. Ich schloß die Augen und ließ die Versuchung verschwinden, indem ich die Schublade schloß.

Gott existiert doch irgendwie! Ich habe einen verhältnismäßig untrüglichen Beweis. Alles steht schlecht, der Durchfall will nicht enden, die Lage ist aussichtslos, aber ER bewies sich mit Macht, als ich gerade nicht auf der Toilette weilte.

Denn ich bekam Besuch, und – es war die präsumptive Geliebte Margot in einem blauen Seidenkleid mit zarten floralen Applikationen auf der rechten Schulter.

Geht es Ihnen heute schon besser, fragte sie.

Ich sagte, ich fühle mich wie Lazarus nach seinem ersten Ausflug. Da lächelte sie.

Leider war kein Stuhl da, der Gussjewsche hatte ein loses Vorderbein, so daß ich ihr meinen Stuhl anbot. Von oben konnte ich jetzt ihre schwarzen Locken sehen. Sie sah aus wie die reife und vollkommene Version der jungen Heidi, die mich als Kind zu Tränen gerührt hatte. Kennen Sie Johanna Spyri, fragte ich in meiner Besinnungslosigkeit.

Selbstverständlich, sagte sie, aber hören Sie bitte zu. Ihr Herr Vater möchte oder muß oder soll eine junge Dame kennenlernen, deren Namen er gestern von Holden kurz nach Mitternacht erfuhr; sie heißt Barbara Darapti oder Darapti-Felapton!?

Ich sagte, ich wüßte nicht, ob Damenbekanntschaften – dazu ganz offenbar Italienerinnen – dem Kranken im Augenblick bekömmlich seien.

Sie lächelte wieder.

Ob bekömmlich oder nicht – was für ein altmodischer Ausdruck im Hinblick auf Frauen –, Viktor wünsche sie kennenzulernen, und er bitte mich, die Adresse und die Telephonnummer zu recherchieren.

Sie strahlte, als sie sich dieses seltsamen Wunsches entledigt hatte, und ich liebte sie sehr.

Schwester, sagte ich, Margot, ich denke, ich kann Ihnen helfen, denn der Vorname wie der doppelte Nachname dieser Dame kommen mir sehr bekannt vor. Und meine Augen (mein Magen fing an zu knurren wie ein läufiger Terrier) wanderten auf ihrem schönen, bleichen Gesicht, den ungeschminkten Lippen und den geröteten Mundwinkeln.

Gesetzt, sagte ich und hüstelte, die Dame wohnt in Berlin, was wünscht Holden oder mein Vater von dieser Dame?

Kontakt, sagte Margot nicht ganz ernst, Kontakt und Belehrung, und ich könne die Adresse nach 22 Uhr bei ihr abgeben,

Zimmer 201 im II. Stockwerk. Das war das Zimmer neben der Toilette mit der Sitzbadewanne aus Emaille.

Unbedingt, sagte ich, sicherlich doch, aber selbstverständlich.

Ach, noch etwas, sagte Margot und stand auf.

Sie hatte eine Kopfnote, die mich wollüstig betäubte.

Viktor habe den lebhaften Wunsch, den toten Bassett endlich versorgt zu wissen.

Ich dachte sofort an eine intime kleine Trauerfeierlichkeit à deux, vielleicht im Garten, sozusagen im Glanz der Sterne.

Ich denke, sagte ich zärtlich, ein kleiner Container werde sich bei Mergel auftreiben lassen.

Wo denken Sie hin, sagte Margot, nehmen Sie einfach einen der blauen Gartensäcke für den Transport, denn ich fürchte, Sonja ist nicht mehr recht beieinander.

Transport, natürlich, sagte ich, aber wäre ein Behälter, ein kleiner Sarg nicht vielleicht würdiger.

Wofür, fragte Margot.

Für eine Bestattung, sagte ich und atmete tief ein.

Sie müssen die Pillen, die Ihnen Dr. Fossler verschrieben hat, sagte Margot, regelmäßig nehmen. Sie sollen die tote Hündin nicht begraben oder bestatten, sondern zum Ausstopfen bringen. Ihr Herr Vater möchte sie gern um sich haben. In Tegel, fügte sie hinzu, gibt es noch einen Taxidermisten. Ich schlage ein Taxi vor.

Nein, Gott ist nicht nur gut, er teilt auch gern aus.

Ich weiß nicht, ob das Ausstopfen eines geliebten Tiers so gut ist, sagte ich, gerade weil der Zustand meines Vaters labil sei.

In Amerika, sagte Margot heiter, werde das sehr oft praktiziert.

Da resignierte ich und begleitete sie zur Tür.

Diese Barbara gab mir zu denken, nicht wegen ihres Vornamens, der nicht ungewöhnlich ist, sondern wegen der beiden Nachnamen, denn wenn die stimmten, dann war Barbara kein weiblicher Vorname, sondern der Name eines ganz gewöhnlichen Syllogismus. Und wenn das so war, dann konnte man daraus schließen, daß der Geist, der den armen Papa heimsuchte, ein kranker Geist war, der im Verborgenen sick jokes schätzte.

Im Haus war es sehr still, als ich die vielen Treppen hinab in den Keller ging, um einen blauen Müllsack aufzutreiben. Von Mergel war nichts zu sehen. In einem der hinteren Gewölbe sah ich eine schwache Birne in ihrer Fassung pendeln, dann fand ich in dem Gang, der zum Garten führte, einen Haufen blauer und gelber Plastiksäcke.

Im ersten Stock war es immer noch totenstill, nur in der Küche pfiff ein Teekessel verzweifelt vor sich hin.

Ich hatte in meinem Leben schon viele Tierleichen gesehen – darunter auch welche, die nicht mehr ganz taufrisch waren –, aber was die Zeit und der Sauerstoff an der toten Hündin getan hatten, war schon erstaunlich.

Als ich die Tür zum Zimmer mit dem aufgebahrten Tier öffnete, wehte mich ein Gestank an, gegen den ich meine Nasenlöcher mit mentholgetränkter Watte schützen mußte. Da lag das arme Vieh auf dem Rücken, alle Viere wild von sich gestreckt und blühte; kleine Kolonnen von Maden wanderten von der geöffneten Schnauze in den geplatzten Bauch, andere hatten sich lauschige Weideplätzchen am Anus gesucht und schienen nach keiner weiteren Ortsveränderung zu streben. Saprophyten, also Fäulnispflanzen, kleine glänzende Pilze mit schleimigen Köpfen und gelbweiße Blütenköpfe wucherten in der Bauchhöhle. Zum süßlichen Verwesungsgeruch kam zu allem Übel auch noch Blütenduft, wie einem Baudelaire-Gedicht entstiegen.

Nein, sagte ich mir, Sonja ist keine Attraktion mehr, und kein noch so perfekter Taxidermist kann aus dieser schadhaften Bassetthülle ein Kunstwerk machen, mit richtigem Fell, Glasaugen, einer einwandfreien Nase und schwarzen Lefzen. Ich beschloß eine stille Beseitigung in einer der vielen Mülltonnen.

Zuallererst brauchte ich eine Schaufel und eine Art Kaminzange, und so machte ich mich auf die Suche.

216

Nachträglich weiß ich nicht mehr, wieviele Zimmer ich absuchte, wie viele Türen ich öffnete; nur ein paar waren verschlossen.

Ich fing im II. Stock an, mit der langen, dunklen Zimmerflucht auf der rechten Seite.

Es hat keinen Sinn, aufzuzählen, was mein Vater alles sammelte, es wäre nützlicher, festzustellen, was er nicht gesammelt hatte.

Im ersten Zimmer wohnten hunderte von Porzellantieren, wilde und zahme, manche auf Sockeln und manche auf goldenen Kugeln, separat und in Gruppen, große und kleine und alle absolut wertlos, in irgendeiner polnischen Manufaktur zwischen den Kriegen in Serie hergestellt.

In einem anderen Zimmer hatten sich, ordentlich in den beliebten Stahlregalen, Heerscharen von Toastern eingenistet. Immerhin waren ein paar italienische in einem wilden Design dabei, alle mit weißen Schabracken.

Im nächsten Zimmer hauste eine Riesengruppe alter Radioapparate, die ihre traurigen, braunen Gesichter zeigten, die Schnüre wanden sich um sie wie Schlangen und die Stecker schienen nach Kontakt zu suchen. Sie schwiegen traurig miteinander, als ich leise die Tür schloß.

Allmählich begann ich, sehr diskret und nur für mich selbst, am Geisteszustand meines Erzeugers generell zu zweifeln. Auch ich habe ein Herz für Sammlungen, aber man kann doch schöne, wertvolle oder vernünftige Dinge sammeln, wie zum Beispiel alte Betten oder Briefmarken, Hirschfänger oder Vedutentassen aus dem 18. Jahrhundert.

Der alte Viktor hatte kleine Mausoleen für unbrauchbare Dinge eingerichtet, an denen kein Mensch mehr hing und die von niemandem vermißt wurden, schlimm zusammengesperrt bis zum Ende aller Zeiten.

Leider waren die Büchersammlungen, gottlob durften die

in Holzregalen hausen, ähnlich blödsinnig, aber vergessene Bücher verstanden sich vielleicht untereinander besser, auch wenn sie nicht miteinander sprachen; wer sammelte zehn Ausgaben des Konversationslexikons von Meyer aus dem Jahre 1911? Welcher verzweifelte Wunsch mochte der Idee zugrunde liegen, fast hundert Ausgaben von Bindings *Opfergang* zu deponieren? Flüchtig erinnerte ich mich an die Verfilmung mit Christina Söderbaum, der Reichswasserleiche, die in dem Machwerk viel herumritt. In der gleichförmigen Reihe der Bindings langweilte sich hochmütig (in grünem Leinen) die Erstausgabe von Pittigrillis *Ein Mensch jagt nach Liebe*, Eden-Verlag 1930, Berlin.

In einem kleinen Zimmer gegenüber fand ich in zwei Stahlregalen einen stillen Harem nackter Frauen, schwarzweiß und bunt. Es waren zehn Jahrgänge der schon lange verstorbenen Zeitschrift *Die Gondel*, die schwache Sonne pubertierender Knaben in den fünfziger Jahren.

Dann erreichte ich den letzten Raum links, ein hohes, absolut kahles Zimmer. An der weiß getünchten Wand hoben im Licht der Taschenlampe ungeheuer viele Totenmasken die Nasen. Ihre Augenhöhlen aus Gips waren voller Staub, ein paar waren ernst, und andere schienen zu grinsen. Wäre es ihnen möglich gewesen, die Augen zu öffnen, dann hätten sie auf einen chaotischen Haufen von Massagegeräten und Ventilatoren geblickt, die auf einem Trumeau aufgebaut waren. Bei Licht betrachtet, mußten die Masken sogar widerlich gekrümmte Penisse betrachten, beige und fleischfarbene, mit fetten rosigen Testikeln, an denen rote Schläuche mit Gummibirnen hingen.

Das letzte Zimmer ließ sich nur durch einen leichten Tritt gegen die Klinke öffnen und bot auch einen niederschmetternden Anblick: eine stumme, auf dem Parkett versammelte Gesellschaft von Spucknäpfen, Nachttöpfen und Keplerpyramiden aus Kupfer. Die großen, bauchigen Spucknäpfe starrten auf die klei-

nen Pyramiden, während die großen Pyramiden aus Kristall entrückt und schweigend auf die kleinen Gefäße herabsahen.

In allen Zimmern, gleichgültig, welche Objekte in welcher
Anzahl sie beherbergten, herrschte eine sanfte Atmosphäre vergeblichen Wartens. Ich berührte einen uralten Nachttopf, auf dessen weißem Bauch eine Phalanx sorgfältig bemalter Skarabäen
im Uhrzeigersinn im Kreis spazierte, und das Porzellan gab einen
dünnen, hoffnungslosen Ton von sich.

29   Ich muß meine Meinung über
den Dr. Gussjew leider abermals revidieren; er mag ein verwor-
rener Geist sein, seine Rolle im Haus uneindeutig etc., aber er ist
eine Seele von Mensch. Er hatte sich in Unkosten gestürzt und
brachte mir, neben meinem Gepäck, zwei Briefen aus England
und einem kalten Hamburger auch Medikamente mit. Zäpfchen,
sagte er verschämt, gegen das Leiden, ein Kombinationspräparat,
es hieß so ähnlich wie Hämo-Europa und sollte über meine
Hämorrhoiden siegen.

Wie kann ich Ihnen nur danken, sagte ich gerührt.

Wir sollten analysieren, sagte er, deuten im Sinn der wissenschaftlichen Interpretation mit allen möglichen Methoden die
Bottschaften von Geistwesenheit Holden, im Hause.

Gott, er rief mich zur Disziplin.

Aber zuerst, sagte er, auf dem Stuhl mit dem Rücken zum Fenster in unserem Arbeitszimmer mit dem tranigen Licht, Sie müssen beseitigen Ursache von die Entzündung – dieserhalb logisch
ich kaufte dieses Mittel.

Und aus den Tiefen seines schäbigen, pechschwarzen Mantels
holte er ein Päckchen Carbo Animalis.

Tierkohle und Mexaform, sehr bekömmlich auf den Organismus, sagte er, kroch dann zum Fenster und schloß die Jalousie. Ist verbotten, sagte er vertraulich, leider nicht mehr im Handel. Aber es ist so furchtbar wirksam, wenn man nicht beachtet die Nebenwirkungen – aber Sie ja ohnehin im Besitz von Schwindel und Übelkeit, wie?

Diese Reden erinnerten mich wieder an den alten K., den Gussjew, wie er sagte, seit zwei Tagen nicht gesehen habe.

Aber Schwester Allegra sagt, es geht gut, er wohlauf, er frisch und munter, nur Kreislauf down und downer, aber er wünscht exakte Nachricht und die Interpretation des Textes morgen nachmittag 16 p.m.

Morgen, rief ich, wieso denn schon morgen? Um wieviel Uhr, ich muß den Hund außer Haus schaffen, ich habe Briefe zu lesen und zu beantworten.

Unnachsichtig sagte Gussjew auf seinem Stuhl, es muß sein morgen in aller Unbedingtheit, sonst wieder ein Anfall des alten Herrn in Sicht, und das ist für alle wesentlich unangenehm, nicht unwesentlich schädlich für den Patienten Viktor Kacz – und dumm für seine Umgebung, also für mich, für Dich, für Sie. Ich sagen wollte, für die Kompetenz von der Dr. Fossler, für die Schwestern A und auch M, ja sogar für Mergel im Keller – und nicht zuletzt für meinen, Ihren, unseren Holden – compris?

Dr. Gussjew, sagte ich an dieser Stelle, haben Sie in der Stadt etwas getrunken? Haben Sie eine Erfrischung zu sich genommen?

Selbstverständlich, sagte der Doktor mit einem fauchenden Guttural, deswegen ist meine German-Pronunciation im Begriff sich zu verflüchtigen. Aber, Alfred, setzte er hinzu, kann ich denn Dienst am Geist machen ohne Alkohol, der nützt und schützt? Nein, niemals, nein, und lassen Sie uns sein guteste Kameraden im Geist der Brüderschaft, äh, gegen dies und auch das andere, je nach dem.

Gottlob gab es wegen meiner Selbstmedikation noch eine kleine Pause auf der Toilette. Ich applizierte als braver Patient ein Zäpfchen, das wie eine Miniaturbombe geformt war, schluckte vier Kohletabletten und besah dann meine schwarze Zunge im Spiegel über dem Waschbecken zwischen den beiden Becken, denn das Klosettbecken mit dem grauen Latz berührte beinahe das kleine Porzellanbecken.

In der Sitzbadewanne war Bewegung: eine Gruppe Kakerlaken, Gott allein weiß, warum sie in die Wanne geklettert waren, suchte nach einem Ausgang. Für die Abflußlöcher waren sie entschieden zu dick. Es schien sich um eine Familie zu handeln, eine dicke Mama, ein nicht ganz so dicker Papa, die unförmige Tante und ein paar Kinder.

Ihre dunklen Fühler drückten Ohnmacht und Verzweiflung aus; eines der Kinder hatte sich in das Abflußloch gequält, und die Restfamilie winkte traurig mit den langen Fühlern. Aus hygienischen Gründen nahm ich Klopapier, klaubte die Insekten aus ihrem Gefängnis und setzte sie vor das rechte Löwenbein der Wanne – und in freudiger Eile verschwanden sie in einer Linoleumspalte.

Gute Taten, auch wenn sie sinnlos erscheinen mögen, sind doch Balsam für die Seele.

Dann ging ich in die Küche, in der Allegra eine Kasserolle mit dem Nährbrei für den Kranken hütete, sagte, wir müßten jetzt ungestört arbeiten, Gussjew und ich, und bat um zwei Flaschen Rotwein, es könne auch ein Burgunder sein.

Ist nicht, sagte die Schwester, für Gäste gibt es Erlauer Stierblut oder die berühmte Rose von Mornaque.

Liebste Allegra, sagte ich, Sie wollen uns töten.

Der Dr. Fossler habe mir jeden Genuß von Alkohol untersagt, wenn ich trinken wolle, sagte sie, dann dieses Zeug, das bestimmt nicht süchtig mache, kurz, das sei eine Art unreiner Aversionstherapie.

Ich sagte, ich bewunderte ihren Weitblick, schleppte die beiden Flaschen und zwei Gläser in unseren Arbeitsraum, aß mit viel Ekel den kalten Hamburger, Gussjew öffnete die Flaschen – ich bekam das Erlauer Stierblut ab –, und dann setzten wir uns, ein jeder auf seinen Stuhl.

Sie lesen vor, sagte ich, ich höre zu und mache Notizen.

Ach nein, bitte! sagte Gussjew, ich höre zu und mache Notizen, während Sie lesen.

Ich sagte, ich könne besser nachdenken, wenn ich zuhörte, Gussjew sagte, ihm ginge es ganz ähnlich.

Ich behauptete, schon von jeher, etwa seit Sokrates, habe der Interpret immer nur den Texten gelauscht, während er seine Konjekturen, über den Textkörper gebeugt wie ein Arzt am kranken Leib über den Symptomen der Krankheit, schriftlich fixierte; er spiele jetzt die Rolle des sprechenden Textes, ich hörte zu, etc. –, und irgendwie leuchtete diese Idee meinem Kompagnon ein, er stimmte zu und legte die Karteikärtchen auf seinen Part der Platte wie ein Patience-Spiel.

Wie ist, fragte er, Reihenfolge wegen die Farbe, der Rotwein schmeckt scheußlich.

Meiner auch, sagte ich. Die Reihenfolge sei egal und er solle nur immer anfangen, Karte nach Karte.

Ich legte mir DIN A5 Karteiblätter auf meine Seite des Schreibtisches, auch in den Farben, die Margot gewählt hatte.

Nuje, nuje, nuje, murmelte Gussjew bestürzt, während er seine Hände vor dem Mund faltete.

Oh, rief er dann, Bemerkung ist wunderbar klar, deutlich, leicht und schön, eine Perle: Tante Margarete einladen! – Wer bitte ist Tante Margarete?

Eine alte, sagte ich, baltische, anthroposophische Tante und ein Alptraum.

Klar wie die Sonne, sagte Gussjew, ich lege ab in grüne Mappe mit Titel: ZuTunIst.

So könnte man's machen, sagte ich, und eine unendliche Müdigkeit überkam mich, ausgehend von den Innereien und den Hämorrhoiden, die das Licht suchten.

Sie trinken ja nix, rief Gussjew, dabei ist doch alles ganz einfach, sehen Sie, Numero drei oder vier: Der Bassett muß ausgestopft werden, sitzend zur Linken von Viktor, sitzend wie ein Vorsteh-Hund.

Was ist –, fragte Gussjew.

Ich sagte, ich wüßte es auch nicht, es könne aber sofort unter ZuTunIst. Er könne ohne Kommentar lesen.

Vierte Bemerkung: Margot ist eine Schlampe!

Papierkorb, sagte ich, wie die fünfte heiße?

Viktors coy mistress einladen, jetzt! – ZuTunIst oder Nicht-ZuTunIst, fragte Gussjew.

ZuTunIst, sagte ich, es sei dies der Name für eine Dame, die meine Mutter sei.

Pardon, sagte Gussjew, dieses hier lautet: Schöne Mauer fällt, ohne daß Hund bellt.

Weg ohne Schaden, sagte ich, unter MußNichtSein!

MußNichtSein!, sagte Gussjew befriedigt, ist schönste Rubrik, und er trank einen großen Schluck seiner Rose von Mornaque.

Oh, sagte Gussjew und rülpste, dies betreffend Sie von Holden: Alfred muß machen Body Building in Institut California, bei Herrn Zitier.

MußNichtSein, sagte ich.

Schon gut, sagte Gussjew ergeben und stopfte wieder ein Blatt in die Ablage. Beim nächsten machte er ein Gesicht, als habe er eine ganz schlechte Karte erwischt.

Ich weiß, sagte ich, daß die Rose von Mornaque etwas Furchtbares ist, und drückte mein Mitgefühl aus, wir könnten ja später noch eine Exkursion unternehmen.

Das ist es nicht, in keinen Fall, sagte Gussjew, weder jetzt noch immer. Es sei die Holden-Bemerkung: Zeit bald vorbei, wenn nicht, nur noch einundneunzig Tage-Ziel.

War das, fragte ich, ein rotes Kärtchen, ein grünes oder ein weißes.

Hatte keine Farbe direkt, sagte Gussjew, war weiß, ohne Nummer, ohne Datum, nix. Nun heißt es endlich interpretieren, und ich bin schon sehr gespannt, Sie zu sehen bei der Arbeit in der Praxis.

Unter fürchterlichem Sodbrennen fing ich mit der Arbeit an.

‚Einundneunzig Tage-Ziel‘, sagte ich, das schreibt man auf Rechnungen, die noch nicht beglichen sind.

Wie wunderbar Sie können interpretieren, sagte Gussjew, gut ist das und exakt, aber was tut's bedeuten im Hinblick auf halbtoten Vater, der will leben; aber Ziel von Leben ist ja Tod.

Man müsse, sagte ich, ein Problem immer in seine wesentlichen Bestandteile zerlegen, in diesem Fall in zwei Elemente: erstens die absolute Zeit und, zweitens, Holdens Hinweis darauf, daß sie ende, verbunden mit einer Zeitangabe von einundneunzig Tagen.

Gussjew gurgelte mit der Rose von Mornaque, schluckte dann voller Widerwillen und bemerkte, das sei eine schöne Interpretation, aber wahrscheinlich nicht die einzige, und es sei vielleicht der Zeitpunkt gekommen, die Meschkowski-Methode anzuwenden.

Ich erwiderte, an diesem Satz gäbe es keine Zweifel, und er solle die Karte in die Mappe ZuTunIst ablegen.

Habe noch zwei Rubriken, sagte Gussjew, die eben genannte, sodann die zweite: ManDenkenSollte, und eine dritte, die heißt: InsOrkus. Ich denke, ich tu' Karte in zwei ManDenkenSollte, weil, der Sinn von die Karte ist noch nicht gedeutet.

Wie geht denn die Meschkowski-Methode, fragte ich, um Ruhe zu haben.

Ist sich einfach, sagte Gussjew, und hat ein Zoologe in Sibirien erfunden, in der Wildnis zwischen Amurtigern. Hatte Zelt aufgeschlagen für Feldstudien. Es war Winter und bitterlich kalt. Und er hatte eine große Furcht vor dem Tiger. Und er sagte sich, muß Furcht besiegen. Wie besiegt man Furcht? Durch Denken. Und wie denken? Nämlich so: Da ist Tigergefahr, ja oder nein. Und man muß es dualistisch sehen, indem man immer fragt, hypothetisch und kategorialisch.

Was um Himmels willen, sagte ich, was meinen Sie mit diesem Wort? Kategorial oder kategorisch?

Uje, sagte Gussjew vorwurfsvoll, ist der Wein schlecht. Wenn Meschkowski stellte die Frage nach Tiger hypothetisch, dann keine Gefahr, aber mußte er sich fragen kategorisch, dann Tigergefahr, Sie werden mich gut verstehen, nicht wahr? Obwohl ich bringe einiges durcheinander.

Lesen Sie, sagte ich, bitte die nächste Karte.

Sie sind nicht interessiert an die Meschkowski-Methode, fragte Gussjew.

Nein, sagte ich.

Alfred Kacz junior ist ein Trinker; nach Feuerlein in der Phase vier, Anerkennung des Alkoholikerstatus, und wichst nicht nur nüchtern mit Vivian Neves.

Pardon, fragte Gussjew, ich hole auch sofort einen besseren Wein, aber was ist in deutsch ‚wichsen'?

Masturbieren, sagte ich, bitte in die Rubrik InsOrkus.

Gerne, sagte Gussjew zuvorkommend, haben Sie erledigt das Erlauer Stierblut? Schwester Allegra ist nicht gut für dies Haus, Alfred, Sie warten bitte.

Nach zehn Minuten, in denen ich gegen das Sodbrennen Biskuits aß, kehrte mein Freund mit zwei Flaschen zurück, die noch verschlossen waren.

Ist Wein, sagte Gussjew, aus eigenem Bestand und ein Geschenk, auch wenn Sie verachten die Meschkowski-Methode. Aber wenn interpretieren tut not, man muß haben eine Methode, und Sie, Herr Alfred, Sie haben keine.

Ich fragte, ob der Zoologe in der sibirischen Wildnis überlebt habe.

Ach, sagte Gussjew eine Flasche öffnend, Methode war vielleicht noch nicht ausgereift, oder Meschkowski war ihr in Praxis nicht gewachsen, oder er verwechselte die Tiger der Kategorien mit hypothetischen Tigern, jedenfalls Tiger existierte, fiel an ihn und fraß auf; nur Gürtel, Schuhe und Hosenträger wurden gefunden und seine Aufzeichnungen in einem Metallkoffer.

Ich bat um die nächste Frage.

Sie muß, glaube ich, sagte Gussjew, in Rubrik ZuTunIst, denn Holden wünscht für seinen Zögling eine Reise nach Lourdes in Automobil, am besten in einem Rover oder einem Auto mit Namen Volvo, ist aus Stahl, ich weiß.

Ich zweifelte allmählich an Holdens Kompetenz.

Ich bat Gussjew, den vollständigen Text der Reisekarten vorzulesen. Gussjew, dessen Akzent immer breiter und schlimmer wurde, las vor, während ich meine Flasche Wein öffnete, einen nicht übertemperierten Touraine.

Auf Ihr Wohl, sagte ich, mein liebster Gussjew.

Auf Ihre, Holdens und Ihres Vaters Gesundheit in alle Ewigkeit, Amen, sagte Gussjew und las dann die Karte vor.

Herr Kacz sen. muß in Florida die Bekanntschaft einer Seekuh namens Aphrodite machen, sonst passiert etwas Schlimmes in Haus oder Garten.

He, sagte ich, Holden wird unangenehm ultimativ. Hat er einen vernünftigen Grund für diese Bekanntschaft angegeben?

Selbstverständlich, sagte Gussjew, dieser Geist weiß immer, was er will. Die Seekuh ist Buddhistin und verbringt ihr Leben mit Schlafen, Fressen, Meditieren und Schmusen.

Das seien, sagte ich, sehr leichtfertige Vorschläge und er solle sie InsOrkus deponieren.

Wir müssen ändern Modus, sagte Gussjew und trank sein Glas bis zur Neige, wie schmeckt Ihr Wein?

226

Ausgezeichnet, sagte ich, aber ich sähe keine Notwendigkeit, an dem interpretativen Verfahren etwas zu ändern.

Jedes Problem, sagte Gussjew verbohrt, beruhe mit großer Wahrscheinlichkeit immer auf einem Mißverständnis logischer Art, es basiert das Problem auf einem Fundament der Verwechslung, denn, setzte er triumphierend hinzu – für jeden sprachlichen Ausdruck existiert ein Synonym.

Lieber Gussjew, sagte ich in einem Anflug leichter Ungeduld, was haben die Synonyme mit den merkwürdigen Botschaften der Holden – Wesenheit zu tun?

Alles, sagte Gussjew, und nehmen Sie noch von diesem meinem Wein, weil in Wahrheit Holden immer gebraucht irreführende Ausdrücke. Wollen Sie ein Beispiel?

Ich bat von Herzen um ein Beispiel; vielleicht ließe sich dann diese nächtliche Arbeit beschleunigen, mir war in diesem Stadium jede Methode recht.

Bittäh, sagte Gussjew, auf diesen vier roten Kärtchen, beschriftet von die schöne Margot, keine Fragen, keine Befehle, nur Behauptungen – ich zitiere:

Mergel verkauft heimlich Särge.

Der Mensch ist sterblich.

In seinem Leben spricht der Mensch, wenn er kann, zwölf Jahre.

Im Keller IV leben viele Ratten.

Das Unternehmen Ambrosia ist fallit, es dümpelt vor Schiffsuntergang.

Man muß eine Mortalitätsstatistik besorgen.

Leben tut not.

Der Bandwurm wird nicht alt.

Das Prinzip Liebe muß eingeführt werden durch den Haupteingang.

Ist das alles, fragte ich, bestürzt über die Tatsache, daß Holden, wo immer er weilen mochte, nahe einem Delirium vegetierte.

Ein paar Sachen sind wahr, sagte Gussjew. Der Mensch ist sterblich, das ist die Meinung auch der besten und auch der weniger brillanten Geister. Wohin tun?

Nicht InZuTunIst, sagte ich mit Bestimmtheit.

Wir sollten nun interpretieren diese Bottschaften, sagte Gussjew, nach Methode, die da heißt: Wahrscheinlichkeit von die Behauptung erstens, und dann Überprüfung von die Behauptung gemäß entweder Hypothese oder Kategorie. Beispiel: Im Keller IV leben viele Ratten, – ist das eine Hypothese oder nicht. Denn entscheidend ist der Sinngehalt von Wort, Herr Alfred. Meint Holden wirkliche Ratten oder was ist gemeint mit Ratten, wenn er nicht meint richtige Ratten – das sind die, ich weiß es wieder, die kategorischen Unterschiede.

Das alles, sagte ich, sei hochinteressant, bringe uns aber im Augenblick nicht wesentlich weiter.

Ich entschuldigte mich und verzog mich auf die Toilette. Der Wein kämpfte irgendwie aussichtslos gegen die Medikamentengifte, ich fühlte meine Bauchdecke ab, die hart war. Der Darm blieb verstockt.

30 Was war das für eine denk- und merkwürdige Nacht, diese Nacht der Holden-Papiere. Vergeblich auf der Toilette sitzend, mußte ich bemerken, daß ich meinen feinen Geruchssinn eingebüßt hatte.

Ich konnte im Augenblick so gut wie gar nichts riechen. Ich gab dem Darm noch eine Chance und beobachtete die Abflußlöcher der Sitzbadewanne. Ich hätte gern Gesellschaft gehabt, wenigstens eine Kakerlake hätte sich sehen lassen können. Ich studierte die getünchte Wand hinter mir und entdeckte ein Loch, ein sehr kleines, sauber ausgefrästes, ziemlich reinliches Loch. Ich zog mir wieder die Hosen über und starrte dann mit dem linken Auge, das ein bißchen besser war als das rechte, in dieses Loch. Ich sah einen Bettpfosten aus dunklem Holz, eine honigfarbene Steppdecke und eine Photographie von James Cagney über der Kopfkissenpassage; und dann setzte sich die schöne Margot auf die Steppdecke, in einem kurzen Nachthemd. Sie las mit glatter Stirn in einem Taschenbuch, dessen Titel ich nicht erkennen konnte.

Hin und wieder sah sie mit einem dunklen Blick direkt auf das Loch, seufzte, befeuchtete ihre Lippen und senkte den Blick wieder auf ihr Buch. Leider klopfte Gussjew an die Toilettentür und sagte, er müsse schon sehr und sogleich.

Ich spülte wie ein Verrückter, wusch mir die Hände und ließ ihn ein.

Auch Sie, sagte er, sind ein Denker auf Klosett. Jaja, die Hämorrhoiden, sind nicht auch sie Frucht von die geistige Tätigkeit? Ich litt schon als Kind darunter, immer nur lesen, lesen, und immer im Sitzen. Ich werde zurück sein sogleich.

Ich verwünschte Gussjew und verfügte mich wieder an meinen Platz. Im Raum war es etwas stickig. Ich öffnete das Fenster und rauchte eine Zigarette zum letzten Viertel des guten Touraine.

Nicht rauchen, sagte Gussjews vorwurfsvolle Stimme, er habe geraucht im Ausland, bis die Lungen gelb wurden, und dann diese Sache gelassen.

Ich schlug Freund Gussjew vor, das Verfahren abzukürzen; er möge doch nur jene Karten aussuchen und vorlesen, die ihm signifikant vorkämen.

Gussjew fand die Idee überhaupt nicht gut, schloß das Fenster und sagte: Ist sich alles signifikant irgendwie. Deswegen und dieserhalb man muß stetig untersuchen die oder den oder das Sinngehalt. Alles es hängt allein am Sinngehalt, und wie Meschkowski ließ zurück in Blechkoffer in sibirischer Wildnis als Vermächtnis: Es ist, bis einen der Tiger frißt, immer das Problem von die Begriff des Bewußtseins.

Allemal und immer, sagte ich, da müsse man Meschkowski recht geben, ob er noch einen Schluck Wein auftreiben könne.

Wider Erwarten schwieg Gussjew eine lange Zeit, in der er seine Hände knetete. Er kenne geistige Menschen, sagte er, die vor der Arbeit tränken, welche, die währenddessen tränken, und wieder eine dritte Gruppe, die nach getaner Arbeit tränke. Ihr Goethe, sagte Gussjew mit einem befriedigten Lächeln, hat einmal gesagt zu Eckermann, Zelter oder Riemer – es heißt: Der Wein, er erhöht uns, er macht uns zum Herren, und löset die sklavischen Zungen. In diesem Sinne, ich könnte, weil ich hab' eine kleine Deponie. Aber bitte, nun muß ich drängen auf Bezahlung in bar, denn der Einkauf von die Zäpfchen hat gekostet letzte Reserven. Aber ich mach' Preis unter Brüder! Ist jetzt aber ein Médoc, sagte er, bevor er das Zimmer ohne zu schwanken verließ. Als er mit drei Flaschen wiederkehrte, sagte er, es sei möglich, daß sein Scharfsinn durch den Wein zunehme, aber sein Wortschatz in gerader Proportionalität ab.

Geben und nehmen, nehmen und geben, das ist Ausgleich, fügte er hinzu und öffnete zwei Flaschen.

Wieviel, fragte ich, nachdem ich probiert hatte. Der Médoc war vorzüglich.

Oh, bitte, sagte Gussjew, ich überlasse dies Großmut und Freundschaft unter Brüdern. Pro Flasche vielleicht 30 Deutschmark?

Wir kamen ins Geschäft.

Aber jetzt an die Arbeit, sagte ich, mit voller Kraft. Wie lauten die nächsten kryptischen Botschaften dieser Kreatur, die wahrscheinlich nicht existiert?

Nicht so laut, sagte Gussjew, er könnte uns hören.

Dann erstarrte er, und die Haare seines grau melierten Kranzes richteten sich auf, und er sagte: Uje, uje, aber was denn...

Lesen Sie doch, sagte ich herzlich, getrost laut.

Hier steht, sagte er mit leiser Stimme, die ein bißchen schwankte, etwas sehr Merkwürdiges, in Versalien sogar und lautet: Wenn nichts gelingt und wenn es geht schief, dann muß Gussjew machen den Psychopompos.

Das war wirklich eine rätselhafte und wahrscheinlich nicht besonders signifikante Botschaft. Ich dachte an das Loch und den wunderbaren Anblick, den Margots runde Knie vor dem Ansatz ihrer Schenkel geboten hatte. Ein großer Drang nach der Toilette überkam mich.

Was ist, fragte Gussjew verzagt, ein Psychopompos? Ist doch griechisch, wie?

Tja, sagte ich und kramte in meinem Gedächtnis, das sei wohl aus der griechischen Mythologie, und der Begriff bedeute einfach ,Seelenbegleiter' für Menschen auf dem Weg zum Hades oder dem Jenseits, und Hermes habe damit irgend etwas zu tun.

Wir sollten, schlug Gussjew vor, konsultieren ein Lexikon. Das war eine gute Idee, und wir fingen an, ein Lexikon zu suchen. Wir fanden drei Exemplare des einbändigen Volkslexikons von Knaur, zwei Bände eines Brockhaus, aber leider nur die Bände von H bis M, wir fanden ein Lexikon der Fachbegriffe für Gynäkologen, ein Lexikon der Küche und zwei zerfallende Bände des Kleinen Pauly, leider nur die Bände Dikta bis Juno und Jupiter bis Nasidienus, aber den Buchstaben P, dessen wir bedurft hätten, verweigerten alle, als hätten sie sich abgesprochen.

Wie der Text denn vollständig lautete, fragte ich. Gussjew hatte eine ganz kleine Stimme, als er vorlas:

Gussjew muß eine Metamorphose durchmachen.

Was für eine Metamorphose, fragte ich, das sei bestimmt psychologisch gemeint, für den Hausgebrauch.

Leider nicht so, sagte Gussjew bedrückt, ich soll mich verwandeln in einen Hahn.

In einen Hahn, sagte ich, du meine Güte. Aber, bitte, lieber Gussjew, da sehen Sie selbst, daß auf Holden, den Geist, kein Verlaß ist. Seine Vorschläge, Ideen, Botschaften, Behauptungen und Befehle sind nicht ganz von dieser Welt und wahrscheinlich ist es gänzlich überflüssig, sie zu interpretieren – was ist Ihnen?

Gussjew preßte die Hände vor den Leib, als unterdrücke er die Schmerzen einer Kolik, hatte den Mund geöffnet, und aus seinem linken Nasenloch quoll ein Tröpfchen Blut; daß er Tränen in den Augen hatte, ist zu bemerken überflüssig.

Ich setzte meinen Médoc auf Kürschners Lexikon der sechs Weltsprachen, ein fettes graues, ganz und gar unpaginiertes Monstrum, und sagte sanft: Sie nehmen das zu ernst.

Gussjew aber tropfte aus Augen und Nase, sagte kein Wort und litt.

Es sei doch, sagte ich, schlecht um die Kunst der Interpretation bestellt, wenn sich die Interpreten durch solche Dinge durcheinanderbringen ließen, die sich in einem zweifelhaften Zwischenreich jenseits der Hypothesen und der Kategorien Geltung verschaffen wollten.

Der Geist, Gussjew, unser Geist, ist frei, prost!

Sie haben recht, sagte Gussjew bemerkenswert gefaßt, aber die Sache, die Sache selbst, die sei so. Aus Osteuropa fliehend –

Was, fragte ich geistesgegenwärtig, er da eigentlich gemacht habe?

Dies und auch das, sagte Gussjew, und dann in Europa, wie sagt so kurz die englische Sprache – Flop mit Rasputin – da klopfte es, und wer erschien in einem schwarzseidenen Abend- oder Morgenrock? Niemand anders als die geliebte Margot mit einem Tablett, auf dem ein Haufen hübscher Sandwiches lag.

Alle meine Gedanken flohen. Leider weiß ich nicht mehr, was ich sagte. Ich atmete nur tief ein, bis ich rote und schwarze Sterne vor den Augen sah.

Ist freundlich, sagte Gussjew leicht verschnupft, aber wir sind inmitten eines geistigen Aktes.

Dazu, sagte Margot, passen Sandwiches am besten.

Und dann geschah das Wunderbare; sie legte das Tablett vor meiner Nase auf meine Schreibtischseite, stützte sich mit der linken Hand auf meine rechte Schulter, ergriff mit der anderen Hand mein Glas und trank daraus, gab mir das Glas (ihres, meines, unseres, das war nicht mehr signifikant) zurück, verschwand wieder und hinterließ nur ihre Düfte, die ich speicherte, so lange ich nur konnte.

Wo waren wir, wenn wir wo waren, fragte ich. Gussjew trocknete seine Tränen und bat um eine Zigarette.

Ich mache kurz, sagte er. Endlich in Europa und wieder Mißerfolg mit diesem und jenem, und endlich Refugium bei gütiges Papa, Deklination falsch, ich weiß, und dann dieser Vorschlag von Holden ... nein, ist kein Vorschlag, ist Befehl, eine Order, aber ich sehe schon jetzt einen Widerspruch, eine Differenz, ja, aber ich erkenne noch nichts ganz genau. Wissen Sie, wir müssen erst leeren die Flaschen, dann wird Sache klarer vielleicht.

Wir tranken und wir schwiegen, dann schwiegen wir und tranken.

Ein braungrauer Nachtfalter suchte das Licht unserer Sparbirne und fand die Hitze nicht, auf die er gehofft hatte.

Ist symbolisch, sagte Gussjew, aber nicht signifikant. Da ist der Mensch, und er strebt zum Licht – und da ist das Licht, und es genügt ihm nicht.

Dann fing er den armen Falter und zerquetschte ihn mit Hilfe eines Holzlineals auf einer weißen Karteikarte.

Aus bloßer Neugier fragte ich, was speziell auf dieser Karte für ein Holden-Text stehe.

Och, sagte Gussjew, ist Liebe römisch IV, und da heißt es: K. jun. muß Margot lieben, sonst Orkus. Soll ich tun InsOrkus oder wohin?

Bester Gussjew, sagte ich und stürzte meinen Wein, machen Sie Kopien und tun Sie die Kopien in ZuTunIst, in ManMachen-Sollte und nicht! InsOrkus, verstanden?

Ich verstehe schon, sagte Gussjew und schnüffelte.

Er packte den toten Nachtfalter in sein blutiges Taschentuch und schneuzte sich.

Ist lange Nacht, sagte er, aber wir müssen arbeiten ... Essen, trinken, denken, interpretieren und wieder trinken, c'est la vie.

Darauf tranken wir einen Schluck und aßen die Sandwiches, die leider nicht nach Margot dufteten. Gussjews Kopf wackelte, sank herab, und er mußte auffällig viel schlucken.

Ich sagte, ich fände es besser, die nächsten Fragen auf den nächsten Tag zu verschieben.

Oh, nein, sagte Gussjew und spuckte in den Papierkorb aus Blech an seiner Seite, wir müssen machen weiter, das ist Disziplin.

Ich ging um den Schreibtisch und öffnete das Fenster. Die kalte Nachtluft belebte mich ein wenig. Auf Gussjew hatte der Sauerstoff keinen so günstigen Einfluß, und er mußte öfter spucken.

Passen auf, sagte er mit einem Mal, Alfred, wir müssen sehen die Fragen von Holden als Lage von Problem; erklären wir Problem in Form von Frage oder Behauptung, dann wir untersuchen gleichzeitig das Bewußtsein von Geist Holden; untersuchen wir das, so haben wir gleichzeitig vielleicht die Lösung von Problem, welches sich äußert sprachlich. Wir müssen nur immer geben Obacht auf die Synonym.

Als ich gerade sagen wollte, wie ausgezeichnet ich diese Idee fände, aber erst am nächsten Tag, schlug der Analytiker Gussjew seine dünnen, weißen Hände mit den abgeknabberten Nägeln vor das Gesicht und gurgelte tief in der Kehle, seine Beine streckten sich wie in einem Krampf, und er trat mich mit dem linken Fuß schmerzhaft an mein rechtes Knie.

Gussjew, rief ich, was ist Ihnen? Soll ich Ihnen ein Senffußbad machen? Ich befürchtete einen epileptischen Anfall, wußte aber dank meines Erste Hilfe-Kurses, zusammengesperrt mit den lieblichen Schwestern in einem engen Raum voller Liegen, was man dagegen unternehmen muß. Öffnen Sie, sagte ich, Ihren Kragen, werfen Sie beengende Kleidung ab, wenn Sie Fieber haben – haben Sie Fieber? dann sind kalte Wadenwickel angebracht, hören Sie mich?

Kragen schon lange offen, sagte Gussjew gepreßt, nützt nichts, es ist wieder einmal Skuns.

Wer oder was ist Skuns, fragte ich und schlug vor, abzubrechen und die Betten aufzusuchen.

Es ist dies, sagte Gussjew, ein kleiner Dämon, der mich nach die Genuß von Rotwein heimsucht, ist unrasiert, destruktiv und summt mir in die Ohren ...

Ein Dämon hatte mir noch gefehlt. Ich holte tief Luft und zählte bis Zwanzig. Dann sagte ich beschwörend: Gussjew, Vernunft, Rationalität! Es existierten vielleicht persönliche Dämonen, zum Beispiel Dämon Alkohol, aber nicht objektiv.

Furchtbar objektiv, sagte Gussjew kläglich.

Was sagt er denn, rief ich, was spricht er denn?

Uje, uje, uje, sagte Gussjew bestürzt, noch sagt er nix, und ich muß gegen ihn kämpfen. Er krakeelt und tobt im linken Ohr. Wissen Sie, was der Dämon ist – ein Stinktier, ein spirituelles. Und er keift mit der Stimme von meiner toten Mama, er ist mein alter Ego, und er denkt nicht kategorialisch-logisch. – Oh, wie er jetzt schimpft.

Ich bat um eine Transkription, während ich an meinem Verstand zweifelte. Der Wein war schuld, der Wein war immer schuld.

Jetzt er sagt, Fossler ist ein Scharlatan, sagte Gussjew, und rapportierte dann ohne große Übermittlungsfehler getreulich, was ihm sein Dämon Skuns ins Ohr blies. Skuns bevorzugte den lapidaren Stil.

Viktor K. ist gesund, hat keinen Pick, Viktor K. hat ADD!

Ist ein, sagte Gussjew, Akronym von einer weit verbreiteten Krankheit in der Welt, Skuns sagt, heißt auf englisch Attention Deficit Disorder, ich kann aber nicht übersetzen, weil ich des Englischen überhaupt nicht mächtig, leider.

Ich schrieb die Meldung des gussjewschen Dämons auf ein Karteiblatt: Die Unfähigkeit, aufmerksam zu sein, in der Tat, eine weltweit grassierende Krankheit.

Sonst noch was, fragte ich und dachte, es sei praktisch, alles das zu notieren, was Skuns so mitteilte, wenn er nun schon einmal da war.

Gussjew wiegte den Schädel leicht hin und her, sagte: ZuTun Ist Parasitismus, und fiel mit einem Schluckauf vom Stuhl.

Nun, ich räumte ihn mit Mühe vom Boden, packte ihn unter seine eiskalten Achseln und schleppte ihn sehr mühsam und schwerfällig in sein Domizil, in dem ein ungemachtes Bett auf ihn wartete.

Dort legte ich ihn angezogen ab, stellte ein Glas Leitungswasser gegen den Nachdurst neben sein Bett, deckte ihn zu und ging schlafen, nachdem ich noch einmal das Loch in der Toilette inspiziert hatte. Gussjew würde in jedem Fall in der nächsten Zeit für die subtileren Verfahren künstlerischer Interpretation ausfallen.

31

Wieder ein Katertag, spät erwacht, Kopfschmerz insistent, Magen renitent, Gehirn präsent, aber immer noch Erlauer Stierblut und Médoc in den Adern. Man sollte schon einmal wieder mit dem Trinken aufhören, wenigstens eine Zeitlang.

Schluckte dann Aspirin mit Vitamin C und las Stendhal in

einer deutschen Übersetzung und fand einen interessanten Satz, den ich sofort auf meine Lage bezog: Die Hoffnung des Mannes hängt lediglich vom Verhalten der Geliebten ab. Das leuchtete irgendwie ein. Leider würde ich sie ein paar Stunden nicht sehen, so daß ich feststellen könnte, wie sie sich verhielt.

Gegen 11 Uhr entschloß ich mich zu zwei Dingen: erstens würde ich meine Zentrale in diesem Zimmer installieren und nicht im Arbeitszimmer, das entschieden zu eng für die großen Aufgaben war, und ich würde auf der Stelle Margot einen Liebesbrief schreiben.

Es mußte ein eleganter, unwiderstehlicher und intelligenter Brief werden, und er sollte nach Czar von van Cleef duften.

Um auf große Gedanken zu kommen, las ich noch einmal in Littlemans bedeutsamer Schrift *Theorien seelischer Ereignisse*, ein Buch, in dem er sich sehr eigensinnige Gedanken auch über die Liebe macht, und ich weiß noch heute den Schluß meines Briefes, den ich aus unbekannten Skrupeln dann doch nicht abschickte.

Denn man muß, liebe Margot, zwischen den Gefühlen (Feelings) und den freigesetzten Erregungen (Agitations) unterscheiden, um die geliebte Frau nicht zu belästigen; derlei Feinheiten der Unterschiede kennt die deutsche Sprache nicht. Und wie der Arzt Savinio einmal richtig schrieb (finde ich): Unglückliche Lieben führen zu sexuellen Rückläufen. Warten wir also mit Geduld auf jene Kristallisationen, die, Stendhals Theorie folgend, unweigerlich passieren müssen.

Ihr Alfred K.

Im Haus war dann viel Betrieb, und die Spiegel des großen Schrankes klirrten unaufhörlich.

Gegen 12 Uhr wagte ich mich auf den Flur, rannte zum Arbeitszimmer, steckte sämtliche Holden-Karteikarten in meine marmorierte Mappe und floh wieder in mein Schlafzimmer. Aus der Küche, die gottlob leer war, besorgte ich mir einen mittelgroßen, mit grünem Wachstuch bespannten Tisch und breitete dann alle aktuellen Papiere aus – die Karteikarten, die Briefe aus England und das Blatt Butcher. Dann verschloß ich meine Tür und begann mit einer ersten großen Ordnung.

Auf dem langen Tisch aus rohem Holz verteilte ich die roten, grünen und weißen Karteiblätter mit Margots schöner Maschinenschrift in der Pica-Type. Auf dem grünen Wachstuch des kleinen Tisches lagen die beiden Briefe aus England, einer von Dr. Searl aus der Klinik und der andere von niemand anderem als der Witwe Hawkins. Wegen der geliebten Plummer – Schwestern machte ich ihre Epistel zuerst auf.

Lieber Alfred, schrieb die Witwe, wie geht es Ihnen? Ist Ihr Vater schon unter der Erde? Wie war der Trauergottesdienst? Ich finde, die Geistlichen geben sich nicht mehr so viel Mühe. Damals, als Josua unter seinem 17-Pfund-Blumenarrangement lag, sagte der Reverend – aber das wollte ich gar nicht erzählen. Stellen Sie sich vor, ich bin in Liebe; weil der Kater so terrible versagte, ließ ich einen Kammerjäger kommen, der eine Schlacht gegen die Schädlinge in Haus und Garten schlagen sollte, ohne den Versager-Kater von Dr. Stamp. Und es kam ein Herr namens Dobson, der Kammerjäger persönlich, sein vollständiger Name lautet Tristan Dobson, stellen Sie sich das nur vor, er ist Abstinenzler, leider, und doch eine Seele von Mensch, ganz anders als mein Josua, der mich immer erziehen wollte. Er hat korallenrote Haare, mein Tristan, und liebt die Ordnung in jeder Beziehung, nicht nur als Kammerjäger. Was soll ich sagen, er brachte sie alle zum Verschwinden: die Kakerlaken, Schaben, Mäuse und auch den Pilz unter Ihrem Bett, Fußende, leidet aber, mein Tristan, unter einer chronischen Bronchitis, vielleicht wegen der vielen Gifte, die er sprüht; aber er kümmert sich rührend um den Garten, der verwildert war, und auch um den meinen – schrieb die Witwe in einem Ausbruch wilder Poesie –, der da brach lag,

voller wilder, sherrygetränkter Maßliebchen und trauriger Schar-
lachflechten, besucht nur von den Insekten, die nicht meinen
Honig suchten. Das ist die schöne Lage, Alfred, anyway thera-
piere ich natürlich seinen Husten und das ewige Räuspern davor
und danach auch und mache jeden Abend und Morgen, den der
Herrgott uns schenkt, ein Gesundheitsgetränk, bestehend aus
echter Sahne, ein bißchen Brandy, gequirltem Dotter freiheitlich
lebender Hennen, Rotwein und einem Tröpfchen Angostura. Und
Sie werden es nicht glauben, er hustet nach vierzehn Tagen schon
viel vitaler. Übrigens wohnt er jetzt gewissermaßen in Ihrem
Zimmer. Wir haben Ihr Zeug in Kartons gepackt und fanden
dabei viele sonderbare Dinge, über die ich jetzt, in Love! nichts
schreiben möchte.

Die Verlobung der Plummers mit dem Athleten ist futsch, aber
darüber möchte ich im Augenblick nichts schreiben, was Sie verstehen werden.

So ein Liebesfrühling bringt viel Sonnenschein, aber auch
Regen. Tristan findet das Haus verrottet, was immer er in seinem
Kammerjäger-Bewußtsein damit meint, und er will alles renovieren. Auch ich war bei dem Coiffeur in der Elmstreet, der so
ähnlich heißt wie Claude, und der hat mir aus den wenigen Haaren, die ich noch habe, eine hübsche Frisur gemacht, natürlich
gefärbt, aber in einem ganz dezenten Silber-Violett, das richtig
schmuck aussieht.

Ich mußte unterbrechen, pardon, denn Tristan hat's auch am
Magen. Er liegt in meinem Bett und benimmt sich, als hätte er
Rattengift intus. Wir machen jetzt eine Rollkur, und sie schlägt
an, weil die Rezeptur einfach gut ist – Gurkensaft mit Wodka.
Leider ist jetzt eine Allergie dazugekommen und Tristan hat
weiß-gelbe Quaddeln im Gesicht, was Zärtlichkeiten nicht
gerade befeuert. White Devil wurde bei einem seiner Spaziergänge an einem Nachmittag von einer Biene in die Nase gesto-
chen, die natürlich anschwoll. Er war furchtbar gekränkt und

mußte durch das Maul atmen. Auch dem Dr. Searl, den Sie ja wohl kennen, ist etwas zugestoßen, was in Anbetracht seines Alters gar nicht gut ist.

Lieber Alfred, Sie sind doch ein gebildeter Mann, wenn ich auch nie wußte, in welchen Dingen eigentlich? Die Sache ist die, daß Tristan zu lesen angefangen hat, wo er nicht mehr so mobil ist, aber was soll er lesen? Mit seinem Augenlicht ist auch etwas in Unordnung, und er muß jeden Satz zweimal lesen, so daß er mich nun gebeten hat, ich möge ihm vorlesen. Mein Dobson ist schon vierundfünfzig, und was könnte man da denn vorlesen? Ich hab' bei Ihnen im Regal ein paar Bücher gefunden, aber Unterhaltendes war nicht dabei. Ich hab' ihm aus einem gewissen Bennett vorgelesen, das Buch heißt ganz einfach *Rationalität,* aber es hat Tristan nicht zugesagt. Ob er wohl Romane annehmen würde? Es wäre schön, wenn Sie mir dieserhalb antworten könnten, möglichst bald. Das von Ihnen gewünschte Buch aus dem Regal im Flur schicke ich mit getrennter Post. Daß die Schwestern sich entlobt und entliebt haben, schrieb ich ja wohl. Es war eine ganz furchtbare Affäre.

Alles Gute, Ihre Rose Hawkins.

Der Brief von Freund Searl aus der Klinik klang ungewöhnlich heiter.

Mein lieber geschädigter Kacz, schrieb der Doktor in reinlichen runden Buchstaben mit einem glattflüssigen Kugelschreiber, blau:

Ich bin verheiratet. Niemals hätte ich an ein so spätes Glück gedacht, und es passierte im Bett IV des Zimmers 26, wo ich mit meinen selbstinduzierten Verätzungen darniederlag, wie Sie sich – gewiß voll Ihres immer präsenten Mitleids – entsinnen werden. Des kranken Mannes Handicap, das sagte schon der ganz unerschöpfliche Montaigne, ist der Schließmuskel. Denken Sie immer daran, wenn Sie sich in einer ähnlichen Lage befinden. Ich hatte einen kleinen, fahrlässigen Unfall am Ende des Darms,

240

infolge eines Entspannungsmanövers nach den Strapazen, und eine neue Schwester namens Clarissa, wie bei Richardson, ja, brachte die Resultate zum Verschwinden, wechselte die Bettwäsche, spendete Trost, und es war Liebe auf den ersten Blick, den wir wechselten, als ich im frisch bezogenen Bett lag und sie mit einer Patentwindel für Inkontinente an meinem Kopfende stand. Sie ist ein verwirrend schönes Geschöpf um die Dreißig, mit aquamarinblauen Augen und blauschwarzen Haaren bis zum Po, indianischer Abstammung, ich denke, es waren die Sioux oder die Appalachen, bin aber nicht sicher, weil ich Western verabscheue. Sie spricht wie die weibliche Ausgabe von Tarzan, aber wir arbeiten schon gemeinsam an einem Liebes-Wortschatz, der über: ‚Du Searldoktor – Ich Clarissa‘, weit hinausgeht. Gottlob starb mein Bettnachbar unbekannter Konfession an den Folgen seiner Leberzirrhose, so daß ich die Gelegenheit am Schopfe ergriff, den Klinik-Geistlichen kennenzulernen, der dem armen Schwein die Letzte Ölung, um die er nicht gebeten hatte, verabreichte. Weihrauch, sagte er mir, helfe auch gegen die Läuse von Gartenpflanzen und -blumen, dies nebenbei. Er heißt übrigens Slotter und neigt zu Tränenausbrüchen an hoffnungslosen Krankenlagern. Seine Trost-Predigten sind aber freundlich, und Sie würden sie, in ethischer Hinsicht, billigen. So sagte er zur Leberzirrhose, die abging:

Mein lieber Sohn (und die Tränen troffen von seinem kleinen, blonden Schnurrbart), ich weiß und du weißt, daß Gott diese Sache eigentlich nicht hätte zulassen dürfen, aber so ist er nun einmal, und da müssen wir durch.

Im Augenblick trinke ich keinen Tropfen, außer Mineralwasser. Meine Zunge ist ohnehin noch immer sehr malträtiert, und ich könnte keinen Schluck Whisky oder Gin vertragen. Wann kommen Sie zurück nach Brighton? Am 20. Juni werde ich ein Fest für Freunde und die Geliebte begehen, Sie werden doch kommen?

Ihr Jonathan Searl.

Habe, schrieb ich zurück, lieber Doc, selbst endlich Geliebte gefunden, schön und mit einem großen Wortschatz.

Herzlich, Ihr A. Kacz und tausend Glückwünsche.

Eine Weile blieb ich stumm auf meinem Küchenstuhl sitzen, überdachte die glücklichen Nachrichten aus England und suchte dann nach einem günstigen Tagesmotto in meinen ziellosen Notizen; ich fand eines von Proust, das mir gut gefiel: Unsere Handlungen sind unsere guten und unsere bösen Engel, die Schicksalsschatten, die an unserer Seite schreiten.

Auf ein Blatt Koordinatenpapier schrieb ich mit großen Druckbuchstaben

Bilanz

Aktiva   Passiva

und beschloß, sofort zu handeln.

Zuerst ging ich zu Mergel in den Keller, der betrübt in seinem kleinen Kabuff herumsaß, und bat ihn, mir beim Einsargen des toten Hundes zu helfen. Es war eine entsetzliche Arbeit, den Kadaver in den blauen Sack zu schaufeln, aber danach tranken wir einen Cognac und ließen die ganze Bescherung in einem Mülleimer am Kellereingang verschwinden.

Wo, fragte ich Mergel, ich wohl einen ausgestopften Bassett auftreiben könne?

Es existiere, sagte Mergel, ein Präparator in Tegel, der auch ein kleines Zoogeschäft betreibe, leider nicht besonders erfolgreich, der beschaffe für Geld sogar ausgestorbene Tiere.

Ich ließ mir die Adresse aufschreiben, bestellte ein Taxi und fuhr nach Tegel. Der Name des glücklosen Geschäftsinhabers war M. Oleander, der mir vage bekannt vorkam. Vor meiner Abfahrt begegnete ich Dr. Fossler, den ich nach dem Befinden meines Papas fragte.

Sehr gut, sagte Fossler, aber er hat irgend etwas Gastrisches erwischt und macht gerade mit Schwester Allegra eine Rollkur.

Eine Rollkur sei immer etwas Nützliches, sagte ich und dachte an den späten Geliebten der Witwe, wie es denn Dr. Gussjew ginge?

Er gäbe sich einer Verdauungskomödie in seinem Bett hin, sagte Fossler, faste und deliriere. Was er denn so deliriere, fragte ich.

Gussjew fasele, sagte Fossler, vom runden Loch, durch das man die Sterne sehen könne, von Verdauungssäften, die ihn fluchtartig verließen, von einem Psychopompos, von Hermes und Hühnern.

Machen Sie sich keine Sorgen um ihn, sagte ich, Gussjew befindet sich mitten in seiner Arbeit.

Wir müssen uns, sagte der Doktor, heute abend sehen, denn es ist da ein Problem aufgetaucht, das nichts mit Geistern zu tun hat, sondern mit dem Haushalt.

32 Ich hätte den Besuch beim Präparator Oleander unterlassen sollen; ich habe jetzt einen ganz prachtvollen, schönen Bassett, weiblich, in einer sitzenden Position ausgestopft auf einem Holzbrett, die rechte Vorderpfote zum Gruß erhoben, wirklich ein schöner Anblick, aber der Mann war erstens stark erkältet und hat mich mit seinen Viren überschüttet, und er war, zweitens, ein alter Schulkamerad, der ursprünglich Zoodirektor hatte werden wollen.

Sein Geschäft lag in einer kleinen Straße neben einem chinesischen Lokal, aus dem es stank, das Schaufenster war winzig, und inmitten eines unbeholfen gemalten Sumpf- und Seepanoramas hockte ein ausgestopfter, räudiger Biber mit hängenden Pfoten, darüber baumelte ein Schild mit der Aufschrift: Montiere Katzennetze!

Zuerst erkannte ich Oleander nicht, denn er war dick und alt geworden, hatte Polypen und mußte durch den Mund atmen. Als ich die Tür passiert hatte, war ein Schnaufen und Röcheln zu hören, dann Auftritt Oleander in einem grauen Kittel, der sich über dem Bauch spannte.

Ich fragte, ob er einen ausgestopften Bassett habe, nach Möglichkeit weiblich.

Dann faßten wir uns scharf ins Auge; er erkannte mich zuerst, schnob durch die verstopfte Nase und sagte, damit könne er nicht dienen. Du bist Alfred Kacz, sagte er dann, kannst du dich an mich erinnern?

Nein, sagte ich, leider nicht.

Oleander, sagte er, Waldorfschule bei Fräulein Weiß, 1960 oder in dem Dreh.

Ach ja, ach ja, sagte ich, wir haben immer zusammen geraucht.

Er rauche schon lange nicht mehr, sagte Oleander und hustete. Wozu brauchst du einen ausgestopften Bassett, fragte er, kaufe dir doch einen lebenden. Diese Hunde seien zwar ein trübseliger Anblick, aber wenn man sich an den gewöhnt habe, seien sie ganz nett.

Ich sagte, ich benötigte einen toten, und erzählte ihm die ganze Geschichte mit der unbrauchbaren Sonja.

Oleander hatte einen ausgestopften Riesenspitz, einen Neufundländer, der aus einem achten Stockwerk gesprungen war, Selbstmord, sagte O., zwei Dackel, Zwillinge, weiblich, auf einem gemeinsamen Brett in einer liegenden Position, eine einäugige Krähe und eine Burma-Katze mit einem graziösen Buckel.

Hat viel Arbeit gekostet, diese Katze, sagte er, denn sie war, als ich sie bekam, platt wie eine Briefmarke. Der Besitzer hat sie leider nie abgeholt. Jetzt arbeite ich nur noch gegen Vorauskasse. Wir wälzten das Bassett-Problem in seiner Werkstatt, die nach

Chemikalien stank. In einer großen Kühltruhe, sagte Oleander, schlummerten ein paar Tierkadaver, die er bald in Angriff nehmen müsse wegen ihrer Zustände. Wie ich sah, hatte er einen schnürenden Fuchs in Arbeit, aus dessen Unterleib Holzwolle quoll. Meine empfindlichen Schleimhäute wurden vor allem durch den Geruch von Isopropyl-Alkohol gequält. Ich bat ihn, ein Fenster zu öffnen.

Ich habe dich, sagte Oleander, irgendwie aus den Augen verloren. Wolltest du nicht Philosophie studieren?

Das hätte ich, unter anderem, sagte ich, auch.

Und wo, fragte Oleander ohne Interesse, während er sich schneuzte.

Hier und da, sagte ich, und auch in England, aber an keinem besonders bedeutenden College.

Und was machst du jetzt hier, fragte er und rieb heftig mit einem Zeigefinger seinen geschwollenen Kolben.

Mein Vater, sagte ich, liege wahrscheinlich im Sterben; wie er das Bassett-Problem zu lösen gedenke?

Ich kenne eine alte Dame, sagte Oleander und schnüffelte, die einen ausgestopften Bassett hat. Wieviel willst du denn anlegen? Die alte Dame hängt an dem Tier.

Wenn es ein Weibchen sei, sagte ich, wäre jeder Preis in Ordnung, wie schnell er das Tier beschaffen könne.

Tja, sagte Oleander, mit ein paar Stunden müsse ich schon rechnen.

Leider konnte ich mich nicht rechtzeitig in Sicherheit bringen, als er einen Nies-Anfall nicht unterdrücken konnte und mich mit Tröpfchen infizierte.

Gegen eine Quittung händigte ich ihm sehr schnell das Geld aus, 1200 DM unter alten Schulkameraden, schrieb ihm die Adresse auf die Quittung und bat ihn, das Tier expreß zu schicken.

Mach's, sagte ich, irgendwie geschenkfertig.

Das sei nicht üblich, sagte Oleander verschnupft, ob ich verheiratet sei?

Noch nicht, sagte ich, aber so gut wie verlobt.

Schön für dich, sagte er und nieste.

Ich ließ ihn mit seinem Schnaufen und Röcheln allein, spülte
meinen Mund in der nächsten Kneipe mit einem doppelten Calvados und fuhr mit dem Taxi nach Hause, wo auf dem grünen
Wachstuch die Karteikarten auf mich warteten.

33 Der Rapport bei Viktor Kacz ist
wider Erwarten vorzüglich verlaufen, und meine Kompetenz als
Interpret kryptischer Botschaften ist auf einem ganz unerreich-
baren Gipfel, den der Dr. Gussjew niemals wird besteigen können. Vor dem Rapport hatte ich die dringlichsten Aufgaben im
Haus erledigt.

An Margot hatte ich geschrieben –

Liebe Margot, Barbara Darapti-Felapton ist ein Kunstwort und
kein Eigenname, der sich in einem Telephonbuch finden ließe.
Ich habe etwas sehr Wichtiges mit Ihnen zu besprechen, wäre
acht Uhr abends, bei mir, Ihnen recht?

Von Herzen, Ihr Alfred.

In der Küche holte ich mir aus dem Kühlschrank kalten Auf-
schnitt und vier Flaschen Bier, und dann setzte ich mich, nachdem ich mir die Hände gereinigt hatte, an den Tisch und ging an
die Arbeit der Interpretation. In den Nebenhöhlen war ein dump-
fer kleiner, kitzelnder Schmerz, und ich wußte, daß ich mich bei
Oleander angesteckt hatte.

Unter Gussjews ZuTunIst! packte ich alle Informationen
Holdens, die signifikant waren, der Rest kam InsOrkus!

Zu jedem Holden-Partikel machte ich eine absolut klare,

rationalistische Erklärung, die im Tonfall lapidar war, so daß ich jeden Widerspruch K.s damit im Keim erstickte; Fakten waren Fakten, der Rest waren Fikta ohne irgendeine signifikante Bedeutung.

Wieder betrat ich das Krankenzimmer, in der Hand meine marmorierte, grüne Ledermappe, im Bauch vier Flaschen Bier, sehr präpariert. Mein Alter lag auf dem Bauch im Nachenbett und absolvierte seine Rollkur. Schwester Allegra knetete gerade mit langen, dünnen Fingern seinen fleckigen Rücken.

Ich bin, sagte ich, vollständig fertig mit den Holdenpapieren. Bravo, sagte Papa erstickt, dann trag vor.

Es war ungefähr 18 Uhr, ich setzte mich auf meinen Sessel, zwei Plätze von Holdens potentiellem Landeplatz entfernt, schlug die Mappe auf und sagte: Punkt eins, betreffend Sarglager. Dort lebt eine Kolonie von Pharao-Ameisen. Vorschlag, man bestellt einen Kammerjäger.

Sehr gut, sagte der alte Herr beifällig, wen denn sonst, klar doch.

Dann ergab sich eine kleine Störung durch Mergel, der den in Cellophan eingewickelten Bassett ablieferte. Der durchsichtige Sack war mit türkisfarbenen Schleifchen verziert.

Oh, wie glücklich war der alte Herr; ich wußte wieder einmal, daß für die eigene Moral nichts besser ist als eine gute selbstlose Tat, auch wenn sie teuer ist.

Sonja, mein altes Mädchen, sagte er, wie sie leibt und lebt. Pack sie doch bitte aus. Ich packte das Tier aus, und das dünne, seidige Cellophan knisterte.

Warum zum Teufel, rief mein Alter, streckt sie die Pfote aus? Das hat sie früher nie gemacht.

Es soll, sagte ich, diese erhobene Pfote eine Art letzter Gruß für dich sein, Vater. Sie sagt auf ihre stumme Weise ‚Adieu‘.

Ja dann, sagte er besänftigt, auf mein Bett mit ihr.

Ich setzte mit Hilfe von Allegra das schwere Holzbrett mit der

falschen Sonja auf sein Fußende. Papa richtete sich auf und streichelte die Nase der Hündin, die dem Kranken einen tiefen Blick
aus ihren rötlichen Glaspupillen schenkte, der von Herzen erwidert wurde.

Fühlt sich irgendwie falsch an, sagte mein Vater, aber was
soll's. Weißt du, sagte er zu mir, sie war nicht die Klügste, aber
der immer traurige Blick und diese elegisch hängenden Lefzen
waren mir lieb.

Aus der hinteren Partie des Mauls quoll ein bißchen Schaum,
im Durchmesser einer Zahnpasta-Schlange. Ich lavierte mich an
das Schmerzenslager und entfernte das Zeug, das säuerlich roch.

Soll ich dich, fragte ich, von dem Hund befreien und mit
Holden fortfahren?

Nimm sie weg und setze sie auf einen Stuhl neben Allegra,
sagte mein Alter, legte sich auf die Seite und setzte seine Rollkur
fort.

Der reine Text, sagte ich, hieße: Tante Margarete einladen, als
Drachen der abstoßenden Wirkkraft.

Du lieber Himmel, sagte Viktor K., und wie lautet die Interpretation? Und hat er wirklich Margarete genannt, die fromme?
Nicht vielleicht Angelika, die alte Zirkusreiterin oder die süße
Tante Irene mit den acht Kindern, die ihren Uterus nach der Total-
operation in Spiritus aufbewahren wollte? Alles liebe, harmlose
und trinkende alte Mädchen ... Aber ausgerechnet Margarete, die
nur über Tod, Erlösung und Himmelfahrt schwatzt?

Die Interpretation, sagte ich, sei angesichts der klaren Ausdrücke, die Holden verwendet habe, nicht kompliziert gewesen,
denn er meine, und das sei sonnenklar, ohne jeden Zweifel die
Kräfte des Positiven und des Negativen; und die Abstoßung sei
das Positive.

Ich weiß nicht, sagte mein Vater undeutlich, was an einem
Besuch Margaretes positiv sein könne, in diesem Punkt müsse
Holden ein Irrtum unterlaufen sein.

Ich denke, sagte ich, Holden meint an dieser Stelle, dezidiert aber vage, daß du dich während ihres gewiß kurzen Besuches positiv von ihren negativen Impulsen abstoßen sollst.

Ach so, sagte mein Vater, nunmehr auf dem Bauche liegend, warum sagst du das nicht gleich? Aber laßt mich keinen Augenblick mit diesem bigotten Geschöpf allein.

Aber niemals, mein Lieber, sagte Allegra, gurrte zärtlich und kraulte seine dünnen Falten zwischen Kinn und Adamsapfel.

Holden VII oder VIII, sagte ich, tja, er sagt: Coy Misstress einladen.

Da rollte sich mein alter Herr auf den Rücken, starrte zur Decke, stöhnte und nahm seine Prothese heraus, die er schweigend betrachtete.

Und Holden sagt, es muß sein, fragte er, ist nicht zu vermeiden?

Er besteht darauf, sagte ich entschieden.

Nun ja, sagte er resigniert, dann wirst du eben deine Mutter kennenlernen, kann ja nicht schaden nach den vielen Jahren. Ich will jetzt Wein. Er ließ sich von Allegra in die Sitzposition bringen und trank aus dem Noppenpokal; dann murmelte er, ach, laß diesen Kelch an mir vorüber ... Weiter im Text, sagte er beherzt, setzte wieder die Prothese ein und strahlte mich mit feuchten Lippen an.

Holdens Zeit-Ultimatum ließ ich fallen, hier versagte die Kunst der Interpretation, weil der Text allzu eindeutig war. Auch die Ratten in Keller IV ließ ich aus und dachte während der Tilgung dieses Behauptungs-Partikels voller Zuneigung an meine Pensions-Mäuse.

Ratten, das hatte ich bei allen besseren Zoologen gelesen, sollten bei guter und freundlicher Erziehung im Geist der Freiheit sogar besonders zutraulich und zärtlich werden.

Ja, eine zahme Ratte, oder deren zwei, dachte ich auf meinem

Sessel, das wäre mein Traum. In den Kalender der Schwestern Plummer notierte ich: Mergel in Keller IV besuchen. Mit Margot Gespräch über Ratten suchen und ob sie sie mag. Wäre aber kein besonderer Konflikt, wenn nicht. Eine große Liebe kommt vielleicht auch ohne Haustiere aus.

Hörst du mir überhaupt zu, rief mein Vater, der mir den Rücken zuwendete.

Aber selbstverständlich, sagte ich zerstreut.

Dann beantworte mir doch eine Frage, sagte mein Vater gereizt, welches Verfahren der Interpretation oder der Hermes-Dingsbums du immer angewendet hast?

Die Wainright-Methode, sagte ich ohne zu zögern, die sich kurz, aber kunstvoll in der unsterblichen Sentenz zusammenfassen läßt: Signifikante und nicht signifikante Bedeutungen in wechselnden Kontexten!

Ach so, sagte mein Vater erleichtert und äußerst verständnislos, das habe er sich schon gedacht und erkläre vieles. Ich könne jetzt nach Themen fortfahren.

Themen, fragte ich, welche Themen?

Liebe, sagte mein alter Herr, Alkohol, Frauen, die Diäten, die Gesundheit, die Probleme des Diesseits – diese Themen.

An dieser Stelle mußte ich zu meinem Bedauern das Material verlassen und improvisieren. Moment, sagte ich, Holden IX: Holden wünscht ganz unmißverständlich mehr Geselligkeit, vielleicht einen neuen Hund, du sollst einen Besuch im Zoo mit Allegra unternehmen. Holy-Chair, pardon, ein Rollstuhl soll angeschafft werden; du sollst die Diät und den Alkohol absetzen. Allegra lächelte mir zu; sie hatte hübsche, regelmäßige Zähne, im hinteren Rachenraum blitzte ein Goldzahn.

Ihr Herr Vater, sagte sie, ist nahe am Einschlafen, das Zuhören strenge ihn furchtbar an.

Quatsch, sagte mein Alter, bin auf dem Posten, habe nur meditiert. Er nahm einen Schluck Rotwein und ließ sich wieder auf den Bauch rollen. Allegra massierte seine spitzen Schulterblätter.

Hast du, fragte er, was über den Tripel herausbekommen?

In Arbeit, sagte ich nicht ganz wahrheitsgemäß.

Und dann, sagte mein Vater, während er die Schildkrötenlider immer häufiger schloß, was sagte Holden über diesen Ebbinghaus, solltest du ihn nicht aus England mitbringen? Mir ist aber entfallen, warum, weil damals niemand richtig interpretiert hat.

Vater, sagte ich, Ebbinghaus war ein alter Lerntheoretiker aus Halle, der ein Gesetz erfand.

Ach so, sagte mein alter Herr enttäuscht. Ich weiß ja nicht, was er erwartet hatte ...

Das sog. Ebbinghaus-Gesetz, sagte ich, magst du es hören?

Ein Niesreiz peinigte meine Schleimhäute. Ich unterdrückte ihn unter Anspannung aller Kräfte.

Wenn es Holden interessiere, dann sei es auch für ihn von Belang, sagte mein Vater und schloß ergeben die Augen.

Dieses Gesetz, sagte ich, beträfe das Verhältnis von notwendiger Lernzeit und der Merkfähigkeit.

Ist das denn signifi –, du weißt schon, fragte der Alte mit einer kleinen Einschlafstimme.

Ich glaube schon, sagte ich, daß es signifikant ist, weiß aber noch nicht, in welchem Kontext.

Margot mußte zu ihrer Mutter, sagte der alte Herr, die hatte einen Schlaganfall, kannst du die Anfangszeilen von Marvells To His Coy Mistress auswendig, Alfred? Aber nur die ersten beiden Zeilen, der Rest wäre zu schmerzlich.

Selbstverständlich kannte ich den großen Marvell und sagte:

Hätten wir Welt genug und Zeit,
Wärst, Spröde, du von Schuld befreit ...

Schön, sagte er mit einem tiefen Seufzen. Aber genug jetzt.

Im nächsten Moment war er schon eingeschlafen. Allegra

deckte ihn bis zum Kinn zu, und wir verließen auf Zehenspitzen das Krankenzimmer.

Ich begleitete Allegra in die Küche.

Er ist, sagte sie, mit Geist Holden mitunter gern allein.

Ohne jeden Zweifel, sagte ich und bat sie um eine Kostprobe des Nährbreis für den Kranken.

Wird Ihnen nicht schmecken, sagte sie und gab mir einen Teelöffel mit der grauen, sämigen Masse, die nach Maggi und einem Zusatz von Karamel schmeckte.

Die Idee mit dem Zoobesuch sei wirklich einer meiner glücklichsten Einfälle gewesen, sagte sie ernst, und auch der Rollstuhl ist eine notwendige Anschaffung.

Holden, erwiderte ich, habe manchmal gute Ideen. Wie lange Schwester Margot bei ihrer Mutter bliebe, fragte ich nach einer Pause.

Zwei oder drei Tage, sagte Allegra, wie schmeckt der Nährbrei?

So ähnlich, sagte ich, hätte ich mir immer die irdische Version von Manna vorgestellt; ich dankte ihr und ging in mein Zimmer.

An meinem Schreibtisch saß Dr. Fossler und studierte, durch seine Lesebrille aus Horn spähend, mit großer Aufmerksamkeit das Blatt Butcher.

Wegen dieser Indiskretion ließ ich dem Niesreiz seinen üblichen Verlauf, nieste und überschüttete ihn wahrscheinlich mit Oleanders alten Viren.

34 Der Besuch Dr. Fosslers ist leider und wohl für beide Teile unerquicklich gewesen, aber nach reiflicher Überlegung läßt sich sagen, daß ich ein paar Dinge erfahren habe, die leider zu Entschlüssen führen, denen auch Handlungen folgen müssen.

Das Institut Ambrosia ist nämlich klamm oder anders ausgedrückt bankrott, Ebbe in allen Kassen, fallit, jeder nur mögliche Ausdruck aus dem Geschäftsleben, der nichts beschönigt, stimmt leider.

Ich war wie betäubt und suchte automatisch nach Flaschen und Gläsern.

Alkohol helfe auch nicht weiter, sagte der Doktor milde. Die Lage sei nun einmal so, daß das Personal seit zwei Monaten kein Gehalt mehr bezogen habe, weder die Schwestern, noch Mergel; welche Vereinbarungen mein Vater mit Dr. Gussjew getroffen habe, sei ihm nicht bekannt. Auch mit ihm sei natürlich vor langer Zeit ein Honorar verabredet worden, sagte er mit einem schmerzlichen Lächeln, aber er habe ja seine Praxis, wenn ihr auch kein Erfolg beschieden sei. Es handelte sich um eine Notfall-Praxis. Und Sie glauben nicht, sagte Dr. Fossler böse, was für idiotische Unfälle Leute erleiden, vor allem in den eigenen vier Wänden. Man könne getrost von der Wahrscheinlichkeit ausgehen, daß mindestens 60% aller Menschen grenzdebil vor sich hin vegetierten, bis sie sich eben eines schönen Tages blödsinnig verletzten.

Da masturbiert ein junger Mann, sagte der Doktor angewidert, mit dem Rohr seines Hoover-Klopfstaubsaugers und wundert sich furchtbar, daß ihm der Apparat beinahe seine Eier – pardon –, Testikel abreißt. Seine Freundin trug einen Schock davon wegen des Geheuls, das der arme Idiot gegen den Staubsauger anstimmte.

Ich finde persönlich Unfall-Geschichten fremder Leute nicht besonders interessant und fragte – sehr nüchtern –, wie man das Geldproblem lösen könne.

Im Krankensalon, sagte Fossler, habe mein Vater mit großer Wahrscheinlichkeit eine gewisse Summe Geld versteckt, weil er den Banken nicht traue. Man könnte versuchen, diverse Räume zu vermieten, vielleicht wäre es möglich, Objekte der Sammlungen an Antiquitätenhändler zu verkaufen, das aber hieße viel Arbeit, und schließlich wäre es den Versuch wert, das Bestattungsinstitut wieder in Gang zu bringen.

Ich frage mich, wie man ein solches Institut wieder erfolgreich reaktivieren könnte, denn dieses Unternehmen lebte ja von Toten. Dr. Fossler stimmte mir zu.

Wieder mußte ich niesen; der gute Doktor ging hinter einem gestreiften Taschentuch in Deckung.

Glauben Sie nicht, sagte er traurig, daß die Übervölkerung, die vielen Krankheiten etc. in einer vernünftigen Korrelation zur durchschnittlichen Rendite eines solchen Einzelhandels-Unternehmens stehen; zuerst machte Ihr Herr Vater Umsatzverluste, und dann fehlte die Gewinnspanne.

Sie sollten, sagte er, Lotto spielen.

Ich fragte den Arzt, ob ihm eine einzige wirklich wertvolle Sammlung meines alten Herrn bekannt sei.

Dr. Fossler sagte, das könne er sich nicht vorstellen, aber im 2. Stockwerk seien in zwei gegenüberliegenden Zimmern alte Bücher in einem beklagenswerten Zustand, die man vielleicht einmal sichten müsse. Dieser Gedanke belebte mich. Ich könnte wieder einmal exzessiv lesen, verrichtete eine nützliche Arbeit und müßte mich nicht um kryptische Botschaften kümmern.

Doc, sagte ich, auf diese vorzügliche Idee müssen wir einen trinken.

Ich hab's Ihnen doch verboten, sagte der alte Herr, was hätten Sie denn auf Lager?

Leider trieb ich mit Allegras Hilfe in der Küche nur zwei Flaschen eines Rosé aus der Dordogne auf, eine Flasche Küchenmarsala und einen fürchterlichen Wodka, der Gorbatschow hieß und den der Doc mit Rücksicht auf seine Gesundheit rigoros ablehnte, so daß wir beim Rosé blieben, zu dem wir Salzstangen aßen. Auch mein Besuch hatte noch nichts im Magen.

Sind Sie, fragte ich nach der ersten halben Flasche, eigentlich verliebt? Dr. Fossler legte freudig überrascht seine schwarz behaarte Rechte auf mein spitzes linkes Knie und sagte mit Wärme, daran habe er auch schon flüchtig gedacht, wobei er mit zwei Fingern zärtlich meinen Meniskus drückte. Ich zog die Beine ängstlich an den Leib und rückte von ihm ab.

Ich fragte nur, sagte ich, nachdem ich mich wieder gesammelt hatte, weil in diesem Haus eine Art Liebes-Epidemie ausgebrochen zu sein scheint. Mein Vater liebt seine Allegra, ich – aber das tut nichts zur Sache, über Mergel weiß ich nicht Bescheid, und aus England erhielt ich gestern ähnliche Nachrichten.

Tja, sagte der Doktor merklich abgekühlt, wissen Sie, heterosexuelle Komplikationen machten ihm an sich nichts aus, aber er betrachte sie doch lieber aus angemessener Distanz.

Pardon, sagte ich, ich wollte Ihnen nicht zu nahe treten.

Ich muß jetzt gehen, sagte der enttäuschte Doktor und trank nicht einmal sein Glas Rosé aus. Leben Sie wohl und denken Sie an die vielen offenen Rechnungen.

Mit der zweiten Flasche Rosé und Gläsern stieg ich hinab in die Kellergewölbe und Magazine, in Mergels dunkles Reich, und fand ihn in seinem Kabuff vor einem halbblinden Spiegel.

Sie sind's, sagte er, wie geht's Viktor.

Ich sagte, es ginge ihm gut und er schlafe, aber ohne Medikamente.

Ach ja, sagte Mergel, wenn man nur schlafen könnte. Er könne schon seit vierundzwanzig Stunden nicht schlafen.

Ich bot ihm mitfühlend den Rosé an, den er bedenkenlos und sogar ein wenig gierig annahm. Sie haben Sorgen, sagte ich.

Und ob er Sorgen habe. Ich, sagte er, ich dachte, ich hätte alles hinter mir, ich hätte alles abgetan, und jetzt ist es doch passiert.

Mir schwante das Schlimmste. Sind Sie, fragte ich, etwa

krank, ist es etwas Unheilbares, hatten Sie eine schlimme Diagnose ... kämpfen Sie gar mit dem Tod?

Ach was, sagte Mergel, ich bin verliebt.

Da wußte ich es mit aller Klarheit; es handelte sich eindeutig um etwas Ansteckendes.

Sie auch, sagte ich, mein Gott, prost! Wer ist sie oder, pardon, er. Nach den Erfahrungen mit Fossler wollte ich keinen intoleranten Eindruck machen.

Eine Sie, sagte Mergel und fröstelte, ich muß Sie einweihen. Ich bat darum.

Das Ambrosia, sagte er leise, befindet sich in einem schlimmen, ja fatalen und hoffnungslosen Zustand. So suchte ich gestern, ja gestern, eine Unternehmensberaterin namens Donata Mondari auf, Eisenzahnstraße, Hinterhof. Sie hat sich gerade selbständig gemacht.

Wie sie aussähe, seine Donata, fragte ich.

Wissen Sie, sagte er, ich gehe häufig in Kunstmuseen, ich liebe die italienische Malerei. Sie kennen Botticelli – Geburt der Aphrodite, oder sollte es doch die Venus gewesen sein – und das, das ist sie, das ist Donata ... Abweichend vom Botticelli-Modell ist vielleicht nur ihre Augenfarbe, Donata hat grüne Augen und keine blauen. Und ihre Nase ist noch um eine winzige Nuance kurz vor der süßen Spitze ein wenig venezianischer als das Original. Und ihre blonden Locken sind wie ein Wasserfall – an dieser Stelle verfiel auch Mergel der Poesie, wie die Witwe in ihrem Brief über den geliebten Kammerjäger Dobson –, der Strähne für Strähne und Locke für Locke in Aschblond, Goldblond und Platin herabstürzt auf die zarten Schultern, und die Spitzen fallen sanft über ihre Schlüsselbeine, deren Fäßchen geformt sind wie die Lippen eines flachen Kelches nach einem Entwurf von Gallès.

Ich revidierte nach diesem Liebessatz gründlich alle meine Auffassungen von Sarglagerhütern und Subunternehmern. Er hatte seinen Liebessatz so schön poliert wie einen seidenmattierten Sargdeckel.

Aber jetzt, dachte ich, sind wichtigere Aufgaben zu lösen, die nach Handlungen verlangen. Beruht, fragte ich, diese Ihre Liebe oder Zuneigung auf Gegenseitigkeit?

Alfred, sagte Mergel und richtete sich auf, mit Ihnen kann man wirklich sprechen. Sie sind höflich, Sie sind altmodisch, Sie sind wahrscheinlich sehr naiv, aber Ihre Frage zeigt Ihren vorzüglichen Charakter.

Charakter, sagte ich, sei eine ideologische Konstruktion.

Da möge ich recht haben, sagte Mergel, aber man könne im Augenblick von ihm absehen zugunsten der Frage, die ich gerade auf den Tisch gelegt hätte: Erwiderung oder Nicht-Erwiderung. Der Mann als solcher, sagte Mergel, und er seufzte herzzerreißend, jagt sein Leben nach weiblichem Beutewild und nach Trophäen, aber Donata sei eine Leopardin, eine blonde, die man mit den üblichen Strategien verschonen müsse.

Das beantworte nicht meine Frage, sagte ich.

Alfred, sagte er, wissen Sie, ich weiß es einfach noch nicht, sie schien interessiert an der Aufgabe, ob sie mich als Mann, als potentiellen Liebhaber – Herrgott, ich weiß es nicht, und sie kommt in einer halben Stunde. Sagen Sie mir bitte die Zeit.

Es war 21 Uhr 10.

Ist es denn ein Geschäftstermin oder eine private Angelegenheit, fragte ich vorsichtig.

Quasi geschäftlich, sagte Mergel, sagen Sie, ist die Crème schon trocken? Ich habe Pond's Cream genommen, wegen des Duftes. Wie sehe ich aus?

Mergel, sagte ich, wenn Sie ihre Schultern beim Gehen zurücknehmen, Ihre Augen ein bißchen zusammenkneifen, wenn Sie lässig gehen, dann erinnern Sie bei einer nicht allzu hellen Beleuchtung an Robert Mitchum.

Ich gehe selten ins Kino, gestand Mergel verschämt, wie der denn aussähe.

So ähnlich, sagte ich kühn, wie Sie, er war vielleicht ein bißchen massiger und größer, und er rauchte.

Gut, sagte er, Rauchen sei männlich, aber er habe noch nie geraucht, und wie schnell man das lernen könne.

Nicht, sagte ich, in zwanzig Minuten. Wie seine Strategie aussähe?

Wie die von James Cagney in The Dentist, sagte Mergel stolz.

Er ging also doch ins Kino.

Ich sagte, die Methode sei ein bißchen zu direkt für blonde Leoparden.

Ich träumte, sagte Mergel mit einem Blick auf seine Knie, in der vergangenen Nacht von einer Verführung in dem großen ebenholzschwarzen Sarg, der so gut zu ihrem Blond paßte.

Waren Sie im Traum erfolgreich, fragte ich.

Nein, sagte Mergel; leider sei ihm beim Rückzug aus dem Liebesnest der Sargdeckel auf die Finger gefallen.

Ich muß Sie verlassen, sagte ich, sie kommt gleich. Die Flasche Rosé ließe ich ihm für alle Fälle da, ich hätte ja noch den Küchenmarsala. Viel Glück, sagte ich, und Tränen stiegen mir in die Augen – die erste veritable Rührung seit vierzehn Tagen –, und machen Sie vielleicht nicht Cagney, sondern Rock Hudson in Fords schönem Anglerfilm – Ein Goldfisch an der Leine.

Den kenn' ich, sagte Mergel glücklich und aufgeregt, aber benimmt sich Rock nicht wie ein Trottel?

Ein Mann, sagte ich immer noch gerührt und warf einen Abschiedsblick auf die Flasche Rosé, der wie Robert Mitchum aussieht und der sich benimmt wie ein Trottel, kann nur eines nicht haben – einen Mißerfolg. A domani.

Es geht doch nichts über eine erfolgreich abgeschlossene gute und nützliche Tat, die den Keim zu künftigem Glück enthält, wie eine Schote die Erbsen.

35 Eine Flucht ist immer etwas Schmähliches, dessen bin ich mir schmerzlich bewußt. So wie der gute Dr. Gussjew immer mal wieder mit seinem internen Dämon Skuns rang, so rang auch ich gegen mein doppeltes Fieber: die dumme Grippe und den stetigen Temperaturanstieg durch Gedanken an Margot. Ich suchte Allegra in ihrem Zimmer auf, um mir zwei Medikamente geben zu lassen, die Adresse Margots in Düsseldorf und ein aggressives Anti-Erkältungsmittel. Sie schenkte mir kobaltblaue Depotkapseln, die, wie sie sagte, furchtbar giftig und sehr wirksam seien. Ich spülte mit dem Küchenmarsala drei Kapseln hinunter und wartete die segensreiche Wirkung während der Lektüre des Blattes Butcher ab; ich danke Gott, daß ich trotz tränender Augen, laufender Nase und eines trockenen Hustens vollständig las – bis zu der Zeile: Die Witwe Hawkins wird sterben auf der südlichen Bank in Deiner Tier-Nekropole an einem Abend des Mai.

Da goß ich den Marsala in mein Porzellanbassin und holte aus der Küche zwei große Büchsen Bier, um den Organismus vom Marsala zu reinigen und um alle notwendigen Entschlüsse nüchtern zu fassen. Die Geldfrage war ein gewisses Problem. Ich entrollte meine Geldwurst und zählte, ich hatte an diesem Mittwoch voller Handlungen mit Folgen genau 2423,– DM. Weinend vor Anstrengung – nicht vor Rührung – versuchte ich, mir das geliebte, blasse Gesicht vorzustellen, aber die tranigen Synapsen verweigerten, wohl wegen der Depotkapseln, ihren Dienst. Ich wünschte, ich hätte eine Photographie, denn die Phantasie Liebender braucht Nahrung, wenn das Liebesobjekt nicht durch Löcher in Toiletten zu beobachten ist. Mir war heiß und mir war eiskalt, ich fröstelte und ich schwitzte, ich verwünschte den alten Schulfreund Oleander und war eifersüchtig auf den Mann – es konnte nur ein Mann sein –, der dieses Loch gebohrt hatte, um meine Geliebte nackt zu sehen. Ich ging die Reihe durch: Papa,

Dr. Fossler, Mergel oder Gussjew, die ich alle aus der Liste strich. Der Dr. Gussjew war alles Mögliche, aber bestimmt kein Voyeur, der sich Erleichterungen vor selbstgebohrten Löchern verschaffte. Die Nase war gänzlich verstopft, die Tränen liefen, und ich suchte nach Taschentüchern. Ein Schnupfen ist eine widerliche, sehr feuchte Angelegenheit, welche die Witwe immer mit heißem Rum bekämpft hatte, soweit ich mich erinnere, recht erfolgreich. In der Küche fand ich leider nur österreichisches Gift, eine seit Jahren gehütete, unangetastete Flasche Stock-Rum.

Ach, war das eine lebendige Nacht. Den Rum trank ich aus gesundheitlichen Gründen in homöopathischen Dosen aus einem Eierbecher, dachte bei jedem Schluck an Margot und präparierte mich mit Hilfe meines alten Konzeptes zur Abhandlung *Die seelischen Kosten der Arbeit* und studierte ein broschiertes, fettleibiges Buch, das ich irgendwann dem kranken Gussjew entwendet hatte.

Wenn es, so dachte ich am Schreibtisch, die seelischen Kosten der Arbeit immer in Rechnung zu stellen gilt, dann müßten auch die Kosten seelischer Arbeit ins Kalkül gezogen werden; denn auch Liebe ist Arbeit, wie man überall in der Literatur unter ernsthaften Verfassern, die die Materie wohl kannten, lesen konnte.

Aus Descartes' *Passion de L'Ame* schrieb ich mir den beherzigenswerten Artikel 106 heraus (*Beim Verlangen*):

Die Leidenschaft der Begierde hat schließlich die Eigentümlichkeit, daß der Wille, den man hat, um ein Gut zu erhalten oder ein Übel zu fliehen, sofort die Lebensgeister des Hirns in alle Teile des Körpers schickt, die für Handlungen, die zu diesem Ziel erforderlich sind, dienen können. Er schickt sie besonders zum Herzen zu den Teilen, die diesem das meiste Blut liefern. Um so einen größeren Überfluß statt des üblichen zu erhalten, schickt er die größte Anzahl Lebensgeister zum Hirn, sowohl um dort die Idee dieses Willens zu unterhalten und zu verstärken, als auch um sie von da in alle Sinnesorgane und Muskeln zu schicken, die eingesetzt werden können, um das zu erhalten, was man begehrt.

Nach dem letzten Wort dieses sonnenklaren Textes suchte mich ein Niesanfall heim, der den Strom der Lebensgeister zwischen Herz und Hirn stocken ließ.

Am Fenster tief Luft geholt und den Nachtvögeln zugehört. Neben dem Kopfschmerz brummte es im Gehirn wie in einem Bienenstock. Meine Rationalisten hatten sich besonnen und weideten jetzt ziemlich gesellig auf einem von Felsen umringten, moosigen Hochplateau, und ich konnte ihre leisen Stimmen hören. Wieder und wieder überprüfte ich Herzschlag und Pulsfrequenz, trank eine kleine Dosis und wartete auf erleuchtende Erkenntnisse über das Phänomen Liebe, speziell mit Margot. Hin und wieder notierte ich einen nützlichen Merksatz, den man gebrauchen könnte, wie Stendhals Sentenz: Die ganze Kunst beruht darauf, daß man ausspricht, was der Zauber des Augenblicks erfordert.

Meine Fingerspitzen kribbelten, und ich hätte gern den emotiven Gehalt meiner Gedanken mit dem Thermometer gemessen. Trotz des Fiebers und der leichten Betäubung durch die Medikamente (Stockrum, Brom-Hexin, Kodein und Acetylsalicylsäure) in der Kombination mit sinnlichen Vorstellungen gerieten immer wieder bittere Wahrheiten dazwischen. Es war eine Tatsache, daß ich die Frauen liebte, aber sie nicht mich, jedenfalls nicht in der gewünschten Intensität. Ich hatte schon viele Mädchen und Frauen geliebt seit den ersten Kinderhorten, und ich hatte auch viele intensive, wenn auch flüchtige erotische und sexuelle Kontakte genossen, leider nur immer in der Vorstellung, die ich mit Photographien nähren mußte. Immerhin war das Verhältnis von Aufwand und Ertrag ein günstiges. Noch vor den Schwestern Plummer hatte ich mich in mehrere Frauen verliebt, die unerreichbar waren; erreichbare Frauen kann jeder kriegen. Die seelischen Kosten, die ich aufbringen mußte, verhielten sich in einer harmonischen Proportion zur Arbeit. Ich verabredete mich oft am Pier in der Nähe des Kiosk (wegen des Alkohols) und immer auf der gleichen grünen Bank neben einer schütteren Taxushecke mit Blick auf die seichte Bucht.

Da war Vendla, die schöne Linguistin, die hatte gletscherblaue, grüne und winternachtblaue Augen, die je nach dem Lichteinfall changierten. Ich durfte hin und wieder ihre Hand halten, aber nur dann, wenn ich sie geistig erregte, was viel Arbeit machte und seelische Kosten, die sich auf jener Bank ungleich verteilten. In einer der Nächte, die ein rötlicher Mond überwachte (bloß kein unbedachtes Wort), sprachen wir lange und innig, ein Buch zwischen uns, über den wunderbaren Begriff der Synonymie, der in seiner Strenge heller leuchtete als der romantische Mond. Schon beim Aussprechen des Präfixes Syn wurden ihre Augen dunkel, und ihre Lippen schwollen. Dieser Begriff, sagte sie dann wohl sanft, wird im allgemeinen zu weit gefaßt.

Sie hatte eine dünne Bluse an, und ich mußte sehen, wie sich ihre dunklen Brustwarzen aufrichteten. Es gibt, sagte ich bewußtlos nahe an ihrem Ohr, ein Kriterium für das totale Synonym, und da nahm sie meine Hand und drückte sie voller strömender Gedanken, die mit den meinen korrespondierten, an ihre Brüste.

Alfred, sagte sie innig, sprechen Sie doch weiter.

Es müsse, sagte ich, in allen Kontexten voll austauschbar sein. Da verschleierten sich ihre Augen, und ich wagte, sie zu küssen, zuerst auf den Mundwinkel.

Alfred, sagte sie mißbilligend, zerstören Sie doch nicht diese gute Stimmung; kümmern wir uns doch lieber um die Bedeutung partieller Synonyme. Kennen Sie die Arbeiten Wiegands und anderer über Heteronyme?

Sie duftete nach diesem Satz besonders unerträglich süß, und ich preßte ihre Hand, bis ich meinen nächsten Satz erzeugt hatte: Halten Sie den Ausdruck ‚Monem‘ auch für synonym mit dem

Ausdruck ‚Morphem‘, gemäß dem von Martinet eingeführten Terminus für die ‚kleinste Bedeutungseinheit‘?

Die schöne Linguistin öffnete weit ihre Augen und Nasenlöcher, sah leidenschaftlich in meine Augen und hauchte: Ja, Alfred, ja.

Wieder versuchte ich einen Kuß, aber sie drückte meine Hand so fest, daß ich meine Absichten im Liebeskontext beinahe vergaß.

Aus Schüchternheit und weil die Kußversuche immer wieder danebengingen, wurden meine Gefühle von Liebesmorphem zu Liebesmorphem immer amorpher. Um in der Sprache des Liebesfalls zu bleiben, organisierten wir auf der grünen Bank bei Mondlicht, im Nebel und bei Regen unter einem geblümten Schirm eine ganze Menge sprachlicher Zeichen.

Nur einmal wurde sie bewußtlos, nehme ich an, weiß es aber nicht mit Gewißheit, als ich ihr einen Aufsatz eines gewissen Jerrold D. Katz schenkte, über *Semantische Kategorien und angeborene Ideen*.

Sie nahm die Broschüre zur Brust, das heißt, sie drückte das Ding an ihr Herz, und, während Katz in der heftigen Umarmung protestierend knisterte, durfte ich mir einen tiefen, wunderbaren und ausführlichen Kuß leisten. Ich saugte wie ein honigsuchendes Insekt an ihrer trockenen Zunge und seufzte vor Glück.

Zu meinem Bedauern verliebte sie sich bei einem Betriebsausflug – Prager und Kopenhagener Linguisten zur Visite – in einen Landwirt, der Galloways züchtete. Ein Jahr später wurde die schöne Vendla an einem Herbstmorgen von einem Bullen getötet, als sie, wohl kontextlos, auf der Weide spazieren ging.

Dann las ich in einem Buch von einem gewissen Alatesta mit dem Titel *Liebes-Chiffren* eine bedeutende Passage, die ich mein Lebtag nicht vergessen werde, und die mich zu vielen Irrtümern verleitete: In der Kniekehle (Regio Poplitea) offenbart sich die Seele der Frau, ihre Bereitschaft zur Zärtlichkeit und ihre elementare Hingabefähigkeit, kurz, ihr gesamtseelisches und erotisches Zentrum.

Als Liebhaber klarer Sätze über uneindeutige Sachverhalte lernte ich diesen Satz sofort auswendig und kaprizierte mich auf der Frauen gesamtseelisches Zentrum, die Kniekehlen, an die leider gar nicht so leicht heranzukommen war, weil sie sich da bedeckt hielten. Alle anderen unbedeckten Stellen wären leichter zu erreichen gewesen, aber dann hätte nach der Theorie von Alatesta die absolute Reihenfolge nicht mehr gestimmt, weil der Liebhaber ausschließlich von der Kniekehle auszugehen hatte und von keinem anderen Punkt des weiblichen Körpers.

Auf dieser verläßlichen Basis beobachtete ich in der Gerassimow – Gedenkbibliothek, wie sich eine sportliche junge Dame, Felicitas hieß sie, studierte Kunstgeschichte bei Hampton und mochte Pferde, nach einem entlegenen Katalog bückte und dabei zwei wunderschöne, allerdings verschieden geformte Beine, also auch die Kniekehlen entblößte, vielleicht ein bißchen muskulös, aber in den Formen einwandfrei, jede für sich, Zentren eben, magisch und wollüstig.

Ich führte sie ins Theater (es gab Loomis' The Horse-Doctor), in The Quiet Arrow, wo sie Guinness trank zu meiner Freude, wie ein Araber in der Wüste. Wir gingen spazieren, die Blicke auf die Mähnen meiner Wellen gerichtet, und wir sprachen auf der grünen Bank unausgesetzt über Pferde. Ich versuchte ein paarmal, die Konversation auf Komposthaufen, Mäuse und Bestattungsriten auf Neu-Guinea zu bringen, aber es war vergeblich. Natürlich sprachen wir, während ich das heilige Ziel im Auge behielt, auch über Sachen, die uns beide interessierten, wie Knöpfe, letzte Dinge, den Gesunden Menschenverstand und Reitunfälle. Ihr Papa war bei einer Fuchsjagd mit der Stirn gegen einen Buchenast geknallt, und jetzt lag er zu Hause herum, sprach nur noch in der Pferdesprache – sehr differenziert, wie mir Felicitas versicherte – und ließ eines schönen

Tages alle seine Pferdebücher verbrennen, was ich verständlich fand.

Nach intimerer Bekanntschaft gingen wir dann zu berühmten Fällen von Unfällen mit Pferden und dann zu Unfällen mit Pferden und Kaleschen über, aber ich kam einfach nicht an ihre Kniekehlen.

Endlich, an einem Mai-Abend, trug sie einen Wickelrock, der nach oben rutschte, wenn sie saß. Leider saßen wir an dem Abend nicht genug. Endlich plazierten wir uns auf der grünen Bank; ich kannte zu meinem Leidwesen die Fortschritte in der Kunst der Orthopädie nicht, sonst hätte ich niemals den Versuch unternommen, an ihrer rechten Kniekehle nach jenem magischen Zentrum zu suchen, dem wahren Geheimnis der Frauen. Ihre spezielle Zone fühlte sich nicht besonders weich oder sensibel an, aber ich dachte, ich sei auf einen typischen Reitermuskel gestoßen und machte also unverdrossen weiter; auch die Küsse wurden kühner infolge oder auf Grund dessen – ein Unterschied, den mir nur Vendla hätte erklären können –, während meine rechte Hand absichtslos auf ihrem BH mit wehrhaften, harten Körbchen lag. Da sagte sie zwischen zwei Küssen mit einem erstickten kleinen Kichern, was ich denn an ihrer Beinprothese suche.

Bestimmte Dinge des Liebeslebens, die einst Arbeit und seelische Kosten verursachten, muß man vergessen, wenn sie zu keinem nennenswerten Fortschritt verholfen haben. Aber natürlich geht nichts über empirische Daten, aus denen man lernen kann.

Ich hielt Felicitas immer die Treue, ich beobachtete noch oft ihren herrlichen Popo auf ihrer Stute Norma, aber die wahre Leidenschaft hatte sich in einem German-Trab, ohne up and down, davongemacht. Im Garten begrub ich feierlich mein Exemplar von D.H. Lawrence *Die Frau, die davonritt.*

Am erfolgreichsten, was das heimliche und heilige Zentrum

betrifft, war ich mit einer Kinderlogopädin namens Doris, die schöne glatte, weiße, vielleicht etwas zu dünne Beine hatte, aber wegen ihrer Rocklänge potentiell zugängliche Kniekehlen. Auf der grünen Bank drang ich schon nach vierzehn Tagen endloser Gespräche über logopädische Séancen zur warmen und elastischen Regio Poplitea vor, und sie erstarrte erwartungsgemäß. Ich hoffte und fürchtete, daß sie in eine Art Duldungsstarre gefallen sei, und zweifelte an meinem Talent, die Stimulation des magischen Zentrums mühelos bis zu einem Kuß fortzusetzen, doch sie umklammerte meinen Kopf mit beiden Händen und nahm mich in die Zange, oben, aber auch unten, wo sie meine Hand in ihrer Kniekehle gefangenhielt – das andere Bein hielt sie gestreckt. Ich genoß diese Gefangenschaft mit allen Sinnen sozusagen, bis sie, unterbrochen von tiefen, feuchten Küssen, zu sprechen anfing. Ich wußte, daß Doris ihren Beruf als Logopädin liebte. Sie hatte schließlich über Fröschel, einen großen deutschen Kollegen, promoviert und schrieb an einer Arbeit über *Agrammatische Störungen bei Politikern.* Vor allem liebte sie die Kinder, ihre Störungen bis zur Aphasie und das System der didaktischen Laute, mit denen sie die armen Geschöpfe auf das Glatteis vollständiger Äußerungen und damit zu systematischen Irrtümern führen wollte.

Auf der grünen Bank am Pier (kein Mond in Sicht) flüsterte sie mir Liebeserklärungen ins Ohr, die ich noch von keiner Frau vernommen hatte; es war eine eigentümlich wilde und sinnliche Lautfolge aus dem Idiom der Ekstase; und sie stammelte, während sie an meinen Haaren zerrte und mich immer wieder küßte: Belasiwoda ... albei ... ber ... berankow ... belsawo ... baroh ... begolowno ..., und dann biß sie mich unter der Flut dieser ersten Lautfolgen in die Unterlippe.

Das war, dachte ich damals mit Herzklopfen, die wahre Sprache der Leidenschaft jenseits der Vernunft, aber komplett im Liebes-Kontext, und ich segnete den Autor Alatesta, der die Kniekehlen der Frau entdeckt und so präzise besungen hatte.

Später erfuhr ich von anderen Liebhabern unspezifischer Sprechstörungen, daß Doris an allen Stellen ihres üppigen Körpers empfänglich für Liebkosungen gewesen sei, aber bei einer bestimmten Liebkosung – eben der Kniekehlen – in die Übungstexte aus dem Komplex B für Aphasiker, Stammler oder Stotterer ausbreche; sie konnten mir aber keinen Grund angeben.

Ich hielt auch der logopädischen Doris und ihren Kniekehlen die Treue, bis ich im MIRROR lesen mußte, daß der italienische Autor Alberto Alatesta in Rom einem Unfall erlegen war; in der Via Nomentana hatte ihn ein von einem Balkon fallender Schweinskopf erschlagen. Er habe ein Werk hinterlassen, hieß es in einer ausführlicheren Notiz, das die Kluft zwischen den Geschlechtern so tief ausgelotet habe, wie es vor ihm, nur besser, Alberto Savinio vermocht habe.

Ich fand den Nachruf anständig und würdevoll, der Sache gemäß irgendwie, bin aber der zweifelhaften Theorie der Regio Poplitea-Zone nie wieder in der Praxis auf den Grund gegangen, fand aber während meiner Forschungen heraus, daß so gut wie alle Frauen sehr verschieden sind, mögen ihre Kniekehlen schimmern wie Rost oder wie Sahne.

Casullo, der meine Versuche mit Anteilnahme an Niederlagen verfolgt hatte, sagte, der Weg über dieses Scharnier, wie er sich ausdrückte, das auch in orthopädischer Hinsicht mißraten sei, müsse verlassen werden, denn wenn man eine Frau erst einmal geküßt habe und dann eine gewisse Erwiderungsbereitschaft merken könne, sei es völlig gleichgültig, ob sie über die Kniekehlen empfänglich sei oder nicht.

Auch Harding, der in einer ähnlichen Phase von Versuch und Irrtum die Schwestern Plummer belästigte, sagte, es handele sich um einen Irrweg, auf dem man sogar Verletzungen fürchten müsse. Er war der Meinung, man solle erst eine kunstvolle Theorie über die Libido haben, ehe man sich erfolgreich an die Praxis machen könne. Wir hatten ein sehr ernsthaftes Gespräch bei Nebel im Pub über dieses Thema, und ich fragte ihn, wie verläßlich im allgemeinen Gefühlsdaten seien.

Überhaupt nicht, erwiderte Harding, das könne er immerhin mit aller Gewißheit sagen, und vor allem dauerte so eine Liebesgeschichte ohnehin nur drei Jahre, wenn's hochkäme, unabhängig von den Daten, die man vorher gesammelt habe.

Ich erinnerte ihn an die lange Zeit, die Petrarca und Laura, Dante und Beatrice ihre Liebe gepflegt hätten.

Harding sagte, daß diese literarischen Liebesgeschichten anders funktionierten. Ich solle an E. A. Poe denken und seine bleiche Cousine: kein sexueller Kontakt in den Dünsten von Alkohol und Opium.

Nachdenklich holte ich an der Bar noch zwei große Guinness.

Ich sagte Harding, daß ich eigentlich an einem sexuellen Kontakt mit einer Frau durchaus interessiert sei.

Schön für dich, sagte Harding traurig, das Geschlechtsleben mache alles kaputt, die Ernüchterung folge – nach seinen noch unvollständigen Berechnungen – nach 360 sexuellen Kontakten.

Wieviele Kontakte er denn nun wirklich in seinem Leben genossen habe, fragte ich voller Mißtrauen.

Harding wollte sich weder als Theoretiker noch als Praktiker auf eine private Zahl festlegen, setzte aber hinzu, es könnten mehr aber auch weniger Kontakte gewesen sein.

Dann kam Clemm dazu, der damals noch mit der hochbeinigen Priscilla mit den kleinen Brüsten zusammen war (ihre Kniekehlen waren mir nicht bekannt), leider erschien er schon unter dem Einfluß von Gin.

Von der Kniekehlen-Theorie hielt er gar nichts, sprach aber geläufig von sog. erogenen Zonen, die ein wahres Paradies an Reaktion und Gegenreaktion sein mußten, ja, nach seiner Theorie war die Frau zusammengesetzt aus diesen Zonen, und man müsse nur eine beliebige Stelle erwischen, um jenen Schmelzprozeß, der von der Psyche ausginge, zu überführen in eine physiologische Reaktion; bei ‚physiologisch' hatte er schon leichte Schwierigkeiten mit der Zunge.

Da haben wir, sagte er, seinen Whisky in der rechten Hand, die Frau, die einen Körper hat, und auf diesem Körper da hat sie lauter eregone, nein, erogene, ihr wißt schon was, ergo –

Da kam eine junge Dame an unserem Fenstertisch vorbei, eine Sue-Ann aus der Katalogabteilung, eine hübsche, etwas ungepflegte Schönheit, und Clemm berührte ihre linke Kniekehle, es wird wohl ein Reflex gewesen sein. An diesem Abend entdeckte ich die starke, sinnstiftende und unübertreffliche Macht der Modalverben.

Clemm murmelte: Man sollte wirklich – ich wollte ein Experiment machen, pardon, das nicht sein mußte.

Das fand Sue-Ann auch; sie drehte ihren flachen Bauch in Jeans zu Clemm, nahm ihm sein Whisky-Glas aus der Hand und goß ihm den Rest behutsam über den Schädel.

Casullo grinste, und Clemm, immerhin, errötete, entschuldigte sich, ehe er in einer gewissen Hast verschwand.

Da kannst du's einmal sehen, sagte Harding befriedigt. Was ich immer predige, erst die Theorie, dann die Praxis. Und er ging uns noch zwei große Guinness holen. Voller Guinness und Gedanken starrte ich auf Sue-Anns wohlgeformten Po und stellte mir ihre Grübchen in den Kniekehlen vor.

Kacz, sagte Harding, du hast da so eine Art Gefühlsmacke, die man nicht einmal lexikalisch bewältigen kann.

Ich erwiderte, ich wisse nicht, was er meine.

Komm, sagte Harding, er meine diese Macke mit dem Mitleid. Ich nähme jedes Tierchen auf, fuhr er fort, ich rettete halb ertrunkene Spatzen aus Wassergräben, ja, ich höbe jede Schnecke vom Weg, bestattete Mäuse im Garten der Witwe und Tiger in der flachen Landschaft.

Ich wurde, das weiß ich genau, sehr kühl gegen Harding, wollte aber mein letztes frisches Guinness nicht im Stich lassen. Das war wohl ethisch nicht sehr hoch gedacht, aber pragmatisch.

Es sind keine Tiger, sagte ich, die ich begrübe, sondern bestenfalls Igel, aber wer so viele sexuelle Kontakte wie er mit allen möglichen Geschöpfen gehabt habe, müsse geistig ein wenig verwirrt sein. Geh zu Dr. Searl, der ist ein guter Therapeut, sagte ich und trank einen Schluck.

Harding goß sich vor Ärger den nächsten Schluck Guinness in das offene Hemd, ehe seine dicken Lippen das Glas erfaßten.

Ich sei, sagte er, ein dickköpfiger, schwach- und wahnsinniger, lebensuntüchtiger, sexuell unterentwickelter Volltrottel; meine Studien wären ohne Ausnahme dummes, überflüssiges Zeug und –

Da unterbrach ich ihn und fragte, ob er jemals die schöne Logopädin Doris geküßt habe. Harding schluckte, blies dunklen Schaum vor sich hin und starrte mich an.

Doris, sagte er, du meinst diese infantile, aber hübsche Kuh, die sich mit verdrehten und zurückgebliebenen Kindern beschäftigt? Was soll die Frage, hast etwa du –?

Ich ging, sagte ich bescheiden, von den Kniekehlen aus.

Harding legte buchstäblich seine Ohren an, während er die Augen aufriß.

Du spinnst, sagte er, niemals.

Glaub, was du willst, sagte ich, und mach bloß mit deiner Libido-Theorie weiter, anders kommst du nie zum Ziel.

Weißt du, fragte ich, was sie – danach – in mein Ohr flüsterte? belsawo baroh!

Harding war offensichtlich so vernichtet, daß ich ihn durch intimere Details nicht verstören mußte. Wer über eine so reichhaltige Erfahrung mit Kniekehlen verfügt, kann großmütig sein.

Ich hatte seiner dummen Theorie einen Schlag in die empfind-
lichsten Teile versetzt, die bestimmt weniger sensibel waren als
alle weiblichen Kniekehlen der Welt.

36

Nach diesem erschöpfenden,
nicht sehr befriedigenden Notat über meine Erfahrungen mit Der
Frau verfaßte ich zusätzlich ein paar kurze Nachrichten für meinen Anhang im Hause, ehe ich dann endgültig mit leichtem
Gepäck floh, ein bißchen Lektüre, Stendhals *De L'amour,* Hardings Libido-Theorie in hektographierter Form, unbefleckt, und
im Kultursack eine sehr schlaffe Tube Euthymol, neben Aspirin,
Valium und Kohlekompretten.

An meinen Vater schrieb ich:

Lieber Vater, muß dringend nach Düsseldorf, rein geschäftlich
(Akquisitionen etc.), und danach aus ähnlichen Gründen nach
England. Komme in ein paar Tagen zurück.

Grüße an Holden.

Dein Alfred.

Gegen Kontrolle hatte ich mich abgesichert; der gute Dr.
Gussjew lag immer noch in seinem Bett, vernichtet, sprech-
unfähig und bleich vom Kampf gegen seinen Dämon Skuns,
einem, so dachte ich, angesichts der Lage sehr praktischen
Dämon, den Gussjew zur richtigen Zeit hatte erscheinen lassen,
um allen Kalamitäten zu entgehen. Gewissermaßen war's der
gute Dämon der Entlastung. Ich setzte mir eine japanische Atem-
maske aus einer der Kammern mit medizinischen Utensilien auf,
als ich den Krankenbesuch absolvierte. Der Doktor phil. däm.
occult. lag in seinem abgedunkelten Zimmer, gekrümmt wie ein
Embryo, in Laken und Decken verwickelt und stank wie ein alter
Bussard. Hinter seinem mageren Hintern fand ich ein Taschen-

buch der Mythologie und ein kleines Handbuch mit dem Titel *Das Huhn in der Geschichte der Kunst und der Landwirtschaft*. Ich war trotz meines Kopfschmerzes, der heißen Nebenhöhlen, des Sodbrennens und des Liebesfiebers ein bißchen gerührt.

Da ist, sagte ich mir, ein Mann krank, warum, sollte jetzt keine Rolle spielen, aber er kümmert sich tapfer um seine Aufgaben. Das ist moralisch hoch anständig, technisch unmöglich und sinnlos dazu.

Ich lüftete ein bißchen, seinetwegen, nicht meinetwegen natürlich, dachte mit dem Herzen und schrieb auch ihm ein kurzes Billett.

Lieber Doktor,

Mut. Sie sollten die Idee Holdens aus dem Mund meines kranken K. sen. nicht allzu ernst nehmen, ist sie doch wahrscheinlich nichts anderes als eine Projektion auf dem sehr löchrigen Laken seiner ganz persönlichen Vorstellungen. Ich denke, auf diesem Hintergrund muß man dieses Phänomen sehen. Lassen Sie also locker, und bringen Sie diese Zwangsidee mit der Metamorphose einfach zum Verschwinden. Ich hoffe, der Dämon Skuns hat Sie inzwischen restlos verlassen.

Herzl., Ihr Alfred Kacz.

Der Brief an Dr. Fossler, den bewährten Hausarzt und Skeptiker, der ein bißchen einsilbig ausfiel, lautete:

Lieber Dr. Fossler, alte Pflichten rufen mich nach England, komme bald zurück.

Ich gebe zu bedenken, siehe unsere Gespräche über die sog. Holden-Wesenheit, daß es sich in diesem Fall um eine Erfindung oder eine kranke Invention meines Vaters handelt, so daß es nützlich wäre, beim Patienten immer die Relation des Zustandes zu der täglichen Produktion der Ideen zu beobachten. In der Hoffnung auf gute Resultate bin ich herzlich

Ihr A. K.

Den letzten Brief an Allegra, die gute Fee, deponierte ich auf einem Gewürzbrett über dem Herd, auf dem der ewige Nährbrei des Kranken sanft simmerte.

Liebe Schwester Allegra,

ich muß für einen Moment verreisen, bin aber beruhigt, den alten Herren in Ihren bewährten und kompetenten Händen zu wissen.

Bis bald. Herzlich, Ihr Alfred.

Ich ließ mir ein heißes Bad ein und stieg mit einem großen Glas Rum in die Sitzbadewanne, um die therapeutischen Maßnahmen zu vollenden. Nach einer Stunde, als die Wassertemperatur unter der meines Körpers lag, fiel mein schläfriger Blick auf zwei Wörter an der getünchten Wand zwischen Klosettbrille und dem Rohr des Spülkastens: Epiphyse = Zeit!

Das Ausrufezeichen nach dieser simplen Formel hatte einen tränendicken Punkt. Ich hätte gern im Lexikon nachgeschlagen, wer oder was wohl eine ‚Epiphyse' war, fand aber in der Eile keines. Bei Gussjew, der vorsichtig schnarchte und sich nur unterbrach, um tief zu seufzen, fand ich auf dem Nachttisch nur ein Buch mit einem medizinischen Thema *Der Einfluß der chronischen Bronchitis auf den Kategorien-Apparat*. Dies schien mir nun denn doch weit hergeholt, und ich ließ diese unbrauchbare Publikation liegen. Mochte Gussjew mit ihr glücklich werden.

Und dann rief ich endlich ein Taxi und fuhr um sechs Uhr morgens zum Flughafen Tegel, wo ich erst zwei Stunden später im Flugzeug sitzen konnte. Nahrung: ein Waldorfsalat und ein bleicher Hühnerschenkel, zwei Büchsen Bier, die ich in einer halben Stunde geschafft hatte. Gerade als ich nahe am Einschlafen war, setzte sich schnaufend ein Herr neben mich, und eine Stimme sagte: Sie erkennen mich, Sie erinnern bestimmt: Maurina.

Mir war nicht nach Konversation, obwohl ich Gedanken über Ethik oder Moral selten aus dem Weg ging, auch wenn sie im Souterrain des Geschäftlichen lagen.

Maurina hatte Sorgen und sagte, der Standort Deutschland sei falsch für eine Alltagsethik-Praxis auf Honorarbasis, kein einziger Klient sei erschienen, die Miete für sein Lokal in der Krumme Straße zu hoch und Berlin als Stadt scheußlich; nun wolle er noch einen Versuch machen, sich als Samen- oder Organspender, Vertreter oder Komparse durchzuschlagen – wie denn meine Geschäfte gingen? Der Bestattungsmarkt prosperiere doch, ginge man nach der großen Zahl der täglichen Todesanzeigen.

Als sein Redefluß ins Stocken geriet, fragte ich ihn, was eine Epiphyse sei.

Epi, Epi, murmelte der gebildete Maurina und schmatzte, das sei griechisch. Die Epiphyse sei die Zirbeldrüse und nach der Auffassung Monsieur Descartes' der Sitz der Seele. Ich kenne die Philosophie, sagte er nach dieser Ausführung, und ich kenne das Kino. Descartes starb 1650 an einem grippalen Infekt, den er sich am schwedischen Hof der Königin Christine geholt hatte. – Der Film mit Greta Garbo ist ganz schlecht!

Auch ich litte an einem Infekt der Atemwege und des Herzens, sagte ich, und bedürfe der Ruhe. Ich schenkte ihm einen Marsriegel, den er lustlos entgegennahm, und schlief ein.

Die dünne Luft in Flugzeugen ist nichts für liebeskranke Organismen. Wie ich ausstieg und mit einem ermatteten Strauß Rosen bei Margot in irgendeiner Straße mit dem Taxi ankam, ist in einem gnädigen Bodennebel geblieben. Ich weiß noch, daß die Wohnung im zweiten Stock lag, die Tür grau war und ich mich Auge in Auge mit einem Spionloch befand, größer als das Gipsloch im Badezimmer.

Nüchtern und gesund hätte ich wahrscheinlich gesagt: Margot, nehmen Sie diese Rosen an Ihr Herz, das ich liebe, aber ziehen Sie die Dornen aus meinem Herzen, das Ihnen zu Füßen liegt für alle Ewigkeit, die uns noch bleibt, Ihr ergebener Alfred.

Was soll ich mich lange aufhalten mit dieser unwürdigen Szene. Eine alte Dame öffnete, kraulte sich voller Entsetzen das

violette Haar mit silbernen Spitzen und schrie: Margot, komm'
her, es ist gar nicht der Briefträger.

Da fiel ich einfach um (Chemie ist immer stärker als der freie
Wille) und fand erst auf einer schwarzen Ledercouch wieder zu
einem gewissen Bewußtsein. Am Fußende saß Margot, die
Geliebte, und sah mich unbewegt an. Auch alle Symptome
hatten sich einmütig um mein Krankenlager versammelt,
Herzklopfen, eine trockene Zunge, Durst und erkaltete Extremitäten.

Ich lag in einem kleinbürgerlichen Wohnzimmer mit gläser-
nem Couchtisch, Fernsehapparat, zwei dicken, schäbigen Sesseln, und aus einer Volière brüllten mich winzige Vögel an. Es
duftete nach Parfum. Margot, meine Prinzessin, sah mich voller
Mißbilligung an. Ich raffte alle meine schwachen Kräfte zusammen und sagte:

Ich bin nun endlich in der Höhle mit den stendhal'schen Kristallisationen voller Stalaktiten und Stalagmiten.

Alfred, sagte Margot mit einer kleinen, aber deutlichen
Stimme, Sie sind ein Idiot. Warum geht es Ihnen so schlecht, und
warum sind Sie geflohen? Und wenn Sie geflohen sind, wie ich
annehme, warum zu mir?

Weil ich Sie liebe, sagte ich, und bat um einen Schluck zu trinken. Sie füllte mich mit Tee ab, schwarz, ohne Zucker.

Ich richtete alle Kräfte auf einen Punkt und überließ mich den
Sicherheiten eines improvisierten Briefstils; es wurde ein Monolog, den ich beherzt mit einem Hippokrates-Zitat begann.

Ars longa, vita brevis! Liebste Margot, ich liebe Sie, seitdem
ich Sie das erste Mal sah, bestätigt wurde dieses Gefühl durch
eine Zufallsbeobachtung in der Toilette mit der Sitzbadewanne,
aber nur einmal, will sagen, ich benutze dieses Loch in der Wand
zu Ihrem Boudoir nicht dauernd.

Das sei schön zu hören, sagte Margot, aber ich solle zur Sache
kommen.

Ich richtete meine Augen an die Decke, um den Reizen zu entgehen (ein langes zartes Hemd unter mauvefarbenem Morgenrock, keine Kniekehlen in Sicht), und sprach sehr langsam, klar und moduliert:

Margot, ich und du, eine Fusion –

Eros und Agape, sagte Margot, ach Alfred.

Lassen Sie mich ausreden, sagte ich, diese Stunde kommt nie wieder, carpe diem. Die kleinen Vögel machten viel Geschrei, und mir war, als sprächen sie schlecht über mich.

Auch ich möchte, sagte ich, einmal im Leben – leider unterbrach sie mich an dieser wichtigen Stelle und setzte meinen Satz so fort, wie ich ihn konzipiert hatte –

– das sogenannte große Gefühl kennenlernen, das nach Ansicht der besten Autoren nur die Liebe freisetzt, ich bete Ihr Gesicht an, Ihren bleichen Teint, die umbrafarbenen Augen, Ihre milchweißen, sommersprossigen Titten und Ihre lockenreiche Scham; zeigen Sie mir auf der Stelle Ihre Kniekehlen, damit ich in Ruhe schmelzen kann, trotz der Tabletten- und Suff-induzierten Schwäche meines Geistes und Fleisches, Amen. Wollten Sie vielleicht das sagen?

Ich erwiderte mit einem bitteren Geschmack im Mund, das sei meine Absicht gewesen, sie habe aber nicht ganz den Stil getroffen.

Wenn es um die Sachlichkeiten der Liebe oder der Verliebtheit ginge, sei der Stil zweiten Ranges, sagte Margot.

Die Situation war gänzlich verfahren, unübersichtlich und allzu trocken. Ich bat um einen ganz kleinen Sherry; sie brachte mir schwarzen Tee mit einer kleinen Dosis Rum, der alten Medizin.

Gerade ein singuläres Gefühl, sagte ich, bedürfe einer korrekten grammatischen Form, in der es wohlverwahrt sei.

Ich sei, sagte sie, ein simples Männer-Modell, leicht zu befriedigen mit Alkohol, Lektüre und dem Anblick schöner Frauenbeine.

Sie mußte recherchiert haben. Mich schwindelte, und ich trank einen großen Schluck Rum-Tee. Der Kreislauf funktionierte, und ich mußte einen Nies- und Hustenreiz unterdrücken.

Liebste Margot, sagte ich voller Gefühl, mir sei es leider nicht gegeben, mit dem Herzen zu denken, aber es spreche in der Aura ihrer Sinnlichkeit eine ganz andere Sprache und es sage unmißverständlich –

Lieber Alfred, sagte sie, auch dein Gefühlshaushalt ist ein simples Modell, so als Konstruktion von außen betrachtet.

Da wurde ich vor Glück über das Du einen Augenblick bewußtlos, faßte mich aber schnell und sagte: Margot! Auch das Substantiv Gefühlshaushalt ist angesichts eines großen Gefühls nur ein Wort, lassen wir Taten sprechen.

Das lassen wir besser, mein Lieber, sagte meine kühle Geliebte in spe, in diesem Moment nivellierte jede noch so kleine Tat die Differenz zwischen Aufwand und Ertrag.

Laß uns, sagte ich, Geliebte – bitte noch ein bißchen Rum in diese geblümte Tasse –, ein sondierendes Gespräch über die Liebe im allgemeinen und die Unsere im besonderen – da rief die Mutter nach ihr, sie verließ mich, und ich war allein mit den Vögeln, die zusammen auf einer Holzstange saßen und mich anstarrten. Ab und zu flüsterten sie miteinander und betrachteten mich schweigend und voller Argwohn.

Dann saß sie wieder am Fußende, ich fixierte ihre ungeschminkte, wunderbare Unterlippe und sagte, sie müsse die Katze nicht im Sack kaufen, ich wolle alle meine Handicaps auf den Tisch legen.

Ach du liebe Zeit, sagte Margot bestürzt, und selbst die Vögel fingen an zu tirilieren oder was kleine, gelbe Vögel eben so tun, wenn sie aufgeregt sind.

Du hast, sagte Margot, im Augenblick etwas von einem ziemlich dummen Kater, der nicht genau weiß, wo er sich verewigen soll.

Margot, sagte ich, und die Vögel schwiegen. Mein Monolog kam von Herzen, und ich schonte mich nicht, das kann ich aufrichtig behaupten.

Margot, so höre, sagte ich beschwörend, ich habe ein gutes Herz, bin aber auch mitfühlend, wenn es darauf ankommt. Mit meinen Füßen ist etwas nicht in Ordnung, wie ein englischer Spezialist diagnostizierte, ich bin leicht gerührt, aber nicht mehr so oft, mein Gehirn ist so ähnlich beschaffen wie ein Schwamm, der alles unterschiedslos assimiliert – was gewisse Vorteile mit sich bringt, aber auch Nachteile – (hier preßte Margot die Lippen zusammen, und ihre Nasenlöcher wurden sehr rund) –, meine Fähigkeiten sind insgesamt unergründlich, was Geist und Körper betrifft, aber leider war es mir nicht möglich, herauszufinden, wozu ich mich eigentlich am besten geeignet hätte, aber ich glaube sagen zu dürfen, daß ich ein künstlerisches Verhältnis zu Geschäften aller Art habe, also auch zum Bestattungswesen, das mich wegen angeborener Dispositionen durchaus anzieht, aber auf der Basis einer Liebe, die – und hier ging mir der Saft aus, oder die Rum-Öle verklebten gerade eine synaptisch wichtige Kombination.

Gewisse Frauen weinen bei derartigen Geständnissen, andere lachen; Margot lachte, bis sie weinen mußte, während die Vögel in der goldenen Volière einen entsetzlichen Lärm anstimmten. Sie trocknete ihre Tränen, schenkte mir noch eine kleine Dosis Rum und bat um Pardon.

Ich käme aus einem anderen Jahrhundert, gegen mich sei Boswell ein moderner Liebhaber, und ob ich nun einige Qualitätsmerkmale aufzählen könne?

Tja, was soll man in einer solchen Situation schon aufzählen? Die Vögel schrien durcheinander, Margot hatte vor Lachen tränenfeuchte Augen, und Kacz war von sich selbst so gerührt wie über all diese sinnlosen und vergeblichen Anstrengungen auf der schwarzen Ledercouch.

Ich hätte, so sagte ich, massenhaft viel und ausdauernd studiert, gelesen und auch geschrieben, vertrüge eine Menge Alkohol im Verhältnis zum Körpergewicht, unterhielte keine Beziehungen zu anderen Frauen, wolle meinen Vater retten und dann das Institut Ambrosia zu ungeahnten Blüten führen. Was soll ich sagen, alle lachten wieder, die Vögel und Margot.

Als sie sagte: Strapazier' nicht wieder so viele Metaphern auf einmal, schien es mir das Beste, in einem Orkus zu verschwinden, den Gussjew sich noch nicht ausgedacht hatte – ich simulierte eine Ohnmacht, oder, wie man früher gesagt hätte, ich brachte meine ,Sinne' dazu, Kacz für einen Moment verschwinden zu lassen.

Im Licht eines gelben Seidenschirms neben meinem Kopf wachte ich wieder auf. Über der Volière hing ein schwarzes Tuch, in der Wohnung war es grabesstill.

Auf dem Glastisch lag ein Zettel, auf dem in Margots Handschrift stand:

Lieber Alfred, mach' das Deine, aber werde absolut nüchtern, sonst bleibt nur ein entweder/oder, ZuTunIst oder InsOrkus. Du hast eine Woche Zeit, Margot.

PS.: Kanarienvögel, die nicht singen, müssen Holzarbeiten verrichten (Larson).

Ach, die Kunst der Interpretation ist leicht, und sie richtet sich nach den Fakten, die man kennt. Die süße Margot kannte Gussjew und wendete offensiv seine beiden Rubriken gegen mich. Aber nach diesem Liebeszettel wäre es ähnlich leicht, den 29. Versuch der Aufgabe des Alkohols zu unternehmen. Da ich nicht ihren ausführlichen Liebesbrief für eine Nachricht mißbrauchen wollte, schrieb ich – nach langer Suche – auf einen Vogelfutterprospekt, ich sei mit allem einverstanden, müsse einige Dinge in England erledigen und sei in drei Tagen pünktlich wieder im Institut Ambrosia. Ich war so glücklich, daß ich ein Rendezvous im Sarglager vorschlug; das wäre ein Freitag, 22 Uhr.

Zwei Stunden später saß ich im Flugzeug nach Gattwick.

37 Die Reise nach England war nützlich, aber ein bißchen deprimierend, nüchtern betrachtet, denn alle, die ich besuchte, ruhten in ihrem Glück, wie eine Mumie in ihrem Pantoffelsarkophag, und nur Swanson, den ich abgemagert in der Gerassimow-Gedenkbibliothek an seinem alten Platz fand, zitierte bitter Baudelaire: Wer über die Geliebte im Liebesrausch sich neigt/ gleicht einem Sterbenden, der heiß sein Grab liebkost.

What happened, fragte ich Swanson. Es war mittags, und wir waren allein im Saal.

Es war, sagte Swanson schwermütig (seine Hände zitterten), eine Frage der Identitäten, wissen Sie. Und ich, ich hatte zwei, Emmy oder Evelyne, eben die eine oder die andere. Ein Identitätsprinzip, fuhr er fort, ist ein solches – jedenfalls nach Goodman, den ich in dieser Frage immer wieder gelesen habe –, das für klein a und b – die beiden Schwestern also in diesem speziellen Fall, die beide f's sind (das klein f steht für Individuation) – bestimmt, ob sie dasselbe f sind oder nicht.

Die Sache, sagte ich, sei mir noch nicht ganz klar, obgleich ich die Arbeiten Goodmans schätze, ob er nicht ein wenig deutlicher sein könne?

Die Who is Who-Frage, sagte Swanson, habe sich nicht regeln lassen.

Mit welcher er denn verlobt gewesen sei, fragte ich, um mir über diesen Punkt klar zu werden.

Entweder mit der einen oder der anderen, sagte er, denn sie hatten ja zusammen kein einziges Merkmal, mit dessen Hilfe man sie hätte unterscheiden können, also sei er irre an den Identitätskriterien generell geworden, was zum Stempel geführt habe.

Ich bat ihn, die ganze fatale Plummer-Liebe zu erzählen, und Swanson seufzte und sagte, das sei eine furchtbare und dumme Geschichte.

In einer windigen Nacht und nach einem schönen Liebesspiel mit einer der E's, hatte er die REM-Phase, Tiefschlaf, abgewartet, sie behutsam auf den Bauch gerollt und dann ihre rechte Pobacke mit einem ENTLIEHEN! – Stempel versehen.

Ich fand, das war angesichts der möglichen Verwechslungen eine gute Idee. Dann überkamen Swanson im Morgengrauen neue Zweifel; gleichgültig, welche der Schwestern er markiert hatte, wußte er immer noch nicht mit letzter Sicherheit, welche er denn nun gestempelt hatte. Berechtigte Zweifel, fand ich; selbst wenn er zwei Pobacken der beiden verschieden gestempelt hätte, wäre es ja unmöglich festzustellen gewesen, welche Markierung welche Schwester auf welche Identität festlegte.

Ich habe nicht viel Erfahrung mit der Liebe und den Frauen, aber in meiner Erinnerung schmeckte Emmy anders als Evelyne.

Ohne Kriterien keine Verifikations-Möglichkeit, sagte Swanson. In der nächsten Nacht inspizierte er die Pobacke, fand aber keinen Stempel.

Wie die Sache ausgegangen sei, fragte ich.

Oh, sagte Swanson, nach einer Woche Stempeln sagte ich mir, man müsse nicht unbedingt wissen, wer bei dieser unglaublichen Ähnlichkeit Emmy oder die andere sei, eine schwesterliche Identität sei letzten Endes so schön wie die andere; und sollte er mit beiden Schwestern verlobt sein, müsse man dem Schicksal dankbar sein.

Ich hätte, sagte ich, das Herz entscheiden lassen, die Sensorien. Warum die Verlobung in die Brüche gegangen sei?

Ich machte mir, sagte Swanson, all zu viele Gedanken über das Doppel-Phänomen, was leider auf meine Potenz schlug. Emmy oder die andere schrieb mir einen Brief – und er zog aus seiner Brieftasche einen violetten Bogen Papier und las mit gepreßter Stimme:

Lieber Björn, diese ewige Stempelei in der Nacht muß ein Ende haben. Betrachte die Verlobung als gelöst.

Deine E.

Wie, rief ich, der Vorname war nicht komplett?

Nein, sagte Swanson, das war er nicht, und das war die letzte Gemeinheit.

Wie er sich über dieses Unglück gerettet habe, fragte ich leicht gerührt.

Mit einer Arbeit selbstverständlich, sagte er, über Identitätskriterien für Kunstwerke, und das seien ganz einfache Transaktionen gewesen.

Wie geht es den Schwestern Plummer, fragte ich, sind sie in Trauer?

Aber nein, sagte Swanson, überhaupt nicht, im Gegenteil. Sie haben vor einer Woche geheiratet.

Da erschien plötzlich mein alter Schutzengel Hamilton und sagte leise: Idiot, wieder zu spät.

Die lieblichen Schwestern hatten zwei männliche Zwillinge namens Herman und Edward Webster geheiratet, Besitzer einer Werbeagentur.

Da verließ ich den armen Swanson und ging traurig in die Pension der Witwe Hawkins. Da ich sie überraschen wollte, benutzte ich die Gartentür. Es war windstill, im Garten sang kein einziger Vogel. Früher hatte es von Vögeln in den Apfelbäumen gewimmelt.

Ich klopfte an der Hintertür, die über der Schwelle eine Art Klappe hatte, und die Witwe erschien in einem schwarzen, hochgeschlossenen Kleid. Ihr Busen war bedeckt mit Katzenhaar, und in den Händen hielt sie ein lohfarbenes Kätzchen mit bernsteingelben Augen.

Mr. Kacz, sagte sie, sind Sie's wirklich, treten Sie doch näher. Im Haus hing ein Geruch nach Pipi Chat, und überall standen flache, eckige und runde Plastikwannen, gefüllt mit Torf oder

Katzenstreu. In der Küche putzte sich in einem Obstkorb ein stattlicher, schneeweißer Kater, niemand anders als White Devil persönlich.

Mrs. Hawkins füllte eine Menge Katzenfutter in eine Menge bunter Näpfe und betätigte einen kleinen Gong, der über dem Kalender hing. Aus allen Richtungen strömten kleine und große Katzen herbei, gefleckte, gescheckte, gestromerte, schneeweiße, schwarze und rotbunte. Sie sind, sagte sie, alle Kinder von White Devil.

Mein Gott, sagte ich, wie konnte das passieren? War er nicht ein furchtsamer kleiner Kater, dem der Killerinstinkt abging?

Die Witwe sagte, sie habe einen sehr widerspenstigen Dr. Stamp darum gebeten, dem Kater Hormone zu injizieren, in der Hoffnung, sein Instinkt werde erweckt. Das wurde er auch, sagte sie, aber es war nicht der Killerinstinkt. Sie habe das Vertrauen zu den Pharmaka verloren.

Ich zählte vierundzwanzig Katzen, die mit erhobenen Schwänzen über ihren Näpfen standen.

Und Sie sind noch in Liebe, fragte ich, mit dem Kammerjäger. Die Witwe atmete stark ein, und ihr Busen hob sich. Dobson, sagte sie, sei ein Problem wegen der Katzenhaare. Dann bot sie mir einen Sherry an, den ich entschieden ablehnte.

Ich bin, sagte ich, seit vierundzwanzig Stunden trocken.

Um Gottes willen, sagte die Witwe, what happened?

Ich bin verliebt, sagte ich bescheiden.

In Love, rief die Witwe und drückte mich ans Herz. Wie heißt sie.

Margot, sagte ich, und sie mißbillige den Konsum von Alkohol. Aus dem Nebenzimmer ertönte das Geräusch eines gut ausgebildeten Reizhustens, wahrscheinlich war das der Kammerjäger Dobson.

Die Witwe verschwand hinter dem Flurvorhang und erschien

nach kurzer Zeit mit einer leeren Flasche. Dobson hustete nicht mehr.

Seine Medizin, sagte sie befriedigt, Whisky, Menthol, Brom-Hexin und ein Tröpfchen Angostura, in diesem Fall sei die Chemie von Nutzen.

Wie geht's den Schwestern Plummer, fragte ich.

Glücklich und zufrieden, sagte Mrs. Hawkins, verheiratet mit Männern, die auch Zwillinge sind, und sie gleichen einander wie zwei Eier.

Wie schön für die Plummers, sagte ich, und die Witwe warf mir einen argwöhnischen Blick zu.

Und der Papa, fragte sie, während sie eine träge, dicke Katze unter dem Bauch kraulte, schon hinüber?

Der Morbus Pick, sagte ich, sei eine merkwürdige Krankheit, die alle möglichen Symptome erzeuge, aber nicht direkt zum Tod führe.

Eine rauhe Stimme schrie ‚Rose, komm her, ich bringe sie um, diese Schweinsbrut'. White Devil machte einen Buckel in der Obstschale und starrte auf die Küchentür.

Scheiße, murmelte die Witwe, jetzt ist's schon wieder passiert. Sie verschwand und kehrte mit einem pechschwarzen, einäugigen Kater mit wütend angelegten Ohren in den Armen zurück.

Sie hassen sich, sagte die Witwe, Snipe und mein Dobson. Das Auge hat mein Dobson auf dem Gewissen. Mit einer Kleiderbürste, denken Sie nur.

Hat Dobson eine Katzenallergie, fragte ich.

Da sei nichts, was sie nicht im Griff hätte, sagte die Witwe, aber ein Liebeskonflikt ist es schon. Der Kammerjäger Dobson hatte in der Tat eine Katzenallergie, und Rose Hawkins mußte den Geliebten mit großen Dosen ihrer Medizin beruhigen. Es wäre besser, sagte sie, die Katzen abzuschaffen, aber das brächte sie nicht übers Herz. Dobson oder die Katzen, das wäre schon die Frage, aber so ein Pflegefall sei schließlich auch etwas Schönes.

Ich wagte unter diesen haarigen Umständen nicht, nach ihrem Liebesleben zu fragen; als die Konversation stockte, bat ich sie um den Schlüssel zu meinen Zimmer.

Oh, sagte Mrs. Hawkins, das Zimmer sei vermietet, kurzfristig, aber sie habe meine Sachen in den Keller geschafft.

Man soll sein Herz nicht an Objekte hängen, aber man tut es doch; in dem finsteren Kellerraum, durch eine trübe Birne unter einem ovalen Gitter schwach beleuchtet, hatte ein nächtlicher Wasserrohrbruch das Seine getan. In gänzlich aufgeweichten Pappkartons sah ich die feuchten Umschläge und Rücken meiner unglücklichen Bücher und Manuskripte.

Ein Band mit Victorian Beauties lag in der Ecke neben einem Arsenal leerer Sherry-Flaschen; alle Seiten klebten aneinander. Es war hoffnungslos.

Ist schade um die Bücher, sagte sie, aber die Versicherung hat gezahlt. Was sie mir schuldig sei?

Ach, lassen Sie nur, sagte ich, vielleicht sollte mich der Wasserschaden an alte, unwiederholbare Sünden erinnern. Ich nahm noch eine Nase voll Pipi-Chat und verabschiedete mich für diesen Tag.

Das Glück ist wirklich eine mehr als zweifelhafte Sache. Bei meinem zweiten Besuch in der Bibliothek traf ich Casullo, und wir unterhielten uns dann längere Zeit in der verwaisten Katalogabteilung. Mrs. Kapulski hatte Grippe und hütete das Bett.

Der gute Clemm, so erfuhr ich, hatte endlich ein Stipendium und weilte im Kaokaland in Namibia, hatte sich beim Studium eines Frauenclan-Tanzfestes in eine Himba-Frau verliebt und wohnte jetzt in einer Hütte aus Lehm.

Die Himba-Frauen, sagte Casullo, wüschen sich nicht, sondern schmierten sich mit einer Mixtur aus Eisenoxyd und Ziegenbutter ein, hätten wunderschöne Körper und seien sehr leidenschaftlich, er wisse aber nicht, ob Clemm es dort ohne

Goldfische lange aushielte, aber seine kurzen Nachrichten klängen nicht schlecht.

Meine Güte, dachte ich, alle sind sie im Liebesrausch, eigentlich ist das eine furchtbare Sache; alle, in Abwesenheit der Vernunft, im Taumel, nichts als bedauernswerte Opfer auf dem Altar des Glücks, wie Alatesta, der Kenner der weiblichen Zentren, einmal notiert hatte. In aller Nüchternheit mußte ich konstatieren, daß fremdes Glück keine Rührung erzeugt, sondern bestenfalls mildes Erstaunen, gemischt mit gewisser Wehmut.

Harding, der Libido-Theoretiker, war voller rosiger Zuversicht und belagerte – in Liebe – den rothaarigen Besitzer eines Computerladens, der ihn zappeln ließ; aber, so sagte Casullo, Harding fühle sich wohl dabei, weil die eindimensionalen Reaktionen von Männern libido-theoretisch nicht so kompliziert seien.

Die Witwe vergiftete allmählich Dobson, voller Liebe gegen ihn und die Katzen.

Ach, mir sträubten sich die Haare.

Wie sich denn unter diesen Bedingungen ihr Glück zusammensetze?

Sie hat eine Schwäche für Pflegefälle, sagte Casullo, für den Alkohol, hilflose Männer und Katzen.

Was ist das für eine Welt, sagte ich und kam dann gottlob auf die gute Idee, ihn nach seinem Wohlergehen zu fragen.

Gott, ich, sagte Casullo, ich habe seit vierzehn Tagen eine sehr schöne Affäre mit Sonja Kapulski.

Heilige Not, sagte ich bestürzt, Sonja sei doch mindestens 10 Jahre älter.

Das sei ja das Schöne, sagte er glücklich, junge Hasen kann jeder kriegen, aber eine attraktive und erfahrene reifere Dame, die auch noch etwas von der Knotentheorie versteht, das ist ein Edelstein – und ihre Brüste seien mehr als phantastisch.

Da ich nicht ins Detail gehen wollte, fragte ich, ob ihn die Geister noch immer heimsuchten.

Seit Sonja, sagte Casullo, sei ihm nur einmal Newton mit einem faulen Apfel erschienen und in einer kalten Nacht Gilbert Ryle, der ihm – über die Maßen aufdringlich – die große Differenz zwischen hypothetischen und kategorialen Fragen ins Bett legen wollte, wie ein Schwert zwischen Sonjas und seinen Körper.

Hast du, fragte ich, einen Exorzismus angewendet?

Seine Erwiderung war von schlichter Schönheit: Sure, sagte er, diese Liebe und meine eigenen Arbeiten, soviel Glück war ganz unerträglich; irgendwo müsse der Paradiesapfel einen fetten Wurm haben, sagte ich.

Ach, sagte Casullo, in Sonja bin ich zum Platonisten geworden, und alle Zweifel sind dahin. Ich bat um eine Erklärung, und er sagte, er habe sein altes Bett der Ideen verlassen und sei nun davon überzeugt, das Platon recht gehabt habe. Alle Zahlen oder mathematischen Objekte, über die man nachdenken müsse, seien himmlische Ideale, die außerhalb von Raum und Zeit in einem Paradiesgarten von Ideen existierten, ewig und unwandelbar und unabhängig vom Menschen, der die Theoreme immer nur entdecken müsse.

Willst du denn, fragte ich, in deinem Leben noch welche entdecken?

Es gäbe genug Feinde seiner Auffassung, sagte Casullo, wie z.B. Reuben Hersh und andere, weniger Prominente, aber wenn er im Morgengrauen die rosigen Brustwarzen, das kahle Dreieck und die Sichel ihrer Lider neben sich sähe, sei er von der Richtigkeit seiner Auffassung durchdrungen.

Du hast da, sagte ich, einen Sprechstil gefunden, der überaus angemessen ist; was denn Oshima treibe.

Oshima war an einem nebeligen Tag nach Deutschland geflohen, hatte die Rechnung für die abgefackelten Bücher nicht beglichen, und kein Mensch habe seit Monaten von ihm gehört. Casullo vermutete, er studiere jetzt direkt an der Quelle, wahrscheinlich in Freiburg im Breisgau, und lege in Meßkirch Hibiskusblüten auf Heideggers Grab.

Casullo mußte leider auf die Toilette, und der Fluß interessanter Informationen verebbte.

Ich ging zu meinem Tisch, vier Plätze waren besetzt. Vor einem immensen grauen Haufen gebundener Zeitschriften saß Clemens und tippte sehr langsam hin und wieder auf eine Taste seines Laptops; Oshimas Platz war leer, bestimmt flogen noch ein paar Rußpartikel herum. Wie so oft blendete mich die Sonne, und ich schloß die Vorhänge. Da erschien Jackson, an den ich wichtige Fragen stellen wollte, aber seine Antworten waren leider nicht so ergiebig, wie ich gehofft hatte.

Gegen den Morbus Pick speziell, sagte er, existierten keine Naturheilmittel, aber er könne gern einmal in seiner maschinenschriftlichen Bibliographie nachschlagen, ich sollte ihm nur ein korrektes Stich- oder Schlagwort sagen.

Ich sagte Demenz, oder Altersdemenz oder auch senile Demenz, unter Umständen könnte man auch unter Atrophien einiges finden, auch unter Degenerationen. Wir wurden nach zehn Minuten unter *Krankheiten des Kopfes* fündig und erfuhren, daß die pulverisierte Leber eines jungen Hundes – Rasse und Geschlecht waren zu meinem Leidwesen nicht verzeichnet – mit einem in Rotwein getränkten Lederriemen um den Schädel des Kranken gewickelt werden müsse.

Die Rezeptur stamme von Plinius oder Sextus, sagte Jackson, es könne aber auch Hippokrates sein.

Gleichgültig von wem, ich war dankbar für dieses Rezept, denn der Alte hatte eine Schwäche für Rotwein, und ein Gürtel würde sich auftreiben lassen, nur über die Leber machte ich mir Sorgen. Müßte es denn unbedingt eine Hundeleber sein, die nicht leicht zu beschaffen war?

Jackson sagte, diese alten Mixturen seien sehr streng, und man müsse sich an sie halten, ich könne ja zum Abdecker gehen und mir einen toten Hund besorgen.

Es müsse, sagte ich, ein junger Hund sein.

Vielleicht, sagte Jackson, seien irgendwo Welpen ertränkt oder überfahren worden, er habe jetzt eine Verabredung. Mein Vater, sagte er zum Abschied, hatte einen kleinen, nicht malignen Tumor im Kopf und wurde mit fünfundachtzig Jahren von einem tollwütigen Hund in die Hand gebissen. Er habe sich geweigert, wegen der kleinen Blessur zum Arzt zu gehen, und sei drei Tage später an einer Hämatosepsis gestorben; aber das sei eine Lösung mit Hund, die nicht unbedingt empfehlenswert sei. Im übrigen sollte ich Stockton fragen, der einen echten Blindenhund aus einer Schweizer Schule sein eigen nenne.

Ich dankte ihm für die großzügigen Ratschläge, begrüßte kurz Hyatt, der so müde aussah, als sei auch er hoffnungslos verliebt – er schrieb aber nur an einer *Synchronie der Literaturkritik*, die ihn furchtbar schlauchte, alles subjektiver, eitler Mist voller Maden, sagte er –, und dann ging ich trotz der vielen Touristen in Anoraks, Turnschuhen und mit kreischenden Ghettoblastern direkt zu Stockton, der sogar zu Hause war. Die Mama ließ mich ein, und ich bekam einen schwachen Tee im Salon. Stockton saß auf der Chaiselongue, neben sich, schwarz wie der ägyptische Anubis, einen großen Schäferhund mit dem Gesicht eines Schakals, und der hieß Gottfried.

Die Mama setzte sich neben ihren blinden Sohn, und der Blindenhund legte seine Schnauze auf ihr Knie.

Ich fragte Stockton, wie es ihm ergangen sei, er sagte, natürlich, schlecht sei es ihm gegangen, und als wir genug Höflichkeiten ausgetauscht hatten, kam ich zur Sache und fragte, wo man einen toten jungen Hund auftreiben könne.

Mrs. Stockton streichelte den Hund am Bauch, und ein spitzer, knallroter Penis erschien in einem Nest schwärzlicher Haare.

Mein Gottfried, sagte sie zärtlich und betrachtete mit einem innigen Blick das Hundeglied; Gottfried machte eine Miene, als wolle er jeden Moment zu schnurren anfangen. Hin und wieder stieß er ein zartes, dünnes Winseln aus, auf das Mama mit einem tiefen Knurren erwiderte. Ich sah auf den ersten Blick, daß auch in diesem Haus die Liebe ausgebrochen war.

Wozu, fragte Stockton, ich einen toten jungen Hund benötigte? Für Forschungszwecke, sagte ich vage, und die Mama grunzte.

Ich brauchte, sagte ich, um das Problem vollständig aufzurollen, auch nicht den ganzen toten jungen Hund, sondern nur seine Leber.

Kacz, sagte Stockton angewidert, bist du verrückt oder sowas?

Eine solche Unterhaltung vor dem Hund, sagte Mrs. Stockton und verließ, Flanke an Schenkel, mit Gottfried den Salon, bei Fuß und synchron mit seinen dicken Pfoten.

Stockton seufzte und sagte, es sei Liebe auf den ersten Blick gewesen, aber er komme kaum noch an die frische Luft, seit Gottfried der Blindenhund im Haus und vor allem im Bett seiner Mutter sei.

Es war schon ein Elend; ich belästigte den armen Stockton nicht weiter mit dem Hundeleber-Problem.

Der Blinde bat mich kurz vor meinem Abgang um einen großen Scotch, den ich hinter einem Stapel Platten in einer Musiktruhe fand.

Ich mußte den Whisky mit Hilfe eines Trichters in eine leere Cola-Dose transferieren, eine Operation, sagte Stockton traurig, die ihm leider nicht möglich sei.

Liebt dich Gottfried, fragte ich.

Nicht so elementar wie meine Alte, sagte Stockton, aber wir kommen uns näher, wenn sie im Supermarkt ist, in dem Gottfried eine dauernde Fehde mit einem Leonberger unterhält.

Ich verließ diese niederdrückenden Verhältnisse und ging auf

Umwegen zu Dr. Searl, um mich in seinem Liebesnest mit der schönen Indianerin zu erholen.

Nicht nur die seelischen Kosten der Arbeit sind hoch, sondern auch die des Liebesglücks; das ist meine unumstößliche Auffassung nach diesen Erfahrungen, die natürlich nützlich waren.

Dr. Jonathan Searl, Therapeut und Orthopäde und Besitzer eines ausgestopften Dodos, empfing mich in einem renovierten Sprechzimmer. Der Paravent war verschwunden, die Kiste mit dem Vogel fort und die Hausbar in ein anderes Zimmer verbannt; die Couch hatte sich in eine senfgelbe Wurst verwandelt, auf die mich Searl bat; er hockte sich auf einen häßlichen Gesundheitsdrehstuhl. Der Doktor sah nicht sehr gesund aus, aber seine Augen hatten sich auf eine imaginäre Mittelachse zentriert, d.h., er schaute nicht mehr wie ein Frosch nach links und nach rechts. Auch das war möglicherweise eine Folge der Liebe.

Und Sie sind glücklich, fragte ich, immer noch In Love?

Aber ja, aber ja, sagte der Doktor und sprach lauter als gewöhnlich, ganz unbeschreiblich. Clarissa ist eine ganz unerhörte Frau. Sie werden sie kennenlernen. Sie bringt uns Tee.

Meine Nerven sind wegen der unausgesetzten Nüchternheit nicht die besten. Ich war auf eine schöne Indianerin gefaßt mit blauschwarzen Haarfluten bis zum Po, kleinen sportlichen Brüsten und einem wilden Gesicht mit einer kleinen, goldbraunen Hakennase – aber eine Dame erschien, die wie ein Kühlschrank im Eisbärenpelz aussah, so breit wie lang, mit sehr schrägen großen Augen; und sie hatte O-Beine, als habe sie in der Prärie Ponies zugeritten.

Das ist meine Clarissa, sagte Dr. Searl, sie kocht sehr guten Tee.

Hier Tee, sagte die Dame des Hauses und legte ein kleines Tablett auf die Couchwurst. Die Kanne gab bestürzt etwas Tee aus dem Schnabel von sich.

Clarissa trug keinen Pelz, wie ich bemerkte, sondern einen mit zotteligen weißen Haaren besetzten Poncho mit ein paar kahlen Stellen.

Sie watschelte auf den Doc zu, packte ihn mit beiden dicken Händen an den Ohren, küßte ihn lange, ließ dann von ihm ab und sagte, wir machen viel Baby lange Zeit jede Nacht, aber bis jetzt Mann kann nicht, ist aber guter Mann. Und dann verschwand sie, und ihr Hinterteil wogte im Haarkleid.

Tja, sagte ich, ich will Sie nicht stören in Ihrem Glück, lieber Doktor.

Ich kann, sagte er, Ihnen leider nichts zu trinken anbieten. Clarissa ist strikt gegen Feuerwasser.

Oh, danke, sagte ich, aber auch ich sei im Augenblick sehr trocken, und ich richtete ihm Grüße meines Vaters aus für alle Fälle und fragte dann nach dem mysteriösen Buch von Zierlinsky.

Sie sehen schlecht aus, sagte er befriedigt, ging zum Stahlschreibtisch und fischte aus der mittleren Schublade einen fetten beschabten Band, den er in meine Hände legte; vor Verblüffung verließ ich die Couchwurst und blieb eine Weile mit dem Buch stehen.

Der Einband war aus Leder, so dick wie Elephantenhaut. In Goldprägung mit einer hübschen Garamond las ich Titel und Verfasser: *Diesseits- und Jenseitsbaedeker für den Hausgebrauch*, von J. Searlinsky, Verlag Zu den gesenkten drei Fackeln, Winsen an der Luhe, ohne Jahr.

Ich habe eine Widmung hineingeschrieben, sagte Dr. Searl, und dann flüsterte er in mein linkes Ohr: Sie haben nicht zufällig einen Flachmann mit sich, a hip flask, wie der Engländer sagt?

Ich bedauerte (das tat ich wirklich), klappte das graue Buch auf, und auf dem Vorsatzblatt prangte in Searls schönster, alkoholrunder Handschrift:

Für meinen alten Freund Viktor. Zur Erinnerung an erfolgreichere Zeiten in England, B. und anderswo. Von J. Searlinsky.

Ich dankte tausendmal für das Geschenk und die Widmung. Ich fragte mit gesenkter Stimme, ob er das Haus verlassen dürfe, was ihm leider zu dieser Stunde nicht gestattet war. Aber vielleicht könne ich im Garten unter dem alten Brett eine Flasche Gin verstecken, Gordon's wäre ihm der liebste – aber, setzte er hinzu, jetzt ist es vierzehn Uhr, bitte nicht vor 18 Uhr.

Ich sagte selbstverständlich ja zu diesem kleinen Manöver, angesichts seiner Lage hätte ich mir wahrscheinlich ein Depot unter der Hecke neben dem Komposthaufen angelegt.

Grüßen Sie, sagte er mit feuchten Augen, Ihren alten Papa, er soll leben immerdar und ewig. Ich werde Ihnen vielleicht einmal schreiben, aber ich darf nicht allein zur Post. Alles eine Frage der Logistik. Flaschen, Liebe, Spermien, Babys und Tränen. Manches fließt, manches nicht, Gott hilf.

Für den im indianischen Paradiesgarten verlorenen Doc kaufte ich drei Flaschen Gordon's, packte sie in einen braunen Plastiksack, reine Tarnfarben, versteckte sie im Garten und schrieb auf eine Karte:

Lieber Doc, Sie werden sich unserer Gespräche über Swinburne entsinnen, der da sagte: Wer nicht zu hassen vermag, vermag auch nicht zu lieben. Ganz der Ihre: Alfred K.

Die Witwe Hawkins quartierte mich in das Zimmer des Theologiestudenten über dem leeren Zimmer der Schwestern Plummer ein. Viele Möbel gab's nicht, außer einem alten Bett, immerhin frisch bezogen, einem Tisch mit Stuhl und einem kleinen Waschbecken aus Emaille, aus dem es auch nach Pipi Chat duftete, aber nicht aufdringlich. Die Tapeten zeigten endlose Pappelalleen im Regen, und auch mir war traurig zumute. Rose Hawkins erschien in der Begleitung von vier Katzen und brachte mir ein paar Thunfischsandwiches und einen Krug Ale, den ich voller Gedanken auf Margot leerte.

Wie schon so oft im vergangenen Leben in der Pension, setzte sich die Wirtin auf mein Bett, rauchte eine Zigarette nach der anderen, aschte auf das Linoleum und drückte die Stummel dann auf der Marmorplatte des Nachttisches aus; so rauchten wir einträchtig und hingen unseren Gedanken nach.

Sie dürfen, sagte ich, am 30. Mai in keinem Fall in die Nähe der Bank kommen, die südlich des Hauses liegt. Einen vernünftigen Grund könne ich ihr nicht sagen.

Am 30. hab' ich Geburtstag, sagte die Hawkins, und wir beobachteten die vier schneeweißen Katzen aus dem letzten Wurf einer Lady Hamilton. Ich dachte an meinen Schutzengel und war angemessen dankbar.

Wie es dem Gatten und Kammerjäger Dobson ginge, fragte ich.

Keine Ahnung, sagte die Witwe, er sei wohl ein bißchen plemplem im Kopf wegen der vielen Gifte gegen Schädlinge und habe jeden zweiten Tag merkwürdige Wünsche.

Werden diese Wünsche, fragte ich, von einem Geist eingegeben, einer Art Stimme, die nur er höre?

No, sagte sie, auf die Sauereien käme Dobson ganz von selbst, da brauche er keinen Geist. Letzthin habe er mit Gebell verlangt, sie solle sich vollständig ausziehen und einen Schleiertanz mit einem apricotfarbenen Chiffonshawl vorführen, aber das habe sie einfach nicht gemacht.

Dabei, sagte sie heftig und zog eine der Katzen am dünnen Schwanz, bis sie kläglich miaute, mach' ich alles für ihn, sogar französisch, wenn er mal 'ne Hustenpause einlegen kann, denn wenn er hustet, wird ja bei der Technik alles unberechenbar, und dann kann man's gleich sein lassen ... 'n bißchen Kontrolle im Liebesleben muß sein.

Ich stimmte zu, weil aus ihr die Weisheit der Liebenden sprach.

Wollen Sie nich' mal die Schwestern Plummer besuchen, fragte sie und erhob sich vom Bett. Die Katzen sprangen wie weiße Bälle um ihre Beine.

Liebe Mrs. Hawkins, sagte ich, wie Sie wissen, bin ich momentan in eine Dame involviert, die mich nicht versteht, aber ein gewisses Grundgefühl sei vorhanden, das ich durch einen unbedachten Besuch bei den schönen Schwestern nicht aufs Spiel setzen wolle.

Lieber Alfred, sagte die Hawkins, Sie drücken sich immer so gewählt aus, und es ist eine Freude, Ihnen zuzuhören; nicht jedem, fuhr sie fort, sei ein solcher Wortschatz gegeben, und das mit den Büchern und dem Wasser täte ihr aufrichtig leid.

Sind die Schwestern glücklich, fragte ich.

Alfred, sagte sie an der offenen Tür, was ist schon Glück in einer Vierergruppe. Die beiden Kerle Webster – Fußballspieler mit Ballonwaden – können die beiden Schwestern nicht einmal dann auseinanderhalten, wenn jede 'ne Zahl aus Muttermalen auf der Stirn hätte, und den Schwestern Plummer, denen sei es torf-egal, welcher Kerl sie bediente, und so schliefen sie eben alle durcheinander, mal die mit dem und dann wieder der mit der einen oder der anderen, eben ein sexuelles Tohuwabohu.

Ich war wie betäubt. Jede mit jedem und jeder mit jeder, fragte ich, und gewisse, nicht ganz unwollüstige Bilder peinigten mich.

So isses, sagte die Witwe.

Traurig zu Bett; die Besuche verschob ich auf morgen, wusch mich, putzte die Zähne lange mit Euthymol, kroch ins Bett, das nach Sulfur roch – nur Gott weiß, warum – und las in Hardings berühmter Libido-Theorie, die mit dem Satz anfing: Das sexuelle Verhalten des Menschen ist, wie alles menschliche Verhalten, nicht unmittelbar natürlich, sondern durch geistige Einstellungen vermittelt (s. Pleßner und den Begriff: Natürliche Künstlichkeit).

Ich ließ die gelehrte Arbeit sinken. Der grüne Schirm der Nachttischlampe warf durch ein paar Löcher Reflexe auf die endlosen Pappelalleen. Ich glaube, vor dem Einschlafen und Hardings Arbeit neben meinem Bett, stellte ich mir eine Gruppensexszene vor, bevölkert mit den Schwestern, dem sexuellen Verhalten, den Brüdern Webster und den geistigen Einstellungen aller Beteiligten, eine wilde Szene.

38 Zweiter Tag, am Pier. Habe am

Pavillon Harding und Clemens getroffen. Wurde sehr nachdenklich über das Phänomen der Liebe. Wegen eines Sturms (Stärke sechs) wenig von dem häßlichen Touristenverkehr. Clemens hat jetzt komplett auf Medizin umgesattelt und geht seiner alten Passion nach: *Das Altern des Menschen*; sein Teint war grau, die Lider schwer, und er schlurfte, aber er sagte, geistig etc. ginge es ihm vorzüglich, seitdem er sich ein Aquarium gekauft habe. Harding laboriert immer noch an seiner Liebesgeschichte mit dem PC-Mann auf der Basis der Frage: Sind Frauen wirklich notwendig. Über diese Frage stritten sie sich, als ich ihnen am Pavillon gegen 11 Uhr begegnete. Clemens war der Meinung, sie seien weder notwendig noch nicht notwendig, wenn man von ihnen absähe und sich ein Aquarium anschaffte. Nun, Harding haßt Fische, anders als Clemm, der dennoch sein Glück im Busch fand, während Clemens sie bewundert, weil sie nichts machen, keine Gefühlskosten verursachen und gute Futterverwerter sind.

Wir gingen ins Quiet Arrow, dessen Wirt mich verhältnismäßig freudig als Mr. Katz begrüßte.

Immerhin nur zwei große Guinness nach den Ham & Eggs der Witwe, man kann sich unter Kontrolle halten; die beiden tranken je vier, weil sie es brauchten, was niemand mißbilligen kann.

Leider stellte Clemens – es war die reine wissenschaftliche Neugier an allem, was den Menschen betraf – die Frage, was aus Hardings Libido-Theorie geworden sei, in der Praxis.

Die Geschichte war einfach und müßte jedes männliche Herz rühren.

Harding hatte eine junge Dame kennengelernt, die er als Liebesobjekt schon lange in einem Schuhsalon beobachtet hatte, eine gewisse Georgina Mullberry – eine hübsche, knabenhafte Blonde, sagte Harding und zeigte ihre Formen mit den Händen über den Gläsern –, hatte sie auch richtig nach langen Vorspielen (im Kino, Theater und im Pub) ins Bett gekriegt und wollte nun endlich in der Praxis die sog. Prozeßdynamik zwischen dem einen und dem anderen Ich bei der Liebe ausprobieren. Zu diesem Zweck war es unumgänglich, bestimmte Formeln während des Vollzugs anzuwenden, die den logischen Modi entsprachen.

Ich verstehe kein Wort, sagte Clemens an dieser Stelle, Harding solle gefälligst mit Beispielen arbeiten.

Well, sagte Harding, die Sache sei leider ein bißchen lächerlich, aber er habe viel gelernt.

Es handelte sich, sagte er nach einem tiefen Zug, um insgesamt sechs logische Modi gemäß seiner vor-strukturalen Analyse: zwei Indikative (alle im Gebrauch während des Vorspiels), ein Interrogativ und drei Imperativa, wobei die Reihenfolge der Äußerungen nicht zu unterschätzen sei.

Ich sagte, auch ich verstünde kein Wort. Wie denn die logischen Modi im einzelnen hießen.

Harding beugte sich tief über den verschmierten Tisch und flüsterte:

Eröffnungserklärung: Ich liebe Dich. Logischer Modus Indikativ.

Korrespondierende Antwort: Du liebst mich? Logischer Modus Interrogativ.

Wunsch: Geliebte, liebe mich! Logischer Modus Imperativ.

Erfüllung, aber noch nicht Klimax: Liebende, ich liebe Dich. Logischer Modus Indikativ II

Forderung: Nimm mich Dir! Log. Mod. Imperativ.

Korrespondierende Forderung: Gib Dich mir! Log. Mod. Imperativ.

Vollzug, peng, aus.

Wir schwiegen.

Klingt, sagte Clemens mit erstickter Stimme, irgendwie logisch, dann verschluckte er sich an seinem Guinness. Die Tränen liefen ihm über das Gesicht, und lange Zeit konnte er sich nicht fassen.

Wie hat Georgina reagiert, fragte ich, denn in solchen Situationen ist die Reaktion der Frau wesentlich signifikanter als die männliche.

Sie schloß ihre Beine, sagte Harding, klemmte dabei meine Juwelen ein, ich schrie, und sie schlug mich mit dem schweren Armband an ihrem linken Gelenk Knock Out, und das alles so nackt wie Adam und Eva.

Clemens sagte, er glaube ihm kein Wort; so dämlich könne niemand auf der Welt sein.

Ich schon, sagte Harding, aber mit seinem Oliver liefe jetzt ein ganz anderes Programm.

Schön für dich, sagten wir, aber uns sei immer noch nicht klar, welchen Zweck die logischen Modi im Bett erfüllen sollten.

Es sei um die Gewißheitsgrade von Liebesgeständnissen gegangen, sagte Harding, und um die Objektivierbarkeit der korrespondierenden Antworten.

Ja dann, sagten wir.

Clemens Arbeiten waren wesentlich interessanter als die von Harding, fand ich jedenfalls. Er machte gerade Experimente zum geistigen Vermögen von Hunden im Alter. Eine Gruppe wurde vegetarisch ernährt, die andere mit Fleisch, und eine Extragruppe war auf einer Bananendiät.

Die armen Viecher, sagte Harding mitfühlend, welche Gruppe denn am regsamsten sei.

Leider die Fleischfresser, sagte Clemens.

Gegen 12 Uhr mittags gingen wir auseinander, und ich hatte Clemens nicht gefragt, warum er so alt geworden war.

Spät abends in meinem nach Sulfur riechenden Zimmer.

Höhere Instanzen oder gar die Nemesis bestrafen mich aus der Ferne für meine unbedachte Flucht; ein Telegramm von Fossler lag auf dem kleinen Tisch, dessen linkes Vorderbein so kurz ist, daß ich es mit einem zerlesenen Buch des Vormieters stützte, einem ägyptischen Totenführer.

Dr. Fossler hatte weder Zeit noch Stil vergeudet: Viktor K. erlitt Rückfall. Sofortiges Kommen unumgänglich. Fossler.

Ohne einen kleinen Schluck Alkohol, eine Art homöopathische Dosis, kann ich schlecht denken. Aber ich beherrschte mich und dachte, ist eine Nachricht so simpel wie der Telegrammstil, in dem sie verfaßt ist, dann ist in den meisten Fällen der Wurm drin.

So ein Rezidiv ist nur in seltenen Fällen für den günstig, der eines erleidet. Ich seufzte, und meine Rationalisten schüttelten ihre Köpfe.

Auch die Witwe hatte Kummer.

Wie sie mir zum Five O'Clock Tea anvertraut hatte, war ihr Kammerjäger zu einem Entschluß gekommen, den er ihr ohne zu husten mitgeteilt hatte: Er wolle weg, er wolle fort, ja, er sagte wörtlich, er wolle den Bus mit den inneren Touristen verlassen und die Fähre für seine letzte Reise benutzen. Dann weinte die Witwe und wiegte sich, umringt von Katzen, auf ihrem Küchenhocker hin und her. Sie trank viel Rum mit wenig Tee und ich viel Tee mit ein wenig Rum.

Alles ginge den Bach hinunter, sagte sie und schnüffelte. Nach diesem Satz zündete sie sich ihre Zigarette am Mundstück an und sagte, da können Sie mal sehen.

Vorsichtig deutete ich an, daß Dobson vielleicht im Delirium spreche, in einem Nebel voller Gespenster auf geisterhaften Bahnen und in ganz uneindeutigen Fahrzeugen.

Nee, sagte die Witwe und sog heftig an ihrer neuen Zigarette, er will sich davonmachen und mich verlassen.

Ich fragte nach anderen Zeichen, uneindeutigen und eindeutigen; wortlos raffte die Witwe ihren blauen Morgenrock fester um den Busen, packte mit ihrer heißen Hand meine Rechte und zog mich in das Krankenzimmer Dobsons, der auf dem Rücken lag, so unbewegt wie eine Statue. Auf dem weißen Kopfkissen leuchtete der Kranz seiner roten Haare. Er atmete still und ein bißchen beengt, aber nicht übermäßig schnell, und er hustete kein einziges Mal.

Ich fragte mich, ob Dobson an den Folgen der Erfrischungen laborierte, mit denen ihn die fürsorgliche Witwe so reichlich labte.

Mrs. Hawkins entzündete sieben Kerzen auf einem Messingkandelaber und sagte, seine Haare sähen im Kerzenlicht so hübsch aus wie bei einem Mönch. Der Kammerjäger spreizte unter dem Laken die Beine, und ich sah den rechten Fuß, dessen Sohle völlig verhornt war. Nach dem Fuß erschienen seine Hände, und mit spitzen Fingern begann er das Laken über seinem mächtigen Thorax zu putzen, als entferne er lästige Insekten.

Wie ich von der kummervollen Witwe erfuhr, hatte Dobson das Gefühl, unzählige Mikroorganismen krabbelten über seine Haut, Sporen und Milben, kleine Fliegen, unsichtbare Wanzen, winzige Flöhe, die in seinem Gemächte herumhüpften, und Läuse, die sich in seine hilflosen Poren bohrten. Mich erfaßte ein großes Mitleid – hier lag ein hilfloser Jäger.

Das Schlimmste sei, sagte Rose Hawkins, daß der Geliebte nicht mehr huste. Früher, sagte sie, als er noch hustete, war alles besser. Sein Husten war niemals ein Zeichen blühenden Lebens, aber doch eine Art Lebensäußerung, für die er viele Stile erfunden hatte, von einem kurzen bejahenden Bellen bis zu einem sehr negativen Röcheln in den gekränkten Tiefen seiner Bronchien. Aber jetzt – kein Husten, keine Zeichen, keine Zuneigung.

Die Tatsache, daß Dobson die Fähre statt eines Busses benutzen wollte, gab freilich auch mir zu denken, brachte man diesen Fahrzeugwechsel mit der Letzten Reise zusammen, wie es nun einmal jeder verständige Interpret machen sollte.

Ich sagte, es sei durchaus möglich, daß Dobson zu keinem unumstößlichen Entschluß gekommen sei. Sein Zustand ließe natürlich zu wünschen übrig, und wie sie darüber dächte, die alkoholische Diät ein bißchen zu modifizieren?

Alfred, sagte die Witwe, nachdem wir den Kranken mit seinen Mikroorganismen allein gelassen hatten, ich habe mir erlaubt, in Ihr Searlinsky-Buch einen Blick zu werfen. Und da habe ich ein altes Liebesrezept entdeckt.

Sie meinen dieses Diesseits-Jenseits Ding, sagte ich, wie lautete bitte das Rezept?

Die Witwe versorgte uns mit einem Schuß Rum und fand dann auch richtig das graue Buch zwischen dem Toaster und einer Dose Katzenfutter auf der Kommode.

Die Zauberrezeptur enthielt zwei Elemente, die man offenbar voneinander getrennt halten mußte: Man vergräbt die Exkrete und die Sekrete des Geliebten/der Geliebten an einem sehr verborgenen Ort, sodann gibt man den Liebestrank, bestehend aus Campher, 1 Quent. sowie gestoßene Wurzel von Mandragora, 1 Quent sowie 1 Quent Kardamom.

Meine armen Rationalisten erhoben Einspruch und murmelten leise durcheinander, aber vielleicht sollte man in diesem Fall zu einem rigorosen Mittel der Volksmedizin greifen, zumal als Fußnote darunter stand: Siehe auch den Papyros Ebers, Leipzig.

Ein ganz erstaunliches Buch, sagte ich, das mir der Dr. Searl vermacht hat, aber ich muß es leider mit mir nehmen wegen der Malaisen meines Vaters.

Zum Abendbrot, Kaninchenragout gewürzt mit Tränen, las ich noch lange darin und schrieb ein paar Rezepte heraus, die mir gegen Rückfälle brauchbar schienen. Leider war in dem Riesenregister kein einziges Rezept gegen den Morbus Pick zu finden, dafür wurde ich unter *Blödigkeiten des Kopfes* fündig.

Der Abschied von der Witwe war kurz und schmerzlich.

Das Rezept haben Sie ihm komplett eingeflößt, fragte ich in der Küche bei einem allerletzten Sherry, und wenn, wie war die Wirkung?

Ermutigend, sagte Rose Hawkins, hoffnungsvoll irgendwie. Er bekam einen so fürchterlichen Hustenanfall, daß ich schon dachte, er wolle doch die Fähre nehmen, dann suchte er wieder unser Bett nach den Vermins ab und sagte was von Stimmen, diesen vielen inneren Touristen; dann verstummte er, hustete aber fünfzehnmal im Stil Positives Gebell, im Ich liebe Dich-Gebelfer. Gegen 10 wurden die inneren Stimmen leiser, bis sie ganz aufhörten, und gegen halb elf sagte er: Die Scheißflöhe springen endlich ab. Ich bekam natürlich einen Todesschreck wegen meines Gatten, des Lerntheoretikers, von dem sie auch absprangen, aber da war er – im Gegensatz zu meinem guten Dobson – auch schon mausetot.

Die Witwe und ich tranken eine halbe Flasche Sherry, eine Menge, die mir bewies, daß ich kein Alkoholiker bin. Im Flugzeug am nächsten Morgen beschränkte ich den Konsum auf zwei Büchsen Bier, um die Rum- und Sherry-Geister zu vertreiben.

Über die magischen Hausmittel muß man ganz anders nachdenken, schließlich sind sie uralt und haben sich in vielen Kombinationen und Variationen bewährt. Über Jacksons Rezept mit der Welpen-Leber mußte ich mich mit dem unorthodoxen Dr. Fossler beraten. Vielleicht lieferten andere Tiere auch brauchbare Lebern, die leichter aufzutreiben waren.

39

Man muß die Wahrheit nieder-
schreiben, auch wenn sie schmerzlich ist. Tarski (oder Goodman
oder auch Quine) ist im Unrecht, wenn er behauptet, Wahrheit sei
eine semantische Eigenschaft und nichts mehr. Das Tableau im
Sterbezimmer ist stimmig, der Tonfall des Notats goldrichtig, der
Situation angemessen und von trauervoller Distanz.

Es war eine ungute Stimmung im Haus, und es roch nach öko-
logisch unbedenklichen Reinigungsmitteln. Oben im Flur des
ersten Stockwerks eine gewisse Grabesstimmung; in der Küche
war der Herd kalt, Gussjews Zimmer verschlossen, Margots
Abwesenheit sehr präsent.

Böser Ahnungen voll, gemischt mit uneindeutigen Gefühlen
stürze ich ins Krankenzimmer. Die Vorhänge (gelbe Seide,
schöne Falten) sind geschlossen. Da ruht mein alter P. auf dem
Rücken in seinem Nachen aus Mahagoni und sieht recht tot aus
oder wenigstens so gut wie tot mit seinem rosigen, leicht gefleck-
ten Gesicht, mit Rouge auf den Backenknochen, als habe man
ihn geschminkt; mitten auf dem Riesenkissen liegt sein kleiner
Vogelkopf, die Augen streng geschlossen, die Hände über dem
Bauch gefaltet.

Ein tiefes Gefühl ergreift mich, die rare Mixtur aus Rührung,
der Unterströmung einer gewissen Vergeblichkeitsempfindung
und Durst, und ich stürze mit dem berechtigten Ausruf: Vater! auf
den vermeintlichen Leichnam, auf eine Putativleiche, eine Szene,
die ich als Tableau einmal bei einem alten Niederländer, sehr gut
ausgeleuchtet, in Den Haag gesehen habe.

Papa, rufe ich, bist du –? Konntest du nicht warten? Mußte das
sein – und dann so unerwartet?

Und erst da fällt mir auf, daß Leichen gewöhnlich nicht so
heiß sind, als hätten sie Fieber.

Papa, sage ich im Rausch der Rührung, sprich ein Wort! Öffne
bitte ein Auge und sieh' mich an, du mußt mich ja nicht wahr-

nehmen im Sinne einer korrekten Adaption, ein kleines Zeichen würde mir vollkommen genügen.

Fossler erscheint, still und ziegenbärtig, und er drückt mir ernst die Hand.

Papa sei wohlauf, aber wünsche im Augenblick partout keine Kommunikation mit seiner Umgebung, weder mit Menschen, noch mit Geistern.

Ob er denn gesund sei, frage ich – und schon ist meine Rührung irgendwie beschädigt und fließt ab –, und wenn er gesund sei, warum er sich nicht äußere.

Er sei im Augenblick, sagt Dr. Fossler, in einem selbstgewählten Koma, quasi, und das sei die Folge eines bewunderungswürdigen Willensaktes, den man in der Natur nur selten beobachten könne.

Kann er uns hören, frage ich, und der Doktor sagt, das könne man nicht mit Gewißheit verneinen.

Er habe den Eindruck, Viktor sei in eine Art Winterschlaf gefallen. Der Bär zum Beispiel, der Grizzly und auch der Zodiac-Bär, verschliefen auf diese Weise ihr halbes Leben.

Aber soviel Zeit, sage ich – reumütig kommt die Rührung wieder zurück –, hat er doch gar nicht mehr. Und in meiner begreiflichen Erregung, vor Nüchternheit elend schwindlig, packe ich Dr. Fossler an einem seiner Arme mit der einen oder der anderen Hand und sage sehr nachdrücklich, man müsse die Leber eines jungen Welpen besorgen, pulverisieren, auf einen geschmeidigen Gürtel applizieren und dann um die edle Stirn des Vaters binden. Ich wolle gleich ins Tierheim Lankwitz fahren und einen Welpen besorgen, am besten ein Pärchen, falls der eine Hund nicht sofort wirke.

Der Doktor bewegt seinen Schädel wie ein Metronom, zieht aus seinem Kittel eine geladene Spritze, zieht eine Injektionsnadel auf und sticht mich, meine rechte Hand haltend, in die Vene.

Der geistesgegenwärtige Doktor hat sich später bei mir entschuldigt, denn durch die Nebenindikationen von Haloperidol geht es einem schlechter als nach diversen anderen Neuroleptica. Ich meine, eine kleine Dosis Dogmatil hätte genügt, um mich zu beruhigen.

Ich wachte an einem sonnigen Morgen (es war ein Tag danach) in dem Bett mit der erfolgreich durchgeschlafenen Matratze mit Rücken- und Kopfschmerzen auf, mit einem unbeschreiblichen Geschmack im Mund und einem Höllendurst, der alle sentimentalen Regungen abtötete.

40   Der gute alte David Hume Esq. hat recht; die Welt ist nichts anderes als ein Gemengsel unzulänglich beobachteter Erscheinungen, dachte ich damals benommen im Bett, vor dem, ordentlich in Reih und Glied wie Soldaten, meine Gepäckstücke dicht nebeneinander standen.

Im Haus regte sich nichts und niemand. Nur unter dem Schrank neben der Tür hörten meine überspannten Sinne ein Geräusch, als packe jemand umständlich eine Tafel Schokolade aus.

Man mußte handeln, das war sonnenklar. Aber wo sollte man anfangen. Als ich vom Duschen in einem alten, braunen Morgenmantel zurückkam – das Loch unter dem Spülkasten hatte ein Idiot mit Kaugummi verklebt –, machte ich mein Bett und fand unter dem Kopfkissen einen Zettel, auf dem sehr klare Botschaften oder auch Orders standen, ganz und gar nicht kryptisch.

A. Räum die Bibliotheken im 2. Stock auf, und das Problem Geld ist für drei Monate gelöst.

B. Die Coy Mistress wohnt in Rom, in der Via Nomentana 5.

C. Alle sind sie Verräter. Regeln beachten, Motto für Sohn:

Das Üben im Gebrauch der Regel zeigt auch, was ein Fehler in ihrer Verwendung ist (W).

D. Du mußt dich regenerieren, Holden.

Das waren vier Punkte, die ein sorgsamer, mitfühlender Geist aufgeschrieben hatte, und ein jeder Punkt betraf ein leidiges Faktum. C war ein bißchen rätselhaft; ich behielt mir vor, C Gussjew für eine gefällige Interpretation bei Gelegenheit zu überreichen.

Zuerst nahm ich mir den Keller vor und hatte dort mit Mergel ein paar schöne abstrakte Momente.

Der Keller war hell erleuchtet. Die Särge lagen strahlend poliert auf ihren Lafetten, und es duftete nach Essigessenz, mazerierten Rosen und einem Herrenparfüm.

Ein Herr mit einem Bürstenhaarschnitt (extrem blond) trabte aus dem Kabuff Mergels auf mich zu und stieß dunkle Laute der Begrüßung aus. Es war tatsächlich Mergel, aber sehr verändert, künstlich juvenil, an den Füßen weiche Treter, die Mephisto hießen. Der arme Mergel hatte sich für die venerischen Manöver mit Donata ummodeln lassen; Unterwäsche nur von Calvin Klein, sagte er, Anzüge von einem gewissen Armani und die Hemden auch von einem Italiener, dessen Name ihm entfallen sei.

Ich fragte, ob er der Unternehmensberaterin teilhaftig geworden sei – und er sagte etwas ähnliches wie ,noch nicht, aber bald' –, und ich stellte dann die wichtigste Frage, welchen Plan Frau Donata für die Gesamtsanierung erdacht habe.

Ach, die Fakten waren nicht so günstig, gleichgültig, in welchem Licht man sie auch betrachtete.

Das ganze Sarglager war nichts mehr wert – außer ein paar besonders gepflegten Exemplaren; im Magazin IV hausten, sehr dezent, aber unüberhörbar, Ratten. Die folgenden Schädlinge hatten sich breitgemacht – und dieser Überblick ist ein kursorischer: Holzwürmer, Pilze und Pharao-Ameisen; in den Kissen und Bezügen, Überwürfen und Decken lebten Myriaden von

Motten, und vor drei Tagen hatte Mergel zu seiner Bestürzung eine Truppe sehr kleiner, überaus beweglicher Kakerlaken ihre Herberge wechseln gesehen. Das war ein Schlag, aber es kam noch schlimmer. In einer der Nächte, in der ihn Donata in schwülen Gedanken heimsuchte, hatte er sich durch eine Hausinspektion abgelenkt. Auf dem Dachboden wohnte eine Großkommune von Tauben.

Sie machen Lärm, sagte Mergel, wie eine Hundertschaft Christen, die sich in Katakomben verirrt haben, und sie sind furchtbar aggressiv. Aber er habe sich schon eine Luftpistole der Firma Walther besorgt und sei zur Jagd bereit.

Ich lud Mergel in die Küche ein. Allegra war nicht zu sehen, und so übernahm Mergel die Aufgabe, ein paar Eier in die Pfanne zu hauen. Alles verbrannte ein bißchen, aber ich würgte das Zeug hinunter, denn wenn man endlich einmal handelt, muß man bei Kräften sein.

Mit den Eiern im Bauch überfiel mich eine gewisse Schläfrigkeit, die ich mit einer Büchse Bier besiegte; ich war bereit. Zuerst klopften wir bei Gussjew, der hartnäckig schwieg.

Gussjew, sagte ich, Arbeit, keine schwere Arbeit, das darf ich versichern, Bibliotheksarbeit: Ordnen! Sichten! Suchen und finden, vielleicht, bibliographieren und später ein kleiner Katalog ... Hören Sie mich, Dr. Gussjew? Antworten Sie! ZuTunIst!

Wir legten die Ohren an die Tür und lauschten. Bettfedern seufzten,

Eine Stimme räusperte sich und krächzte: Kann nicht! Ist auch zu staubig, und ich leide unter einer Hausstaub-Allergie.

Gussjew, sagte ich mit großer Bestimmtheit, wir haben Aufgaben zu lösen. Sie erscheinen in einer halben Stunde. Setzen Sie eine der japanischen Grippemasken auf, wir erwarten Sie im Flur.

Gussjew murmelte kläglich und ein bißchen trotzig vor sich hin, wieder seufzten die Federn, und dann rauschte Wasser.

Das Buch ist eine der schönsten Errungenschaften der Kultur, ganz ohne Frage, wenn es übersichtlich und verlockend in einem Regal steht. Wir mußten vier Zimmer durchsuchen. Die Bücher nahmen sämtliche wilden Haufenformen an, die man in der Natur nicht antreffen kann. Gottlob kam Allegra vom Einkaufen, und wir rekrutierten sie vom Fleck weg. Sie erschien zur Suchaktion in ihrer roten Gummischürze und trug senfgelbe Gummihandschuhe.

Wonach wir suchten, fragte sie.

In den Büchern, sagte ich, seien Geldscheine versteckt.

In welchen, fragte Allegra.

Das wisse kein Mensch, sagte ich wahrheitsgemäß, aber in jedem Band könne ein Schein stecken.

Gussjew kam, über der Mundpartie eine grau-weiße, offenbar sehr benutzte Maske aus Zellstoff.

Ich erklärte ihm die Sache, und er war sofort positiv berührt. Endlich, sagte er und hustete erregt, endlich, oi, oi, oi.

Es läßt sich nicht anders sagen, aber Gussjew war ein außerordentlich effizienter Detektiv. Man konnte nur von ihm lernen. Er packte die Bücher mit zwei Fingern am Rücken, so daß der Schnitt unten lag, und schüttelte die armen Dinger mit allen Kräften. Die Titel waren ihm vollkommen gleichgültig, was mich wunderte, denn er war eigentlich ein Leser. Die meisten Bücher hatten verklebte Seiten, da half auch kein Schütteln. Meiner Mannschaft fehlte es an Motivation, das sah ich wohl.

Ich schmuggelte also meinen letzten Hunderter zwischen ein ramponiertes Reallexikon, dessen Seiten sich heftig widersetzten, schüttelte es und rief voilà!, als der blaue Schein aus dem Buch fiel und glatt auf einem grünen Atlas landete.

Nun überkam Gussjew ein wahres Fieber; er kniete sich richtig in die Arbeit und grub sich auf allen Vieren einen wahren Stollen.

Um den Überblick nicht zu verlieren, bat ich, die Bücher, die ihre Leibesvisitation hinter sich hatten, auf eine Seite und die noch zu durchsuchenden auf die andere zu legen. Mir schwebte da ein gewisser Ordnungsgedanke vor. Nun hatte jeder sein Terrain, und ich schloß das große Zimmer auf, in dem die alten Meyer-Lexika schlummerten.

Wenn ich Geld hätte verstecken wollen, wäre mir ein verschwiegenes Versteck in einem Lexikon passend vorgekommen. Im Durchschnitt hat der brave Meyer vor 1900 über 1000 Seiten pro Band. Auch hier klebten die Seiten, und manchmal umklammerten die Einbände mit aller Kraft den ganzen Buchblock. Sie wollten sich einfach nicht öffnen lassen.

Aber ich kannte kein Pardon. Wer immer das Geld versteckt hatte, mußte vernünftigerweise von einem System ausgegangen sein.

Im Neunten Band (Hübbe-Schleiden bis Kausler) wurde ich nach einer halben Stunde fündig. Zwischen den Seiten 58/59 *Hunde* lag ein gebrauchter, zuverlässig aussehender Tausendmarkschein. Die Idee, die Schätze könnten nur alle fünfzig Seiten zu finden sein, erfüllte sich gottlob nicht; die Ordnung war eine aleatorische: mal war ein Schein einsam nach einer Reihe von 100 Seiten, dann wieder folgten (in den meisten Fällen kleinere) Scheine eng benachbart und nur durch je zwei oder drei Seiten getrennt. Nein, Holden war ganz entschieden kein systematischer Geist.

Der Bücherstaub stieg auf und kitzelte die Nasenschleimhaut, jedesmal dann, wenn ich nieste, flog wieder Bücherstaub von den Seiten. In der Kehle quälte mich seit einer Stunde ein Hustenreiz.

Die Pause verlief angenehm. Allegra bastelte an einem Gulasch. Die Toilette war leider besetzt; es war der umsichtige Gussjew, der exzessiv badete, während Mergel die Toilette im Parterre benutzte. Rosig geschrubbt, sich die hageren Hände reibend, erschien Gussjew. Seine Ausbeute war beklagenswert gering: 1230 DM. Allegra hatte die Tausender-Marke noch nicht überschritten, Mergels Beute war noch nicht bekannt. Gussjew hatte nach dem Schütteln von 122 Büchern geschlossen, daß Holden Romane und Tierbücher schätze, Atlanten verachte und eine tiefe Abneigung gegen Rudolf Steiner hege, in dessen gewaltigem Werk, ein immenser Mount Steiner unter kleineren Massiven, sich kein einziger Schein gefunden habe. Ganz offensichtlich hatte Gussjew das Zimmer mit den theosophischen und okkulten Beständen erwischt.

Beim Essen, Gussjew schmatzte bei jeder Gabel geräuschvoll, gab er der Versuchung nach, eine Idee auf den gedeckten Tisch zu legen; er habe den Verdacht – ZuTunIst oder InsOrkus damit –, daß die Recherche nach dem Geld nur ein Vorwand sei, um von unterbezahlten Leuten ein bestimmtes Buch finden zu lassen. Ich konnte seinen Verdacht zerstreuen.

Mergel kam und hatte den teuren Anzug mit einem Trainingsanzug vertauscht. Er rauchte nach dem Essen eine Zigarette, inhalierte aber nicht, sondern stieß den Rauch mit einem gequälten kleinen ‚hach' aus seinem Mund. Wir kühlten uns eine Batterie Bierbüchsen, ein Sonderangebot, und ein jeder ging wieder auf die Suche. Auch ich bediente mich einer Grippemaske. Der Staub im Lexikon-Zimmer war so dicht, daß die Buchstaben vor den Augen verschwammen. Leider machte der Gebrauch von Gummihandschuhen unsensibel für das Blättern. Alle zehn Minuten mußte ich mir die Hände waschen, weil die Fingerspitzen an den Seiten klebten. Das Loch war immer noch mit Kaugummi verstopft. Gegen Abend hatte ich neun Büchsen Bier getrunken, zehn Bände abgegrast, 4100 DM, 200 ägyptische Pfund und 70000 Lira gefunden, und meine Augen tränten.

41 Das Leben besteht in dem, was ein Mensch den ganzen Tag über denkt, schreibt Emerson. Habe nach dem Unfall das sogenannte Leben noch einmal ablaufen lassen, die Kugellager machten kein Geräusch. König Alkohol hat einen Etappensieg davongetragen, und das passierte folgendermaßen. (In Emersons Tagebüchern fanden sich neben seinen ländlichen Blüten der Weisheit auch noch 450 DM.)

Nach dem ersten Arbeitstag gingen wir spät zu Bett, die Kehlen trocken, aber in der siegreichen Gewißheit, daß Holden kein System für seine Verstecke ersonnen hatte. In den Binding-Ausgaben fand sich nicht viel, Hesse war ergiebig, allein die schreckliche *Roßhalde*, eine Ehegeschichte, trug reiche Frucht in österreichischen Schilling.

Gussjew ist doch verrückt. Gegen achtzehn Uhr stürzte er zu mir und überfiel mich mit dem Satz: Wenn Du im Traum stirbst, wirst Du sorgenfrei leben, und rannte wieder ins Zimmer 208, um im trüben Licht einer 60 Watt-Birne 30 Jahrgänge von Reader's Digest zu wälzen.

Ich beneidete ihn nicht. Diese gehaltvolle Zeitschrift läßt sich mühelos schütteln, gibt aber nichts von sich, so daß man blättern muß. Gussjew war im Jahre 1960. Während einer besinnlichen Bierpause mit Montaignes Badereise (220 DM in der Ostia-Rom-Passage) stürzte sich Gussjew mit einem neuen Zitat auf meinen schmerzenden Rücken: Der Genuß gekochten Fleisches nimmt einen glücklichen Ausgang. Ich erwiderte kein Wort; wer wollte da schon widersprechen. Um neunzehn Uhr machte Mergel den wohl schönsten Fund des frühen Abends. In der linken, östlichen Ecke des hohen Raumes fand sich ein babylonischer Turm von Heidegger-Ausgaben des Niemeyer-Verlages, Tübingen.

Holden (oder wer auch immer) hegte eine große Liebe zu diesem Fundamentalontologen, in dessen Hauptwerk *Sein und Zeit* er auf der Strecke von 437 Seiten 68 attraktive Scheine fand.

Zwischen dem Vorblatt und dem Inhaltsverzeichnis – die Exposition der Frage nach dem Sinn vom Sein –, kurz gesagt, lag eine vinkulierte Vorzugsaktie aus dem Jahre 1937.

Allegra schlug sich mit verklebten, alten Bildbänden und ein paar gebundenen Jahrgängen der Zeitschrift *Der Satrap* herum, hatte aber fast auf jeder vierten Seite Erfolg.

Die lexikalische Arbeit griff mich an, aber ich sagte mir immer wieder, daß die seelischen Kosten Gold wert seien. Des Staubes müde, öffnete ich ein paar alte Kartons mit losen Deckeln und entdeckte einen Haufen alter Photos. Eine Photographie mit sanftem sepia-braunem Schimmer zeigte vier backenbärtige und senfäugige Herren mit Zylindern in den Händen vor einem Sacromobil.

Ein Sacromobil, das wußte ich aus meiner Sammlerzeit, war ein fahrbarer, interkonfessioneller Frontaltar, der – allzeit mobil und für jeden Gottesdienst geeignet – überall da eingesetzt werden konnte, wo das Kanonenfutter vor dem Krepieren abgesegnet wurde. Bauort und -zahl waren mir leider nicht bekannt.

Unter dem Bild stand in einer kalligraphischen Sütterlin:
F. Kacz und seine Mitarbeiter.
Hochwürden Mellies, Verdun, 1915.

Der gedrungene Herr rechts im Bild war offenbar einer meiner rührigen Vorfahren. Die meisten Photographien hatten Wasserschäden. Ich hoffte auf durable Umschläge aus Ölpapier mit Scheinen, fand aber nur kleine Plastiktaschen in der Größe von Telephonkarten, in denen (mir quollen die Augen aus dem Schädel) Münzen steckten; es handelte sich um Krügerrand, in genau 43 Plastiktaschen eingeschweißt. Eine holte ich voller Ehrfurcht ans Licht und erlebte eine unangenehme Überraschung.

Auf dieser Münze war deutlich der vollständige Abdruck eines Gebisses zu sehen; ich packte die anderen aus, und leider war auf jedem dieser kostbaren Dinger ein vollständiger Zahn-abdruck.

Mergel sagte, dieses Faktum vermindere erheblich den Wert der Münzen. Gegen elf verließen uns die Kräfte, und wir machten in der Küche eine Pause mit Bier und Sandwiches. Gussjew aß wie ein Eichhörnchen mit beiden Händen, die Ell-bogen auf dem Tisch. Sein Gesicht war aschgrau und seine Augen blutunterlaufen. Dann richtete er das Wort an mich und sagte:

Wenn das Elend einen immer mal wieder neuen Tiefstand erreicht hat durch unaufgeklärte, das Gewissen peinigende Fron am Allgemeinen, muß man die Gefahr bannen durch die Aus-flucht, die der genuine Geist bietet. Wenn ZuTunIst, Alfred, InsOrkus. Sie werden erlauben, daß ich mich zurückziehe. Ich habe entnommen dem Jahrgang 1953 bis 1970 eine kleine Summe für Eigenbedarf. Der Rest ist in diesem Schuhkarton – und er deutete mit einem zitternden Finger auf die Kommode neben dem Herd.

Ich dankte, und meine Truppe zerstreute sich. Allegra wollte duschen, Gussjew ließ ihr großmütig den Vortritt.

Im Flur richtete auch Dr. Fossler das Wort an mich und sagte, er könne und wolle nicht mehr; er habe sich infolge einer infau-sten Diagnose seelisch-geistig und technisch-moralisch auf einen letalen Abgang vorbereitet, aber jetzt befinde sich mein Vater Viktor in einem Zustand, der jeder noch so guten Diagnose Hohn spräche; selbst wenn man von einer falschen Diagnose ausginge, die jedem unterlaufen könne, dürfe sich kein Kranker so beneh-men, wo kämen wir denn hin, wenn ein jeder ...

So lautete die Rede des gekränkten Arztes, den ich mit einer kleinen Geldspritze besänftigte.

Sie sehen schlecht aus, sagte er, nachdem er die Rolle Scheine an seinem Herzen unter dem Kittel verwahrt hatte, ich denke, Sie werden krank. Fühlen Sie sich krank?

Nicht direkt, sagte ich, nur die Alkohollosigkeit erschöpfe mich über alle Maßen.

Dann solle ich etwas dagegen tun, sagte Fossler streng und ging ins Krankenzimmer zu Papa, der immer noch reglos, ungerührt und schweigend auf dem Rücken lag.

Ein Phänomen, sagte der Doktor bekümmert, und ich suchte die Toilette auf, die Gussjew besetzt hielt.

Ich fragte, ob er das Bad noch lange in Anspruch nehmen wolle, und Gussjew erwiderte: Ist eine lange Sitzung, und dann hab' ich mir eingelassen ein Bad, Herr Alfred. Nach einer Pause setzte er hinzu: Obacht, im Flug an Höhe zu verlieren, prophezeit empfindlichen Verlust.

Die Neugier trieb mich in Gussjews Zimmer, in dem es seltsam nach Weihrauch und verbrannten Haaren roch. Sein Bett war wie immer ungemacht, eine leere Flasche Erlauer Stierblut stand auf seinem Nachttisch, und am Wandtisch unter einem Handtuch war eine Puppenstube aufgebaut: das Zimmer meines Vaters, mit dem Nachenbett, den Ledersesseln, den alten Kommoden und Etageren. Unter dem Bett fehlte nicht einmal der Pot de Chambre. Im Miniaturbett lag eine männliche Puppe im Nachthemd mit Spitzenkragen. Das Gesicht war kobaltblau bemalt mit weißen kleinen Flecken; in der Herzgegend der Puppe stak eine Stecknadel mit einem schwarzen Knauf. Mit einem Einhaarpinsel hatte Gussjew winzige Blutstropfen um die Nadel getupft. Ich legte das Handtuch über die Szene und verschwand in meinem Zimmer.

Um die Gedanken fluide zu machen, holte ich mir aus der Küche einen roten Trollinger, einen Wein, von dem kein Mensch weiß, ob er überhaupt einer ist, aber in meiner Not hätte ich sogar Erlauer Stierblut getrunken. Im Haus war es still. Ich öffnete das Fenster und rauchte zwei Zigaretten, ehe ich nach einer halben Flasche den unglücklichen Einfall hatte, in Margots Zimmer einzudringen. In der Haupthalle hatte ich einen Bund

Zeiss-Ikon-Schlüssel gefunden, und leider paßte der achte ins Schlüsselloch.

Ich will mich mit dieser unwürdigen Szene nicht lange aufhalten. Ich legte meinen Kopf auf ihr Kopfkissen, sog ihre Düfte ein und war lyrisch derart inflammiert, daß ich Zärtlichkeiten stammelte, während meine Tränen auf ihr reines, unbeflecktes Kissen tropften. Und es gab nur ein Heilmittel und nur ein Antidot gegen das süße Gift: den heiligen Alkohol, mit dem ich dann alle Schwüre brach.

Liebe ist eine Art von Kriegszustand. Ovid hat recht. Leider gibt es weder Sieger noch Besiegte, und man kann nur auf die nächste Etappe warten.

Nachdem ich mich bis zum Mittag regeneriert hatte, bat ich Fossler, Gussjew und Mergel zu einem kleinen Konsilium an das Krankenbett.

Mein Vater sah rosig und frisch aus. Im Zimmer war viel aseptische Atmosphäre, gute Geister schwebten über seinem Lager. Er schien auch etwas Angenehmes zu träumen, denn hin und wieder streichelte er mit den Fingern seiner linken Hand etwas Traumrundes und Schönes, das nur er allein sah. Die Unterhaltung der Experten war kurz, aber voller Bedeutung.

Er verliert an Form, sagte Dr. Fossler.

Kacz ergießt seinen Inhalt, sagte der mystische Gussjew.

Das ist der Grund, warum er an Form verliert, sagte Fossler.

Er muß die Form verlieren, um an Inhalt zu gewinnen, sagte Gussjew.

Worüber sprechen Sie, fragte ich.

Sie können es nicht verstehen, sagte Gussjew.

Meinen Sie, fragte ich, Papa habe abgenommen?

Mergel sagte, der alte Herr habe im Gegenteil zugenommen.

Gussjew und Fossler berieten sich dann mit viel Kopfschütteln und Achselzucken am Fenster.

Dann stieg Mergel hinab in die Magazine, um Särge zu polieren und ein neues Pulver gegen die Pharao-Ameisen zu streuen, die sich ganz ungeheuer vermehrten, und ich ging wieder auf Schatzsuche in die Bibliotheken.

42 Ich fürchte, der Rollstuhl hat alles in Bewegung gebracht; am nächsten Tag wurde ein elektrischer Rollstuhl geliefert. Auf der Rechnung stand 91 Tage Ziel. Das hätte mich warnen müssen, aber der Trollinger hatte meine Sensorien verstopft, so daß ich die Zeichen nicht richtig las. Im Lexikon-Zimmer biß mich eine kleine Spinne, die dann floh. Donata hatte sich mit einem Versicherungsvertreter verlobt; Mergel polierte frenetisch seine Särge. Als ihm diese Trauerarbeit zu eintönig wurde, als kompensatorischer Akt nicht umfassend genug und überhaupt, wie er im Flur sagte, stieg er mit der Luftpistole, einschüssig, auf den Dachboden und schoß Tauben. Als trauriger Jäger mit Triebhemmung und Liebestremor arretierte er den langen Lauf der Pistole zwischen die Gummibacken eines alten Stativs, um seine Ziele – die Köpfe der armen Tauben – nicht zu verfehlen.

Die Erfolgsquote war, sagte er später, nicht besonders hoch, weil sie immer so mit den Köpfen rucken und zucken. Ich habe also ein Linienfeuer eröffnet, weil sich der Lauf nur horizontal und nicht vertikal bewegen ließ. Ich erwischte neunzehn Friedenstauben, und es waren neunzehn Kopfschüsse. Wissen Sie übrigens, daß heute der Rollstuhl gekommen ist? Er steht unten in der Halle.

Nun, wir schleppten den Rollstuhl nach oben in den ersten Stock, der liebeskranke Mergel und der verkaterte Alfred Kacz, und brachten den glänzenden Apparat mit seinen prachtvollen Ballonreifen in das Krankenzimmer.

Allegra stand neben dem Kopfende und prüfte gerade den Puls der linken Hand; die rechte lag auf dem geblümten Pfühl neben ihrem Schenkel.

Es passierte, als ich zu Allegra sagte: Der Rollstuhl ist da. Viktor Kacz öffnete ein Auge, das seinen Blick auf nichts Bestimmtes richtete, dann kroch seine Hand wie eine Riesenspinne sehr schnell unter den Rock von Allegra, die den Mund öffnete, und ich sah, wie seine Knöchel unter dem Rock nach oben wanderten, wo sie zur Ruhe kamen, als sie die Stelle erreicht hatten, die sich der Alte erträumt hatte. Einen Augenblick blieb die Hand ruhig, Papa öffnete beide Augen und lächelte.

Ich bin, sagte er, wieder da.

Allegra packte sein dünnes Gelenk und pflückte seine Hand ab. Dann fing sie an zu weinen, und auch ich, das muß ich gestehen, war einen Augenblick ziemlich gerührt.

Nachträglich denke ich doch, daß die Aussicht auf die Mobilität im Rollstuhl und die Freiheiten, die sie gewährte, zu dem Phänomen führte, das der Doktor Fossler sehr positiv als Bestätigung seiner Diagnose wertete.

Ein broschiertes medizinisches Bändchen im Quartformat belehrte mich darüber, was Dr. Fossler meinte; ich fand es auf Viktor K.s Nachttisch unter Pontormos *Il Libro Mio*, das ich ihm gegeben hatte und das nun wohl als Tarnung diente. Da stand der bemerkenswerte Satz: Durch die Enthemmung niederer Triebe entsteht in gewissen Phasen des Pick'schen Syndroms ein der Paralyse ähnliches Symptombild. Die Kranken werden läppisch-heiter, sie lügen, sind unzuverlässig, reden obszön, machen Schulden und entgleisen sexuell.

Alle sammelten sich um das Krankenlager mit dem regenerierten P., und wir entwickelten ein richtiges, glückliches Gruppenseelen-Sensorium, Allegra, Mergel, Fossler, Gussjew und auch ich. Fossler hatte sich den quasi komatösen Zustand dauer-

317

hafter vorgestellt, aber gegen ein so positives Faktum kann der routinierteste Diagnostiker nichts einwenden.

Der alte Herr benahm sich wie ein Schläfer, der aus einem gelungenen Traum erwacht und in eine noch schönere Realität zurückgekehrt ist. Da er seine Prothese noch nicht im Mund hatte – er hätte sie im Schlaf verschlucken und an ihr ersticken können –, grinste er wie die Houdon-Büste von Monsieur Voltaire, zahnlos und breit.

Wir bereiteten ein köstliches Bad mit duftenden Essenzen. Immer wieder prüfte Schwester Allegra mit dem Ellenbogen die Temperatur. Wir zogen ihn aus und trugen seinen kleinen gelblichen, leichtknochigen Vogelkörper vom Bett direkt in die Wanne, in deren azurblauem Spiegel er mit wollüstigen kleinen Schreien verschwand. Allegra wusch seine vollständige Körperoberfläche und verweilte mit einem pinkfarbenen Schwämmchen an allen verschwiegenen Zonen, sie knetete und massierte seine dünnen Arme und Beine, während der Alte vor Vergnügen stöhnte und endlich, wie erwartet, seinen Rotwein haben wollte.

Nun, wir waren nicht präpariert, denn wir hatten nur noch diesen armseligen Trollinger.

Mein Vater Viktor nahm einen Schluck und spuckte ihn sofort in das Badewasser.

Scheiße, sagte er, schick alle Leute weg, außer dem Schätzchen Allegra.

Das war sein erster vollständiger Satz nach der Auferstehung.

Die Herren Fossler, Mergel und Gussjew zogen sich bestürzt zurück. Bevor Gussjew die Tür hinter sich schloß, sagte er beschwörend über die Schulter zu P.: Einen Hahn zu opfern ist günstig, nur darf es kein erstickter sein.

Blödkopf, rief Papa und planschte wütend im Wasser, daß es nur so schwappte, und dann hustete er kraftvoll. Verräter, setzte er hinzu, Mistböcke, die keine Regeln kennen. Aber ich werd's ihnen schon zeigen.

Allegra trocknete sein kleines Gesicht mit einem vorgewärmten Handtuch und verpaßte ihm dann eine Crèmemaske in einem sanften Lindwurmgrün. Sohn, Alfred, Junior, sagte P. mit geschlossenen Augen und fragte, ob ich A, B, C und D erledigt hätte.

A sei erledigt, B noch nicht, C bedacht, aber noch nicht komplett und D könne man abhaken.

Bon, sagte mein Vater, und beachte exakt die Reihenfolge. Du fährst erstens in die City und besorgst Kaviar, am besten einen Sevruga Molossol, du bestellst zwei Kisten Rotwein, Bordeaux, aber einen Premier Cru, verstanden? Sodann Austern, aber kein fin de claire und auch keine deutsche Royal, die von den Gezeiten der Nordsee geprägt wurde, wie es in der dummen Werbung heißt, Belon müssen es sein, denk' dran, Blinis können auch nicht schaden. Bring ein paar Zeitungen mit, aber nicht die *Morgenpost,* man muß auf dem Laufenden sein. Ist dieser dicke Kerl, der kein Deutsch sprechen kann, immer noch Kanzler? Egal, egal, bien egal, sagte er eilig, die beiden letzten Befehle lauteten: Fünfzig rote Rosen für Allegra und die Buchung eines Tickets nach Rom.

Morgen schon, fragte ich nervös.

Schick mir nachher Margot, dann setze ich einen Brief an die Misstress auf, der sich gewaschen hat.

Margot sei leider verreist, sagte ich.

Schade, brummte der Alte. Allegra warf mir einen kurzen Blick zu und putzte mit einem rosa Wattebausch die Lider meines extrem entspannten Erzeugers.

Hast du, fragte ich mit großer Beiläufigkeit, noch einen gewissen Kontakt zu Holden?

Mein Alter sagte kaltblütig: Holden? Wer zum Teufel ist Holden? Bist du verrückt geworden?

War nur eine Frage, sagte ich, vergiß sie.

Dann verpiß dich, sagte mein P., schnappte sich eine Allegra-Hand, die in Reichweite seiner Affenklauen war, und bedeckte sie innen und außen mit schmatzenden Küssen.

43

Papa Viktor Kacz hat uns verlassen; er verließ uns; er ist entschlafen und schläft jetzt den ewigen Schlaf, hat sich endlich und endgültig auf die Socken gemacht, ist für immer abgereist, mein Gott (oder auch nicht), er ist über den großen Jordan oder einen anderen Fluß, vielleicht in einem von lichten Engeln verwalteten Purgatorium oder in einem Limbus, in dem ihn die Dämonen der versäumten Gelegenheiten peinigen.

Dabei hatte ich die Hoffnung schon aufgegeben, von der Mencken mal sagte, sie sei der krankhafte Glaube an den Eintritt des Unmöglichen.

Aber der Reihe nach, die immer eine Quelle der Beruhigung ist, und unter sorgsamer Berücksichtigung der Zeit.

Alles passierte binnen dreier Tage, und an einem jeden Tag geschah etwas, was die Unsterblichkeit des Alten zu garantieren schien.

Am Mittwoch hatte ich ein sonderbares Erlebnis mit Mergel in der Haupthalle, zwischen der Rezeption und der Sesselgruppe für Kunden, alle leer selbstverständlich. Ich trabte wegen einer gewissen Reiseunruhe im Hause herum, schnüffelte in der Luft nach Margot-Partikeln und fand Mergel einsam am Glastisch mit einer Flasche armenischen Cognacs. Wir waren wegen unserer verschiedenen Leiden einsilbig, so daß sich die Unterhaltung leicht wiedergeben läßt. Ich sagte, ich müsse nach Rom, um meine Mutter nach Berlin zu schleppen.

Wohl dem, der eine hat, sagte Mergel.

Wie weit mit Donata gekommen, fragte ich.

Kniekehle links, sagte Mergel.

Gutes Plätzchen, sagte ich, warum keine weiteren Punkte?

Wegen Kränkung und Beleidigung, sagte Mergel.

Welche, fragte ich und bediente mich mit dem Cognac, der vorzüglich war.

War der Wahrheit verpflichtet, die Frau, sagte Mergel, ich hätte Bettnässeraugen in einem Bestatterkopf.

Waren Sie mal Bettnässer, fragte ich.

Freilich, sagte Mergel, wer denn nicht in diesen Zeiten, aber das sei dreißig Jahre her.

Und da passierte es.

Sie müssen, sagte Mergel, lauter sprechen, Cognac schlüge immer auf die Ohren.

Mir fiel auf, daß Mergel extrem leise sprach, er war kaum zu hören.

Wir werden, sagte ich laut und deutlich, investieren und expandieren – die Zukunft könnte, nach einem Zeitsprung betrachtet, großartig gewesen sein.

Mergel wurde in seinem grauen Ledersessel blasser und blasser. Zuerst verschwand sein Gesicht, dann wurden seine Hände unsichtbar. Die schneeweißen Manschetten leuchteten, sein schwarzer Anzug glänzte, die Hemdbrust strahlte, aber er verlor an Konsistenz.

Sind Sie noch da, fragte ich.

Sie müssen lauter sprechen, sagte er mit kaum hörbarer Stimme, ich verstehe Sie kaum, außerdem verlieren Sie an Kontur.

Ganz offenbar erlitten wir beide auf einmal, ein jeder für die Wahrnehmung des anderen, eine Einbuße an Substanz.

An der getäfelten Decke flackerten die Birnen im achtarmigen Lüster, und es wurde noch eine Spur dunkler.

Können Sie mich sehen, rief ich.

Ganz schlecht, rief Mergel.

Es liegt wahrscheinlich am Licht, rief Mergel aus den Tiefen seines Sessels.

Könnte es nicht am Cognac liegen, fragte ich.

Woran liegt was, fragte Mergel.

Mir schien, als verwandelten wir uns in Gespenster. Dabei weiß ich positiv und mit aller Sicherheit, daß es keine Gespenster gibt.

Wieviel Cognac hatten Sie, fragte Mergels strahlender weißer Hemdkragen, ein wenig oberhalb der Hemdbrust.

Unerheblich, sagte ich laut, nicht genug für ein Delirium.

Was sagen Sie, rief Mergel.

Da floh ich und ging sofort ins Bett, stopfte mir Ohropax in die Ohren und bekam aus diesem Grund den sogenannten Enthemmungsanfall des alten Herrn nicht mit, der kurz, aber ebenso umfassend wie erschreckend gewesen sein soll, wie alle Beobachter übereinstimmend versicherten, außer natürlich Mergel, der die Angelegenheit in seinem Sessel verschlief.

Der Kranke, sagte Dr. Fossler, seine Brust massierend, ließ Schmähungen und Gemeinheiten fallen gegen jedermann, die mich moralisch erschütterten und ethisch aufwühlten, und sie waren begleitet von kleinen Gegenständen, die er warf. Nachträglich stellte sich für die verstörte Helfergruppe natürlich die Frage, ob dieser Anfall lehrbuchgerecht, echt oder nicht echt war, oder gar simuliert.

Wie alle Kliniker sehr glaubhaft schrieben, jedenfalls Klöppel, Haparach, Tauber und auch Mumthal, erzeugt eine Stirn-Atrophie gewöhnlich und in den meisten Fällen einen Antriebsmangel und nicht einen Wutausbruch von vitaler Kraft. Aber wie mir Fossler zum Trost anvertraute, steht bei der Beteiligung der orbitalen Rindenteile einer affektiven Enthemmung absolut nichts im Wege.

Mein geliebter, großer kranker Viktor, sagte Dr. Gussjew mit Blut in den Augen und Tränen in den Nasenlöchern – pardon, ich bin ein bißchen durcheinander –, hätte mit seinem Anfall Bewunderung erregen können, wenn er während des Auftritts nicht durch ein schwülstiges und verworrenes Wesen das Element des Natürlichen verraten und damit den Gesamteindruck der Rigorosität durch allzu große Kunst verdunkelt hätte.

Ein dunkler Satz, wer weiß von welchem Dämon diktiert. Ich ließ ihn mir noch einmal von Gussjew aufschreiben, wurde aber nicht schlau aus ihm. Ich zerlegte diesen Satz in diverse Einzelteile und setzte ihn nagelneu zusammen, aber immer wieder ergab sich eine Unstimmigkeit zwischen Sinn und Bedeutung. Ich gab dann auf und fragte Fossler nach dem Befinden des alten Herrn.

Oh, sagte Fossler freudig, er liege wie immer friedfertig wie ein Baby in seinem Bettchen, und Allegra –

Danke, sagte ich frostig, mir sei das Tableau bekannt. Ob er sprechfähig sei, fragte ich.

Komme darauf an, sagte Fossler, wie man Sprechfähigkeit, d.h. Gedanken in Wörter zu –

Schon gut, sagte ich, und legte eine leichte Bagage für den Blitzbesuch in Rom zusammen.

Rom war kein besonderer Erfolg; meine Mama weilte nicht, wie ich angenommen hatte, in ihrem Penthouse in der Via Nomentana, sondern war bei einem Schriftstellerkongress in Amalfi, im Hotel Luna.

Angenehme Fahrt im ganzen, wenn auch umständlich, zuerst in großen Etappen – Berlin-Rom, Fiumicino, dann mit dem Zug von der Stazione Termini bis Neapel und von dort mit einem ziemlich leeren Bus ohne Klimaanlage. Sehr hübscher Bau, dieses alte Kloster, Hotel Luna, gänzlich überfüllt, aber die Klimaanlage funktionierte; überall wimmelte es von Autoren, Damen und Herren mit kleinen Plastikschildchen auf Brust und Busen, vor allem auf der Veranda mit der steinernen Brüstung: ich hörte italienische Brocken (die Gastgeber), deutsche, französische, jugoslawische, russische und polnische.

Ich suchte die Rezeption auf, um die Zimmernummer meiner lieben Mutter zu erfahren, aber sie firmierte hier nicht unter K.

Nach vergeblichen Recherchen ließ ich mir ein Zimmer geben, setzte mich auf den winzigen Balkon und genoß die Aussicht aufs Meer.

Die letzten Worte des Dr. Fossler flossen wie Honig durch – falsches Bild, das. Ich bestellte Champagner, der erst auf nüchternen Magen seine goldene Wirkung komplett entfaltet, und hatte Fosslers letzte Worte im Ohr: Dieser Anfall, hatte er wörtlich gesagt, ist der letzte, den er überlebt, der nächste wird ihn wegen Total-Entäußerung und Entleerung töten.

Und wann, das hatte ich gefragt, kann man den nächsten erwarten?

Alfred, hatte der Arzt sanft erwidert, Sie sind moralisch gesehen ein Schwein.

Da der letzte Anfall so bald nicht auftreten würde, mußte ich meine Mutter auftreiben; wahrscheinlich ergäben sich schöne und rührselige Szenen am Krankenbett.

Ich streunte durch das ganze Hotel und suchte nach einer ca. siebzigjährigen, wohlbehaltenen Dame mit schneeweißen Haaren und einer herzförmigen, roten Brille, die sie, wie ich in einer ruhigen Minute erfahren hatte, seit zehn Jahren tragen sollte.

Keine rote, herzförmige Brille war auf den Nasen der Damen zu finden, viel Horn und Straß, viel Metall, aber das gesuchte Objekt war nicht dabei.

Gegen Abend ließ ich den Kellner mit einem dezenten Schild herumwandern, aber meine Mama sah's nicht oder hatte keine Lust es zu sehen.

Resigniert zu Bett, schlaflos wegen des Champagners. Kroch früh heraus in den leeren Atrio und studierte die Gästeliste – unter K fand ich einen Herrn Kabes, einen Herrn Kalb und eine Signorina Keass. Auch unter dem Buchstaben C war nichts Besonderes zu finden. Zuguterletzt fragte ich den Mann an der Rezeption, ob noch eine Dame erwartet werde; aber er machte mir keine Hoffnung.

Da bezahlte ich mein stilles Domizil mit Meeresblick und bestieg wieder den Bus in Richtung Neapel.

Der dumme Zufall setzte mich in die erste Klasse nach Rom, und wer erschien, bleich und verschwitzt, niemand anderes als der verwünschte Maurina, der ein bißchen abgerissen und bedürftig aussah.

Hatte ein schlimmes Schicksal als Komparse bei einem britischen Regisseur hinter sich, der in einem bergigen kleinen Ort oberhalb des Hotels Luna einen Horrorfilm gedreht hatte.

Und ich mußte spielen, sagte Maurina weinerlich, immer Leichen, verschiedene Leichen, sogar weibliche, in verschiedenen Stadien der Verwesung ... in der Hitze und immer geschminkt.

Ich lud ihn in den Speisewagen ein und sagte, gegen Leichen sei nichts einzuwenden, man müsse sie nur richtig spielen; ich erwärmte mich bei Spaghetti an diesem Thema. Eine realistische Leiche im Film abzugeben, sei eine hohe künstlerische Leistung.

Die Garbo, sagte ich beim Wein, hätte eine vorzügliche Leiche abgegeben, gleichgültig in welchem Film.

Maurina hellte auf. Bei sehr viel Wein gingen wir das Alphabet aller uns bekannten Schauspieler durch, die gute, glaubwürdige Leichen gegeben hatten. In Rom mußten wir bei W wie West, Mae aufhören. In der Halle der Stazione Termini fragte ich ihn, ob er ganz gesund sei.

Organich, sagte Maurina – er konnte, wie viele Geistliche, Ingenieure und Politiker kein sch sprechen – ganz gesund, aber psychich, da sei etwas nicht intakt.

Besuchen Sie mich, sagte ich herzlich, einmal im Institut, und gab ihm die Berliner Adresse.

Vorsorge ist gut für jedermann; und warum soll man keine Bekannten als künftige Kunden akquirieren?

Mir fiel leider erst im Taxi ein, daß er exakt zu dem Zeitpunkt, in dem er ein würdiger Kunde wäre, nicht mehr selbst erscheinen konnte.

Heftiger Regen und ein veritables Gewitter in Berlin; wahrscheinlich weidete sich Gussjew am Fenster seines Zimmers mit sekretverstopften Ausgängen.

Im Hause war alles still, und ich verzog mich zur Regeneration erst ins Bad und dann in mein Zimmer. Die Besetzung der Räume war an jenem Abend die folgende: Papa und Allegra im Krankenzimmer, Margot abwesend wie schon so lange, bei Fossler Licht, ebenso bei Gussjew, und aus dem Keller hörte man Schüsse aus einer Luftpistole; Mergel metzelte zum frühen Abend. Kurz, alles friedlich, dachte ich.

Die Nacht voller schrecklicher Träume mit verpaßten Zügen, verpißten Coupés und unbekannten Bahnhöfen; gegen fünf Uhr morgens weckte mich ein rasendes Klopfen, und die Stimme von Mergel sagte: Kommen Sie, kommen Sie bitte rasch nach unten.

Eilt es, fragte ich, bin gerade erst eingeschlafen.

Es eile, sagte Mergel, und ich müsse extrem leise sein, um niemand zu wecken.

Mergel schritt schweigend voran, ich folgte ihm. Aus Gussjews Zimmer drang ein ätherisches Schnarchen, unterbrochen von Seufzern und Gaumenlauten, die mit einem weichen Oi Oi Oi endeten.

Die Magazine waren bis auf Nummer IV unbeleuchtet.

Mergel, sagte ich energisch, was ist passiert.

Schweigend führte er mich zum prachtvollen Blumenfeld-Container, mehr ein Sarkophag als ein Sarg. Und wer lag dort in der Position eines Schlafenden, in einem blauen, seidenen Pyjama, die Hände über den Genitalien nicht zum Gebet gefaltet? Niemand anders als mein Vater, Viktor Kacz, und er war tot.

Eine irgendwie weihevolle Stimmung ergriff mich, der Drang nach Gewißheit und Durst.

Mergel, sagte ich, wie ist das passiert? Haben Sie noch was von dem armenischen Cognac? Wann ist das passiert und wie? Und ist es wahr? Ist er gewissermaßen unwiderruflich hinüber?

Er ist, sagte Mergel feierlich, das sei eine unumstößliche Gewißheit.

Holen Sie bitte, sagte ich, zuerst den Cognac, und sagen Sie mir dann, wie unumstößlich diese Gewißheit ist, wenn es sich um eine handelt. Das tat Mergel, will sagen, er holte den Cognac und zwei Gläser. Wir tranken.

Dieser Cognac, sagte ich ebenso feierlich, wird für die nächsten Monate unser letzter sein; genießen Sie ihn; wir sind jetzt Geschäftsleute, wie man so sagt, und mittelständische dazu.

Die Tatsache, daß, sagte Mergel, den Cognac immer zur Disziplin zwang, sei unbezweifelbar – ich könne es ausprobieren –, und er gab mir eine Stecknadel mit einem passenden, schwarzen Kopf.

Ich stach den Alten mit der Nadel ins Ohrläppchen, eine empfindliche Stelle, wie man weiß, und erfuhr keine Reaktion.

Der Punkt war erledigt.

Wie, fragte ich, Mergel wie? Als ich ihn verließ, war er lebfrisch, aufdringlich gesund und voller Vitalität.

Dann fiel mir etwas anderes auf.

Wie haben Sie ihn denn allein und von oben so schnell in den Sarg bekommen?

Oh, nicht ich, sagte Mergel. Er hat sich ... sozusagen ... selbst gebettet.

Wie was wo, fragte ich geistesgegenwärtig; man stürbe doch nicht in seinem Bett und begäbe sich dann eigenhändig in den schönsten Sarg des Hauses.

Hören Sie, sagte Mergel nervös, ich schlief und wachte dann gegen zwei Uhr auf. Ich dachte an meine Feinde und überprüfte die Magazine, in der Hand die einschüssige, aber nützliche Walther-Pistole ... und da lag Ihr Herr Vater schon im Blumenfeld-Sarg.

Wir untersuchten dann nach einer Pause die nähere Umgebung.

Die Pantoffeln aus Saffian hatte Papa ordentlich unter die Lafette, Kopfende, gestellt. Im Sarg fanden wir eine Flasche Bordeaux, einen Château Figeac, eine leere Schachtel Katzenzungen, einen verschlossenen Briefumschlag, der an mich adressiert war, und unter seiner Pyjamajacke ruhte die Schwarzweiß-Photographie einer nackten Allegra, die auf einem Sessel seines Zimmers saß, ein Bein gestreckt, das andere angewinkelt in keuscher Anmut.

44

Mergel starrte auf den stillen Leichnam, seufzte von ganzem Herzen und sagte: Was ist der Mensch.

Das war eine gute Frage, sogar in dieser Situation.

Die Menschen, hatte mal ein Philosoph geschrieben, sind verschieden. Aber Mergel fuhr fort mit seinem Satz: Absterben tut er als Fleischeshalm, wenig ist ihm hienieden vergönnt im Dorngestrüpp des Seins an den Gestaden des Nichts, umlauert von uneindeutigen Krankheiten, stumpfsinniger Arbeit, unzugänglichen Kanaillen, Aids –

Moment, rief ich, bis zu den Krankheiten war's ausgezeichnet, Sie sind der geborene Nekrolog-Schreiber, der Rest war leider schwach, aber Glückwunsch und alle Achtung, nicht entlassen!

Ist die Trauer, fragte Mergel vertraulich, groß, Alfred?

Mein Entschluß, diesen Aufwand betreffend, sagte ich, sei noch nicht vollständig gefaßt, ich müsse jetzt Zwiesprache halten, allein mit dem Toten. Besinnung täte not, ernste Gedanken und vielleicht eine kleine Karaffe seines armenischen Cognacs.

Mergel besorgte mir die unerläßlichen Trauerutensilien – einen fragilen Stuhl, eine Karaffe Cognac, ein Glas und einen Aschenbecher.

Ich setzte mich und sagte zum Alten: Geschafft, Papa, der Modus ist rätselhaft, will sagen die Umstände deiner letzten Reise. Eine Selbst-Bettung hat immer etwas hochmütig Erhabenes, Respekt, Viktor. Mein Vater hörte mit unbewegter Miene zu, sah enorm verschlossen aus, und ich mußte entdecken, daß er in seinem kalten Schlummer ein wenig lächelte. Wir sprachen über eine Stunde miteinander; ich kann mich nicht erinnern, je eine derartig ausführliche, ergiebige und verständnisvolle Unterhaltung mit ihm geführt zu haben. Der Mensch muß kommunizieren, wie schon Bloomfield sagte. Beim letzten Glas Cognac las ich sein Testament.

Alfred, mein Bester, hatte der Tote geschrieben, kümmere Dich um die schöne Allegra, die alles kann bis zum Soufflé. Meine testamentarischen Verfügungen (Legate oder keine Legate etc.) liegen im Geheimfach des Roentgen-Schreibtisches. Der Tresor des Schlüssels ist zwischen Allegras Brüsten.

Entlassen sind: Fossler und Gussjew, von denen ein jeder so inkompetent ist wie eine ganze Gruppe. Zur Reanimation des maroden Institutes Ambrosia mußt Du dynamische und effiziente Leute einstellen – sie müssen ethisch überhaupt nicht hochstehen, kapiert?

Ach, Papa, sagte ich in Papas linkes, sehr gelbes Ohr, Ethik, Moral, die Sentiments ... alles ist im Keller bei mir.

Veranstaltet, schrieb der tote Viktor, keine Tragödien. Tragödien sind dumm und überflüssig. Ich hoffe, daß ein bißchen Bewegung in Dein langweiliges Leben geraten ist. Ich jedenfalls habe mich ausgezeichnet unterhalten, vom ersten Brief nach England bis zum Finale. Deine hochherzigen Rettungsmanöver waren doch wirklich einmal etwas ganz anderes als deine sinnlosen Studien in Humanities, Science & Arts. Gott, die Mäuse nicht zu vergessen.

Tröste bitte den Arzt Fossler über die Tatsache seiner Entlassung mit dem Hinweis, daß ich für meinen sog. Anfall die medizinische Literatur studiert habe, vor allem der Neurologe Haparach war hilfreich, wenn auch sein Stil zu wünschen übrig läßt. ‚Ins leichte Sterben wie verliebt‘, wie der Barde sagt, ist als Entschluß gar nicht so schwer, wenn man daran glaubt, aber den Trick, wie man diese Idee realisiert, verrate ich nicht. Im übrigen will ich kremiert werden, sodann Seebestattung in Amalfi. Trink einen guten Cognac oder einen alten Armagnac auf mich und die Asche, was Du im Moment wahrscheinlich gerade machst, wie ich Dich kenne, aber recht hast Du. Gibt es doch kaum eine Situation im Leben, die man ohne Alkohol besser vertrüge. Und keine christlichen Reden, verstanden.

Grüß die alte Mistress, die schauerliche Romane schreibt, seitdem sie die Abgründe der Innerlichkeit per Zufall kennenlernte.

Leb wohl.

Dein Vater Viktor K.

Nun wollte ich eine Träne zerdrücken, aber meine Nerven versagten. Es wollte keine erscheinen. Trauern ist mitunter nicht so leicht, wie man denken sollte. Am besten wäre es, zu Bett zu gehen, Papa seiner statuarischen Ruhe zu überlassen und die Nachwelt in einem ausgeschlafenen Zustand von seinem Ableben in Kenntnis zu setzen.

Mergel rufend, teilte ich meinen moralisch unbedenklichen Entschluß mit, versorgte mich mit tonisierender Bettlektüre (Bollnow, Ortega y Gasset *Die Jagd* und Puders Studie über das *Präparieren von Vögeln und Säugetieren*), schlief beinahe sofort ein und erwachte mit der folgenden Sentenz: *Jeder Mensch ist potentiell mein Kunde.*

45   Papa ist jetzt ein für alle mal
Asche in einer brünierten Urne, die an eine Schrapnell-Hülse erinnert, und steht auf dem Schreibtisch neben den Papieren. Ich
ließ alle Arbeiten an ihm von der ehrwürdigen Firma H. erledigen, um ein bißchen Bestattungskultur und -praxis zu erleben.
Wir müssen unsere Preise ändern, d. h. erhöhen, das weiß ich
jetzt. Mergel sitzt schon an einem Entwurf für die Hausdruckerei.
Wir haben Papa selbstverständlich umgebettet. Im Blumenfeld-
Sarg hätte er sowieso nicht weiter wohnen können, weil der zu
wertvoll ist; ich will ihn an ein Bestattungsmuseum verkaufen.

Wir trugen ihn gegen elf – er benahm sich steif, aber unge-
zwungen – wieder hinauf in sein Bett; alle anderen Modalitäten
hätten bei der Firma H. Befremden hervorgerufen. Fossler
benahm sich sehr gefaßt, als habe er Papas Ende geplant und zu
Ende geführt; Allegra schloß sich in ihr Zimmer ein, nur Gussjew
benahm sich sonderbar und behauptete, Viktor habe sich nur
einen Augenblick zurückgezogen.

Ich will die einzelnen Posten der Bestattung bis zur Kremierung nicht aufzählen, aber unsere Leistungen, Kosten, Selbst-
kosten etc. müssen entschieden neu kalkuliert werden.

Habe von Margot eine Postkarte erhalten, die keinen nüchternen Eindruck auf mich machte:

Mama Krankheit zum Tod, leider langwierig. Schlaganfall ist
ein irreführender Ausdruck. Rückkehr vermutlich mit Verspä-
tung, Grüße an Viktor, Margot.

Ich kann mir nicht helfen, aber die Konstruktion des Schick-
sals oder des Zufalls ist mitunter hölzern. Da hätten wir zur rechten Zeit zwei schöne Pflegefälle gehabt, zwei verschiedene,
kranke Geschlechter, Margots Mama und Viktor, man hätte sie in
ein Zimmer legen können, und wir hätten sie dann bis zum Ende
gepflegt, Schulter an Schulter, Schenkel an Schenkel zwischen
den zwei Betten, inspiriert von vielen zufälligen Berührungen

und Pflegekontakten; und welche Duftmischungen hätten sich ergeben, wenn es das unreflektierte Schicksal richtig gemacht hätte. Die reine Krankenpflege-Erotik hätte sich auf ungezwungene Weise ergeben in der Atmosphäre von Mitsouko, den Arzneigerüchen, den Gerüchen der Bettpfannen und -enten, gemixt mit einem Hauch kaltem Schweiß, kurz, eine romantische Liebessituation, wie sie sich kein Internist, Gerontologe, Psychiater oder Dichter besser hätte ausdenken können. Nevermore, wie der Dichter sagt, nevermore.

Oh, Mar-GOD, schrieb ich auf eine Kunstpostkarte mit Böcklins Toteninsel, zweite Fassung, wir haben eine große Lebenschance verpaßt.

Wie schön hätte alles werden können, wäre es Mama möglich gewesen, ihren Hirnschlag – oder was immer sie gefällt hat – rechtzeitig zu kriegen, jedenfalls zu einem Zeitpunkt, da Papa noch vital seinen Abgang vorbereitete; zu spät, alles zu spät.

Ich bin jetzt schon vier Tage absolut nüchtern, und wir haben ein Faxgerät. Sollte Mama – aber ich will nicht vorgreifen –, ist eine Kremierung plus Urnenbestattung nicht besonders teuer. Wir könnten zusammen mit Mama und Papa nach Amalfi und sie dort im Tyrrhenischen Meer verstreuen, Asche zu Asche in Meeresbrisen, während wir umschlungen an Deck sitzen und ein paar Erinnerungen auffrischen.

In Liebe, Alfred.

Allegra hat sich immer noch eingeschlossen, viel Schweigen im Hause. Auch Gussjew hält sich bedeckt und brütet in seinem Zimmer, ab und zu hört man die alten Dielen knarren.

Wir leben von Konserven, Mergel, Fossler und ich.

Abends, Papa nunmehr 14 Tage in der Urne, bei Ölsardinen, Sprotten und Toast einen Schlachtplan gefaßt. Die Stichwörter der neuen Ordnung heißen: Renovierung, Sanierung und Akquisition; Gussjew muß aktiviert werden, man könne sich, sagte Fossler zu recht, keinen Schmarotzer leisten. Allegra wird noch einmal eine Trauerzeit von zwei Wochen zugebilligt, aber dann muß Schluß sein. Arbeit, bei Licht betrachtet, ist wie eine schleichende Krankheit, mit Symptomen, die wieder Mühe machen, wenn man sie übersieht.

Bei einem Burgunder – wir renovierten gerade in Gedanken die Magazine – erschien Gussjew in der Küche, sturzbetrunken, strich um den Tisch, ließ die Unterlippe hängen und sagte dreimal: ZuTunIst.

Nun, das war nicht viel, aber immerhin ein Anfang. Alles muß anders werden. Noch in der Nacht zählte ich unter dem Einfluß des Burgunders das Geld in den Bally-Schuhkartons, und im Morgengrauen wußte ich, welche Projekte bezahlbar waren und welche nicht.

Unter Gussjews Tür schob ich ein Ambrosia-Blatt (mit Urne und schnäbelnden Tauben), auf dem stand:

ZuTunIst, Gussjew: Leichenreden!

Auch Allegra erhielt Post von mir: Bitte Trauerprozeß abkürzen wegen Reaktivierung des Institutes. Wir leben von Konserven, was der Geschäftsidee nicht dient, diverse Verdauungs- und Konzentrationsstörungen. Herzl. Gruß, Alfred.

46 Nichts geht vorwärts, alles stagniert. Margots Mutter ist jetzt beidseitig gelähmt; nur die Zunge nicht. Unbegreiflich sind die Wunder der Regeneration.

Allegra kocht wieder, aber schlecht, lieblos irgendwie, viele Gratins grau in grau, und immer Käse darüber.

Fossler fährt mit dem Taxi in der City herum, wenn er die Todesanzeigen gelesen hat; bislang keine einzige Leiche akquiriert.

Gussjew hat auf der ganzen Linie versagt; er sollte den Text für unseren neuen Prospekt verfassen, und er hat ihn verbaselt:

Wenn ein Leben sich endlich erfüllt hat durch Gott oder irgend jemand anderen!

dann werden die Tage nach dem Hinschied / der Reise / dem Abschied / der Negation etc.

für die Angehörigen des Hingeschiedenen / Verstorbenen länger als für den Toten.

Gerade die Trauer / der Schmerz etc.

tief / mitteltief

lähmt das Denken / Sinnen & Trachten und blockiert notwendige Entscheidungen, die da unwiderruflich heißen: wie / wann / wo / warum etc.

Und da wird ein seelisch einfühlsamer, tief seriöser, mit allen Jenseits-Vorstellungen gewaschener, im Leiden und Mitleiden erfahrener Helfer / Tröster und Begleiter / absolut unerläßlich, und wo finden Sie bessere Helfer / Begleiter etc.

(Wähle das Synonym!)

als im Bestattungsinstitut Ambrosia / Inhaber Alfred Kacz. Unser Service ist einmalig in Berlin und anderswo. Wir kümmern uns um die lieben Dahingeschiedenen da Drüben, gleichgültig, welche Vorstellung von da Drüben sie haben, ungeachtet von Klasse, Genus, Modus uswf.: um Vater, Mutter, Großmutter, Enkel, Schwestern und Brüder, Gatten und Geliebte.

Man muß einrichten Schlummerräume mit Sitzgelegenheiten.

Bin krank, muß zum Arzt, Gruß Gussjew.

Ich saß in meinem großen, düsteren Büro mit höllendunklen Holzpaneelen, trug einen schwarzen Anzug, eine schwarze Krawatte und schwarze Schuhe, nur das Hemd war weiß, und klingelte nach Gussjew, der nach einer halben Stunde erschien.

Ich fragte ihn, was er sich bei diesem Entwurf gedacht habe.

Man müsse vielleicht, sagte Gussjew bescheiden, drüberbügeln, es handele sich um einen Versuch.

Gehen Sie dahin, sagte ich resigniert, und bügeln sie drüber – woran er neuerdings leide?

Alles InsOrkus, sagte Dr. Gussjew und zog mit seinem Entwurf ab.

Papa leistete mir im Büro Gesellschaft, sein regsamer Geist schwebte sozusagen neben mir, und ich hielt wieder einmal Zwiesprache mit der Urne.

Alles, Papa, sagte ich, was ich anfange, verläuft im Sand oder versickert, beide Verben stimmen leider, hebt sich auf irgendwie, nichts wird fertig, vieles stockt, manches dümpelt unfroh vor sich hin, nichts Eigentliches ist in Sicht, keine Frauen, keine Kunden, oder ist rettungslos verstrickt in Kunden-Potentialität, das meiste verflüchtigt sich wie Dampf, ja man kann von einer totalen Evaporation sprechen. Was soll ich tun oder unterlassen? Nie waren die seelischen Kosten der Arbeit höher und nie derart vergeblich.

Die Urne glänzte matt, kein Geist half, Schweigen. Ging dann in den kahlen Garten und fand eine tote Taube (Altersschwäche), die ich mit einem Zinnlöffel an der Mauer begrub.

Liebes Tagebuch, du Mausoleum meines Lebens, der Ideen, der Projekte und anderer ungelegter Eier und Gefühle!

Ich mußte weinen. Es war ein extrem kurzer Ausbruch, aber dennoch erfrischend, und ich schämte mich meiner Tränen nicht.

47 Alles stagniert, vieles stinkt.

Keine Nachricht aus der Provinz (Margot), ihre Mama scheint immer noch zu leben. Das viele Leben ringsumher – auch ein Problem. Unser Dr. Fossler wurde endlich effizient und brachte eine Annonce, die überaus vielversprechend ist.

Alle Todesfälle traten mehr als zwei Wochen nach Therapiebeginn auf. Voraussetzungen dieser erfreulichen Ergebnisse waren eine adäquate Einweisung und eine sorgfältige Überwachung der Patienten sowie ein unmittelbarer Kontakt zu Ärzten in Notfällen. Ausgezeichnete Arbeit, sagte ich zu Fossler und bot ihm trotz der Bürozeit einen Weinbrand an, den er ablehnte.

Nur zwei kleine Fragen, sagte ich. Es war Montag, und ein Kammerjäger namens Happel rumorte mit seinen Giftdrüsen im Schutz einer senfgelben Gasmaske im Keller herum und vernichtete dies und jenes.

Wie heißt die Therapie und wo wird sie praktiziert, fragte ich.

Der Doktor sagte, das wisse er nicht, er habe die Annonce irgendwo ausgeschnitten, aber vergessen, aus welcher Zeitschrift.

Wo entdeckt, fragte ich und trank einen Weinbrand.

In einer Notfallpraxis in der Carmerstraße, sagte Fossler.

Was suchten Sie in einer Notfallpraxis, fragte ich streng.

Ich habe Schmerzen in den Testikeln, sagte Fossler.

Die Hitze ist schuld, sagte ich, und sehr entlastet verließ mich unser Hausarzt.

Das waren so meine geschäftlichen Unterhaltungen; Gussjew arbeitete noch immer an der dritten Fassung der Ambrosia-Annonce. Auch da wenig Hoffnung auf Effizienz, Stimmigkeit oder gar Stil.

Es waren bedrückende Gedanken, die mich im Büro heim-suchten, nicht viele, aber immerhin einige. Der schwarze Haupt-gedanke, der sich vor allem im düsteren Büro ausbreitete, hieß: es muß etwas geschehen. In der Nacht erschien mir eine Art Gespenst, glattrasiert und schäbig, in der ersten Phase des Alko-holabbaus, und sagte in einem unangenehmen Befehlston, ich müsse über Die Arbeit nachdenken, in Theorie und Praxis, ich müsse alles positiv sehen, mir eine Passion suchen und endlich Losungen für jeden Tag an alle Mitarbeiter ausgeben, um sie zu motivieren.

Wie heißt du, fragte ich den Geist, aber der gab keine Antwort, sondern verschwand mit einem Schwefelfurz.

Um nichts zu vergessen, torkelte ich an den Schreibtisch,

suchte ein Stück Papier und schrieb: Carpe diem! und für alle Fälle: Cui bono?

Ich bin wieder ins Ambrosia geflohen; in der neuen Wohnung ist es entschieden zu laut, und meine Lärmempfindungen nehmen zu. Über mir trampeln Leute ziellos durch Flure und Zimmer, nebenan rattern und heulen Waschmaschinen, es können aber auch Spülmaschinen sein, ganz unerträglich.

Alles stagniert. Fossler liegt wegen seiner rätselhaften Testikelschmerzen im Urban-Krankenhaus, ich weiß aber nicht, in welcher Abteilung man solche Schäden behandelt. Gussjew arbeitet bei verschlossener Tür frenetisch an irgendwelchen Texten. Im Magazinkeller sitzt Mergel in seinem Kabuff und wartet auf Kunden, Gott oder Donata. Eine uneindeutige Situation.

Allegra ist ein bißchen feindlich und hat uns auf eine theosophische Diät gesetzt, die Ramapurschi- Lichtkost. Zum Speien! Ich habe versucht, alles positiv zu sehen, aber es fällt mir zunehmend schwer. Wahrscheinlich ist der Alkohol auch in kleinen und regelmäßigen Dosen (wegen des Pegels) dem positiven Denken kontraindiziert. Ein kleiner Lichtblick an einem Wochenende, wenn auch ohne viel Hoffnung auf wirklichen Erfolg ...

Ich traf einen alten Schulfreund wieder, einen gewissen T.T. Böttger aus G., der gegenüber dem Ambrosia ein exklusives Bordell für reiche und betagte Klienten betreibt. Technisch betrachtet, gibt es die üblichen Verkehrsformen auf Honorarbasis, aber angeschlossen ist ein sadomasochistisches Atelier nach dem Vorbild der Gräfin Strachwitz; siehe auch Wulffen: *Der männliche Sexualverbrecher*, 1910, ein Weihnachtsgeschenk für mich, reich illustriert, authentische Photographien, humane und gelehrte Kommentare, Statistik!

Ein kleines Gummi-Studio wird auch unterhalten, aber es scheint nicht sehr gut zu gehen.

Ich fürchte, T.T.B., der in entlegenen Geschäftsideen früher so

337

agil und bunt war wie ein Eichhörnchen, unterschätzt die Schwierigkeiten einer Geschäftsbeziehung, oder er stellt sich alles zu einfach vor. Potentielle Kunden, sagte ich zu ihm, sind immer eine schöne Sache, aber ich brauche Klienten, die unmittelbar an der Grenze der Aufgabe dieser beengenden Potentialität leben, und ein mort douce sei – statistisch gesehen – außergewöhnlich selten.

B. hatte, als Besitzer immer sonniger Geschäftsideen, mit den Jahren etwas Kompaktes bekommen und wirkte jetzt wie eine domestizierte Riesenschlange, die Eichhörnchen verdaut.

Ich solle mir den Betrieb einmal unverbindlich ansehen, sagte er in einer Kneipe, und mich bei einer gewissen Marion telephonisch avisieren.

Man kann nicht unausgesetzt an Container, an Inhalt, Form und das Arbeitsethos denken. Infektionen fürchtete ich nicht, und ich fragte sehr dezent, ob der Typ Die schöne Krankenschwester im Sortiment sei, eine junge Dame mit bleichem Teint, braunen Augen mit Emailleschimmer, zierlichen Ohren, einer vollen Unterlippe und kleinen, sommersprossigen Brüsten in einem delikaten Milchton, wie ihn Baudelaire einmal in einem Gedicht beschrieben habe.

Aber selbstverständlich, sagte mein alter Freund großmütig, und ich durfte erfahren, daß er eine ganze Krankenstation unterhielt, lauter lauschige Einzelzimmer. Alle Typen der Species seien vertreten bis zur alten Soldatenschwester für nostalgische Liebhaber, und jede nur erdenkliche Therapie sei möglich.

Orgien unter Sauerstoffzelten, murmelte ich, und B. fragte, merklich kühler, nach den Rendite-Erwartungen des Instituts Ambrosia.

Nach meinen Notizen im Plummer-Calendar (stockende Agenda) führte ich die wichtige Besprechung mit T.T. B. in dem Zimmer mit der schiefen Ebene. Wenn ich nur wüßte, von wem der hübsch ausweglose Titel *Abschüssig ist des Lebens Bahn* ist. Woodhood, Huxley, Dobson?

Ich reichte keine Erfrischungen, außer Tee mit einer minimalen Dosis Rum; ein paar Störungen ergaben sich durch das Erscheinen Gussjews.

Ach, Rendite, Bilanzen, Profite, alle diese runden, klaren und definierten Begriffe schwammen in meinem armen Kopf, wie Wassertierchen in einem trüben Tümpel. Im Delirium der Klarheit, gepeitscht von der Geißel der Aufrichtigkeit, sagte ich in einem gemessenen Tonfall, die Mortalitätsquote in dieser Gegend sei mau, der Sargbestand bedenklich hoch, das Haus Ambrosia voller alter Gespenster, die man weder begraben noch verbrennen könne, meine Leber in Ordnung, die Mäuse in den Fallen und die Motten dahin.

B. sah mich schweigend an. In seinem Blick lag sanfte Resignation, sein linkes Lid zuckte. Unter diesem Blick zerdrückte ich eine Träne des Selbstmitleids.

Ich solle mich bitte beherrschen, sagte B. Ich müsse die Lage einfach sachlicher sehen, Realitätsverluste könne man sich in keiner Branche leisten, und ich müsse innovativ zu denken lernen, was jedem Geschäft förderlich sei; was ich denn vom Prinzip des Taylorismus hielte?

Automatisch erwiderte ich: F.W. Taylor, 1856 bis 1915, das dürre Gespenst der Rationalisierung. Dieser Partikel war eine Frucht zielloser Lektüre der Encyclopädia Britannica.

Ich sähe wohl überall Gespenster, sagte Freund B. und zündete sich eine Brasil an, die er beim Sprechen zwischen den wohlgenährten Lippen wandern ließ.

Fahre nur fort, sagte ich matt, ich höre zu, ich bin ganz Ohr, ich lerne.

Ich müsse ganz anders über Die Arbeit nachdenken, sagte B. und blies mir Rauch ins Gesicht; alles koste Mühe, alles verursache Kosten wie Unkosten, nichts sei umsonst, nicht einmal der

Tod; in meinem speziellen, maroden und ziemlich hoffnungslosen Fall Gottseidank! Und auch Goethe habe mal gesagt: In der Arbeit liegt das Heil.

Mein Gedächtnis hatte einen guten Tag, und ich zitierte den guten Ockham: Die Entitäten sollten nicht über das notwendige Maß hinaus vermehrt werden.

Wer zum Teufel, fragte B. gereizt, dieser Ockham war und was Entitäten seien?

Darunter verstünde man, sagte ich, die sog. Wesenheit eines Dinges, seine wahre und verborgene Eigenschaft.

Ich verstehe dich absolut nicht, sagte B. und paffte, und als er in einer hellblauen Wolke verschwunden war, fragte er: Was hast du eigentlich die ganze Zeit in England oder sonstwo getrieben?

Da erzählte ich B. in einer sehr gerafften Version meine vitale Vita. Vom Studium in Oxford und allen Restprojekten: Verhaltenspsychologie domestizierter Mäuse, Forschungen über die seelischen Kosten der Arbeit, ich erwähnte flüchtig ein Stipendium der Gerassimow-Gedenkbibliothek-Stiftung für eine Libido-Theorie, das unbestellte Feld der Geister – und Wesenheits-Evaluierung dort – damals und jetzt im Hause –; ich sprach mit Hilfe einiger Nebensätze, die ich durch eine Copula verband, über meine vielen Affären, Romanzen und Abenteuer mit der schönen Witwe Hawkins, über das Liebes-Doppel-Experiment mit den Plummer-Schwestern und ließ auch meine Experimente mit Liz Towser, der süßen Miß Illitis (leider nicht mehr anwesend), Francis Storm – ‚Wir liebten uns bei Mondlicht im Mumiensaal‘ – und Sonja Kapulski nicht aus und beschrieb zum Schluß die kurze Liebesepisode mit Miß Butcher. Muskeln aus Stahl, sagte ich, ein destruktiver Geist insgesamt, aber immer bei Appetit, und in der Liebe habe sie die bedenkliche Mentalität einer Kampfschwimmerin besessen.

Nach diesen Ausführungen bei Tee mit Rum schloß ich das

Buch meiner Abenteuer der Liebe wie einen Sargdeckel, fuhr aber mit den Forschungen fort. Ich sprach sehr nebenbei über meine intensiven wie selbstlosen Studien über den Alkohol-Abusus – teilweise abgeleistet im Selbstversuch, aber auch mit Hilfe unvoreingenommener Probanden; als ich die Meschkoswki-Methode in einem schlichten Junktoren-Modell (ohne Diagramm!) auf den Tisch legen wollte, war B., so schien es mir, eingeschlafen. Bei Holden, er wirkte angegriffen. Ich nehme an, soviel Arbeit in Theorie und Praxis hatte er nicht erwartet. Schmeichelhaft irgendwie.

Mit geschlossenen Augen sagte er ohne eine bestimmte Betonung: Intimverkehr mit Geistern, Mäusen, Witwen, Schwestern und Mumien. Ich lebte ja wie in einem ungut beseelten Wachkoma.

Der Habitus der Ironie ist eine angenehme Sache, läßt aber den Tee mit Rum kalt werden.

Es klopfte zaghaft (dreimal, arhythmisch, sehr bedeutungsvoll), und Gussjew schlich mit hängenden Pfoten in meine Klause, in der Hand eine Todesanzeige auf Büttenpapier, die er mir überreichte, während er B. mit feuchten Augen fixierte.

Nach mit außerordentlicher Willenskraft, Geduld und Schmerz

ertragenen Leiden abstarb

mein geliebtes alter Ego, mein Bruder im Geiste

der Hamlet-Darsteller (Krakau 1966), der Rasputin-Conferencier

(Moskau 19** unter der Leitung von Fürst F. Jussopow jun.)

der unermüdliche Forscher, Hermeneut und Tierfreund

F. Gussjew

Die Beerdigung findet in aller Stille statt.

Gussjew fixierte mich mit einem hoffnungslosen Blick. In seinem linken Nasenloch klebte ein Tröpfchen Blut, während das rechte Auge tränte. Ich reichte Freund B. die Annonce, an die Gussjew eine Kondolenzliste geheftet hatte, und bat den Forscher, eine Flasche Château Haut Brion aus dem Keller zu holen.

ZuTunIst, sagte er bestürzt und verschwand.

B. schien düpiert. Kein Mensch dürfe sich verrücktes Personal leisten. Er hatte ja eigentlich recht.

Fahre doch bitte fort, sagte ich. Ich bewunderte ihn aufrichtig, denn er war ein glücklicher Mensch. Seine Mobilität, sein dynamisches Ingenium und seine zerstreuten Interessen waren über jeden Zweifel oder Verdacht erhaben. Auch war er ein Sammler, ein wahrer Connaisseur; und er sammelte alles: Schätze, Mädchen, Häuser, Bernsteinzimmer, Patentfallen für Dingos, und er zeugte – dynamisch und zerstreut zugleich – hin und wieder entzückende Kinder, immer weiblich, baute Nester für die Damen, die er verließ, und war dazwischen unaufhörlich auf Reisen zwischen Moskau, Amerika, Libyen, Nabeuil und Frankenstein.

Als der Wein endlich auf dem Tisch stand, hatte ich sehr kurz die Idee, B. meine Sammlungen zu verkaufen, aber was hätte ein so rastloser, Taylor ergebener Geist wohl mit Nachttöpfen, alten Dildos, Pyramiden und Wiener Bronzen anfangen können?

Streng sagte B., es gebe statische Arbeit, die unsere Toten im Sarg verrichteten, es gebe aber auch rhythmisch-dynamische Arbeit, und Taylors glorreiche Ideen ließen sich ganz mühelos auf die Bestattungs- und Trauerarbeit übertragen. Im übrigen habe dieser Herr Gussjew in seinem Text einen korrekten Dativ verfehlt: ‚mit Schmerz ertragenem Leiden‘ müsse der Satz heißen.

Die Strukturen im Bestattungsgewerbe, sagte B. düster, seien antiquiert, aber der Wein sei gut.

Ich sagte kühl, diese Tatsachen seien mir durchaus bekannt. Dann unternimm was, rief B., überprüfe deine Betriebsabläufe, miß die Zeiten von der Leiche bis zur Gruft, und werde endlich innovativ.

Wie denn, wo denn, womit, fragte ich, und wann und auch wobei?

B. rauchte schweigend und bat mich eine Frage zu beantworten, die ihn seit seiner ersten Bekanntschaft mit einem Friedhof unausgesetzt beschäftigte: warum die Toten nicht vertikal in die terra firma versenkt werden würden?

Ich habe keine Ahnung, warum diese Methode nicht wirklich realisiert wird. Vielleicht sollte man diese Idee – einfach tiefer hinab – einmal verfolgen ohne Vorurteile; platzsparend war diese Methode allemal. Ab in die Tiefe, notierte ich in Gedanken.

B. fand unsere geschäftliche Besprechung offensichtlich fruchtlos; das Zucken seines linken Lides wurde stärker. Er sah auf die Uhr, seufzte und sagte, er müsse nach Tegel; ich möge mich doch einem geregelten, gewissermaßen experimentellen Trunk ergeben, solle aber während meiner Forschungen die Firma McKinsey bestellen; vielleicht sei es für mich am besten, eine Kampfschwimmerin zu heiraten, die hätten etwas, das ich meinen Studien einverleiben könne.

Achja, dann flog er über Frankfurt nach Moskau, mein mobiler, unbedenklicher Freund, um seinen dynamischen Blick auf neue Geschäfte zu richten: hüllenlose Geschosse, Biberfelle oder russische Puppen. Das Bordell, das eine Quelle effizienter Geschäfte hätte werden können, stieß er ein Jahr später ab, trotz einer frischen Truppe blutjunger Tscherkessinnen mit dämonisch-mongolischen Augen in Rotkreuz-Kostümen über Habella-Dessous.

Ich bin ganz sicher, er hätte zwanzig Jahre früher das Bestattungsgewerbe revolutioniert. Dieser Gedanke, der für mich freilich kontraproduktiv war, erreichte mich wie die Stimme eines Flaschengespenstes, als der Grund der Flasche Château Haut Brion endlich erreicht war.

Wer immer der Geist gewesen sein mochte – Trester, Holden oder ein anderer, ich muß als Unternehmer über den Begriff

Arbeit rigoroser nachdenken, jenseits oder diesseits der seelischen Kosten. Auf ein lindgrünes Karteiblatt in einem unauf-
fälligen Format notierte ich die Schlachtrufe:

Tageslosungen müssen her!

Eine Passion suchen, aber welche? Arbeitsethos für alle!

Am Positiven arbeiten!

Keinen Alkohol vor 20 Uhr, danach auch nur mäßig. Eine
andere, konträre Atmosphäre durch Ortswechsel.

Ich mietete am Savignyplatz eine Wohnung mit vier kleinen und einem großen Zimmer und richtete sie getreulich so
ein, wie die Pension der Witwe Hawkins – nur ohne Mitbewoh-
ner, Witwe, Dobson und White Devil. In einem der kahlen Zimmer lebte ich wie Montaigne in seinem Turm, den Rest der
Räume besiedelte ich mit Schreibtischen und Stühlen für die
großen Projekte.

Carpe diem!

Ich hielt mich eine Woche bedeckt und arbeitete rastlos; ja,
man kann sagen, bis auf das stille Refugium von zwölf Stunden
Schlaf beinahe unaufhörlich.

Mergel schickte mir einen Brief der Witwe, den er zufällig (er
ist ein Trottel, den man ausschließlich in Kellermagazinen
beschäftigen muß, in denen er nichts anrichten kann) unter der
Marmorkonsole des ovalen Spiegels in der Haupthalle gefunden
hatte; er war zwei Monate alt. Es waren recht vermischte Mittei-
lungen aus der Witwe nebligem Jammertal, freilich alles Fakten,
zwar schon leicht verblaßt und nicht mehr ganz taufrisch, aber
alle von außerordentlichem Interesse. Die Hawkins hatte einen
ziemlich wilden Briefstil entwickelt; vielleicht, wie ich den
Novitäten aus dem Hause entnahm, unter dem Druck von Leid
oder Streß.

Dobson, der Kammerjäger, schrieb sie mit Buchstaben, die
Unterlängen wie Henkerseile hatten, absolut durchgeknallt! Was
war geschehen?

Die Liebe zur Kreatur macht die schönste Liebe kaputt, schrieb die Witwe klagend, dagegen ist Husten nichts hätte er sich zu Tode gehustet, es wäre immer noch ne hübsche Liebesgeschichte geblieben aber eines Tages während einer Flaute mit Husten dafür schwarzen Gedanken an die Vergangenheit hat er konvertiert und wenn Kammerjäger konvertieren ist's schlimmer als unter Christen das sag' ich Ihnen. Wie konnte ich nur, hat er gegreint, diese süßen göttlichen Wunder der Natur ...

Wir hatten nämlich so einen BBC-Film über Tiere gesehen Wunder des Lebens oder Liebesspiele mit Tieren oder so ähnlich auch über Insekten Libellen und anderes Zeug und er heulte vor dem Fernseher während er hustete und Whisky trank. Und wissen Sie, was er jetzt macht?

Alfred, Sie sind ein Idiot, was Frauen betrifft, aber sonst ist Ihnen nichts menschliches fremd. Ich muß Dobson nämlich abstoßen, d.h. loswerden, denn er sammelt Schnecken und setzt sie auf die Glasplatte des Eßtisches und sagt schau nur wie sie zierlich auf ihrem eigenen Schleim kriechen ... und er öffnet die Fenster für fette grüne Schmeißfliegen, die an schwülen Tagen einen regen Verkehr von den Scheißhaufen draußen zu unserem Heim unterhalten ... und Mäuse fängt er in Humanfallen das sind welche mit Löchern und die Biester leben und er gibt ihnen Cheddar zu fressen und der Höhepunkt, nicht meiner! sondern in der Entwicklung des ganzen Unglücks war die Sache mit der Schabe ... Wir wohnten uns wieder mal bei, nachdem ich ihn gebadet hatte, und weil ihn die Tierliebe so geschwächt hat, mußte ich oben. Position Andromache heißt's in meinem klugen Buch. 144 Positionen von 18 bis 80. Und er pumpte und machte, da hab ich mal ein Auge riskiert, Blickkontakt zwischen Liebenden muß sein – und entdecke in seinen weißen Haaren vorne eine kleine Kakerlake, vielleicht n Babytier, wer weiß und das hält sich mit den drahtigen Beinchen an seinen Haarspitzen fest ... und Dobson pumpt, das Ding verliert das Gleichgewicht ... ich glaube, es war das 17. Stößchen meines Jägers ... und springt mir auf die Nase und von da krabbelts über meinen Mund und verschwindet, wo man's nicht mehr sehen, sondern nur noch spüren kann. Ende, sag' ich, mit der Love-Story; er kriegt noch Essen und seinen Whisky, aber die Stimmung ist hin.

Positives hatte die Witwe nicht zu berichten.

Die Sister Plummer haben Zwillinge von den Zwillingen bekommen, für die Forschung bestimmt von geringem Interesse. Nun herrscht, schrieb die Witwe befriedigt, totale Konfusion, denn keiner weiß, wer mit wem wann was gezeugt hat, aber da sich alle unglaublich ähnlich sehen, ist das auch egal.

Casullo wohnte noch immer mit seiner Himba-Frau (Kaokaland) in einer bauchigen Hütte, und, wie ein befreundeter Anthropologe mitgeteilt hatte, war auch er noch immer bedeckt mit der praktischen Schicht aus Ziegenbutter und Eisenoxyd und schrieb an einem Buch über seine Erlebnisse. Harding war, mit seinen Libido-Theorien, in der Londoner Schwulenszene abgetaucht und ließ nichts von sich hören; und Clemm endlich, mein alter Freund, hatte in Kent eine Praxis für verhaltensgestörte Fische eröffnet, die sehr florierte.

Der blinde Stockton, und das war beklagenswert, hatte schon im September seine Frau Mutter mit einem Hundehalsband erwürgt; der eifersüchtige Schäferhund hatte ihn dafür gebissen, etc. Leider wußte die Witwe nicht genau, was aus Stockton und dem Hund geworden war.

Ich wünsche ihm nur das Allerbeste, schöne Impressionen auf Mitternachtsblau und eine sanfte Meeresbrise.

Eine interessante Entwicklung hatte Oshima, der Brandstifter, durchgemacht, der jetzt in einem Irrenhaus in der Nähe von Tübingen sitzen soll; er hatte in Deutschland seinen feurigen Kampf gegen die Lagerstätten und Kolumbarien der deutschen Philosophie wieder aufgenommen und war der Schrecken aller Bibliotheken; er verschonte nur Stadtbüchereien, belletristische

Sortimente und Antiquariate. Die Witwe schrieb: Hyatt ist berühmt. Schreibt jetzt giftige Kurzkritiken über Romane und geißelt die Grammatik.

Nahe am Finale des so reichhaltigen Briefes wurde Dr. Searl erwähnt, an dessen Schicksal mir lag. Er habe, schrieb die Witwe, seine Indianerin in ein Reservat abgeschleppt, in einem Jeep, und im Morgengrauen auf der Schönheitsfarm The Elms abgeladen, wo sie peinliche Diäten machen mußte. Über Stagnationen oder Fortschritte erfuhr ich nichts. Lieber Alfred, geben Sie auf sich acht. Auch Sie sind durch die Kreatur gefährdet, denken Sie an die Mäuse.

Suchen Sie sich ne hübsche, auch gelehrte Maus meinetwegen, und machen Sie ein paar Kinder, Mädchen sind immer gut.

Sie hoffe, das Bestattungsunternehmen sei ‚ein voller Erfolg unter geblähten Segeln‘ und wünschte mir ‚massenhaft viele Epidemien and much much more‘.

Ihre alte Rose.

Ich war leicht gerührt und freudig erregt gleichzeitig; es ging anderen nicht besser und nicht schlechter. Ich schickte der Witwe zwei Kisten Château Livran und einen Brief, der mit getrennter Post abging.

Liebe Mrs. Hawkins, an der Tierliebe ist generell nichts direkt Falsches, wenn die Objekte die richtigen sind. Aber denken Sie an den Heiligen Franziskus, der auch für mich eine zeitlang ein Idol war, der liebte alle Tiere ohne Ausnahme! Eine Dame war einmal im Spiel, sie hieß Margot, aber irgend etwas an mir muß ihr mißfallen haben, so daß wir einen – immerhin herzzerreißenden – Abschied nehmen mußten. Alles Gute.

Ihr Alfred.

48 Das Krankenhaus, ein Privatsa-
natorium für mittelschwere Fälle, liegt im Grunewald. Vom Bett
sehe ich einen Park und eine hohe Mauer aus Ziegelsteinen.
Mein Einzelzimmer hat eine Klimaanlage, die rhythmisch seufzt
und immer ‚Aha' sagt, indem sie die zweite Silbe dehnt.

Allmählich geht es mir schon so gut, daß ich mit einem Halm
aus Plastik trinken kann. Der Gebrauch der Schnabeltasse fällt
mir immer noch schwer wegen des gewaltigen Tremors. Ich habe
seit vier Tagen das Trinken reduziert, weil das Urinieren mit
Hilfe der Bettente eine peinliche Sache ist; bei der Bettpfanne
bedarf's nur der Geduld und der Lektüre.

Dr. Nappier ist ein Schüler des großen Feuerlein, ein richtiger Experte, und wendet die Meschkoswki-Methode an, aber
ich weiß nicht, ob ich den Namen richtig verstanden habe
und was die Methode in meinem Zustand für eine Bedeutung
hat.

Das Schreiben fällt mir wegen des Tremors auch nicht leicht,
aber ich muß alles aufschreiben, weil mein Gedächtnis nicht
richtig funktioniert. Manchmal habe ich das Gefühl, es leckt wie
ein alter Kessel.

Eine Schwester Margot ist auch vorhanden, die mir jeden
Wunsch von den Augen abliest, aber vielleicht heißt sie gar nicht
Margot.

Ach ja, so eine akute exogene Psychose zieht alles in Mitleidenschaft, nur die Leber schweigt gekränkt vor sich hin, alle
anderen Organe sind rege und rühren sich mit Macht.

Schlafen, schlafen, nichts als schlafen, kein Erwachen, keinen
Traum, wie's in einem alten Gedicht heißt. Schnebel, Rebel oder
so ähnlich heißen die Verfasser und Leidensgenossen.

Gestern besuchte mich Gussjew; auch er sah noch mitgenommen aus, aber sein Gedächtnis ist in Ordnung, auch wenn er sich,
wie ich denke, an die falschen Dinge erinnert.

In den ersten Tagen beugte sich auch der gütige Ziegenbart Dr. Fosslers über mich, erst Fuß- und dann Kopfende. Er streichelte meinen Bauch und wollte dann meine zurückweichende Wange liebkosen.

Mergel erschien nicht, und auch Schwester Allegra vermied einen Besuch; oder sie waren da und erwischten mich in der Schlafphase.

Im übrigen unruhige Träume, aber keine Halluzinationen mehr.

Merkwürdig, sagt mein Neurologe immer, keine Auffassungs-störungen und auch keine illusionären Verkennungen mehr; Sie haben eine Pferdenatur, Herr Kacz.

Am ersten oder zweiten Tag gab man mir eine Schnur mit einem Klingelknopf.

Sie leiden, sagte Nappier mit einem ekstatischen Zug in seinen kornblumenblauen Augen, an ganz herrlichen Tageshalluzinatio-nen mit persekutorischem Charakter von ganz ungewöhnlicher Beharrlichkeit, Reinheit und Intensität.

Ich bat ihn, den Terminus zu übersetzen.

Verfolgungswahn-Ideen, sagte Nappier befriedigt. Mäuse, Schaben, zusammengewachsene Schwestern, Witwengenitale im freien Flug mit geflügelten Schaben, brennende Bücher etc. Ich kriege nicht mehr vollständig zusammen, was mein Arzt voller Entzücken delirierte, aber das waren die wesentlichen Elemente.

Am vierten Tag fragte ich die Schwester nach ihrem Namen. Sie hieß natürlich nicht Margot, sondern Anita.

Ich muß Gussjew endlich aus dem Zimmer entfernen. Sein Gedächtnis ist doch mangelhaft; vorgestern riß er mein Fenster auf und schrie: Luft! Ich habe das Gefühl, als wolle er mich nie wieder verlassen. Ein entsetzlicher Gedanke.

Einmal fragte ich in aller Klarheit: Gussjew, was passierte, was geschah, welche Lage ergab sich durch welche Ereignisse, die durch welche Fakten bestimmt waren. Und Gussjew seufzte, gurgelte gerührt in seiner Kehle und erwiderte: Waren schlimme Fakten das, aber man muß sie anerkennen. Ich persönlich habe seit dem großen Meschkoskwi eine geradezu religiöse Inbrunst betreffend die Anerkennung von die Fakten.

Welche Fakten, fragte ich, lassen Sie sich doch nicht alle Würmer aus der Nase ziehen.

Ist Scheiß-Metapher deutsche, sagte Gussjew voller Ekel, aber ich will versuchen. Es war ein Tag im August und schrecklich heiß, und wir taten schwitzen wie die Schweine, während es war ein Montag, wo war Festfeier zum Geburtstag vom toten Victor – und wie Daten wollen, einen Tag später ihr Geburtstag: zuerst Victor, sodann Alfred am Dienstag.

Ich richtete mich so hastig auf, daß ich mit dem Hintern von der Bettpfanne rutschte, ich entglitt ihr oder sie mir – auch dieses kleine Ereignis ergab nur eine banale Tatsache –, stöhnte und sagte, oh Gott, die beiden Geburtstage.

Gussjew floh zur Tür.

Sind Sie noch bettflüchtig, fragte er, oder ist nur normale psychomotorische Unruhe nach Anfall?

Körper, Geist und Seele, sagte ich gefaßt, warteten lediglich auf den Terminalschlaf.

Allmählich – Gussjew hatte sich unter dem Bett versteckt, oder wusch sich wieder einmal hinter dem Plastikvorhang manisch die Hände – dämmerten mir zarte Erinnerungspartikel, die aufstiegen, wie Kohlesäurebläschen in einem Glas Bier.

Den Geburtstag Papas begingen wir, und es ging schief, weil uns für die vier Kisten Rotwein, Weißwein und Porter (gegen den Durst beim Trinken) die Grundlage fehlte.

Allegra legte uns an diesem Abend, Prost, Papa, die August-Lichtkost auf die Tafel. Sauermilchsuppe mit Grünkernschuppen, mit geschundenen Haselnüssen gefüllte Paprikaschoten, Kokosmilchbrei und als Dessert Grünmaispudding à la Tagore.

Ja, es ist sicher, daß es eine Frage der Grundlage war.

Die Stimmung war insgesamt nicht schlecht, aber gedämpft. Allegra trank nur Wasser. Mergel wurde weinerlich, niemand weiß warum. Gussjew wollte vor dem Herd eine Metamorphose fabrizieren, kam aber mit diversen Kochtöpfen in Konflikt. Ich saß still und erstarrt, wie so oft beim systematischen Trinken nicht ganz in dieser Welt, auf meinem Stuhl, während ich hin und wieder mit einer grünen Fliegenklappe auf die Hände von Dr. Fossler schlug, der mir an die Wäsche wollte.

Gegen zehn Uhr abends, wir waren alle noch so gut wie nüchtern, holte Allegra aus ihrem Busen (ich weiß es nicht mehr) ein Stück steifes Papier, das sie mir reichte. Es war das Testament Viktors, und nicht ich war der Alleinerbe des Institutes (der Magazine, der Särge, der Sammlungen und der Schädlinge), sondern Allegra.

Ich war, gelinde gesagt etwas überrascht. Aus diesem verständlichen Grund trank ich mehr, als mir bekam, und legte damit – und wegen der Lichtkost – die Grundlage für das Festdebakel am darauffolgenden Tag.

Das sei, sagte ich so ungefähr zu Allegra, die schönste Nachricht, die ich je an einem Geburtstag erfahren habe.

Sie müssen anfechten, sagte Gussjew, Sie sind der geborene Bestattungsunternehmer von Genie und Fluenz.

Was immer Gussjew damit gemeint haben mochte, er war im Unrecht.

Mir fällt, sagte ich zu den anderen, ein Stein vom Herzen. Als Angestellter, liebe Allegra, kann ich Ihnen mehr Kompetenzen antragen, als Sie denken, ich beglückwünsche Sie von ganzem Herzen, und dann legte ich eine uralte Platte von Monteverdi auf, um die Testament-Sache extra zu begehen. Wie ich ins Bett kam, das weiß ich leider nicht mehr. Aber im Flur war mir Gussjew Stütze und Stab.

Die Erinnerung funktioniert wieder.

Gussjew, die treue Seele, füllte mir eine Büchse Bier in meinen Plastikzylinder. Es sah haargenau aus wie Urin, aber wer hätte in meiner Lage ästhetische Bedenken. Leider wird man mit Strohhalmen schnell betrunken.

Die Erinnerung an den Dienstag nach dem Montag, das war die Reihenfolge! ist wieder intakt.

Für meinen Geburtstag bat ich um Bouletten und Kartoffelsalat, eine Speisefolge, die Allegra billigte; es sei mein Geburtstag.

Den zweiten Abend feierten wir abermals in der Küche, wieder sehr stimmungsvoll.

Wir fingen mit einem Pils an, leiteten mühelos über zu ein paar Lagen Guinness, das vor Festfreude nur so schäumte, und noch vor dem ersten Wein baute man mir die Geschenke auf. Ich war wirklich gerührt. Geschenke hatte ich nicht erwartet, vor allem nicht so viele. Die Objekte hatten alle, muß ich annehmen, spezielle, streng ausgedachte Bedeutungen.

Dr. Fossler schenkte mir ein Tränenfläschchen aus der Goethezeit. Allegra hatte ihr Präsent in fleischfarbenes Seidenpapier gehüllt: Die Gedichte Sapphos.

Die Mergel-Gabe war pragmatisch: Ein Dampfdrucktopf.

Man könne, sagte er, die Kochzeiten dadurch abkürzen und sich wichtigeren Dingen widmen.

Nach einer Weile zog Gussjew ab und brachte eine schwarze Schachtel im Format DIN A 4, auf der mit Silberstift geschrieben stand: *Annalistische und analytische Beschreibung des Hauses Kacz seit zwei Monate.*

Ist, sagte er, ein Entwurf! Eine Art auch von Konvolut.

Drei der Blätter waren eng beschrieben, kaum lesbar und umzingelt von Ausrufezeichen.

Ein letztes Geschenk blieb übrig, verpackt in Alufolie. Von Margot, sagte Allegra mit einem sonderbaren Lächeln.

Mein Herz fing an zu klopfen, meine Hände wurden naß, und mein Mund trocknete aus.

Margot hatte wahrlich voraus gedacht und die Kunst der Vorausschau ist ja immer ein Zeichen von Intelligenz; ich vermißte das Gefühl. Es handelte sich um eine kleine Plastikapparatur mit Schlauch, eine sog. Trinkhilfe für immobile Menschen im Falle der Selbstversorgung durch Unfall, Alter oder Gebrechlichkeit', ein Zitat aus dem Prospekt; es war einleuchtend und zeigte eine goldene Zukunft.

Viele Gedanken auf einmal, ungeordnet, aber sehr vorhanden, und alle haben eine gewisse Bedeutung, schön das, viel Klarheit auch in der Kunst der Vorausschau (Schlüsse und Entschlüsse uswf.), leider noch sehr schwach in der Retrospektive.

Organismus hochgradig vergiftet, sagte Dr. Nappier mit großer Befriedigung.

Das Leben ein Rausch ... umgeben von Geistern, Gespenstern oder Wesenheiten, aber nun ist Schluß mit dem Rausch. Man muß die Dinge nüchtern betrachten, die Tatsachen überprüfen und alles im Licht der Erfahrung kontrollieren – und die Kontrolle habe ich bedauerlicherweise komplett verloren. Nüchtern betrachtet, muß ich sie alle abschaffen, sind sie doch ohnehin Chimären; die Population meiner Halluzinose muß endlich reduziert werden, sie ist ohnehin zu schwatzhaft. Ein Geist mit einem russischen Namen hat sich eingeschmuggelt; blutete sogar aus der Nase und vergoß so gut wie echte Tränen, aber ich, Alfred Kacz, lasse mich nicht mehr täuschen.

Die Namen, die Gesichter und die Ereignisse verlassen mich allmählich, während ich in einem Bett mit Gittern liege und einfach nur unabgelenkt nichts als bin.

Ich hätte die Reise nach B. nie unternehmen sollen, oder vielleicht erst nach einer umfassenden Therapie bei den Anonymen

Alkoholikern in der Gesellschaft von Mr. Jenkins, dessen Setter Guinness-Trinker ist.

Die Erscheinungen, die man abtun muß, sagt Hume an einer Stelle, werden nicht vollständig ephemer, aber durch den Willen allein sind durchaus nennenswerte Verflüchtigungen möglich.

Ein bleicher Herr ist gestern (Sonntagvormittag) in meinem stillen Zimmer einfach so erschienen und sagte, sein Name sei Gossjuw oder so ähnlich. Da habe ich mich aufgerichtet, seine schwimmenden, leicht blutunterlaufenen Augen fixiert (es war ein strenger, aber ethisch–human irgendwie guter Blick) und habe sehr prononciert gesagt: Mein Herr, Sie existieren nicht, und sollten Sie faktisch wirklich und tatsächlich existieren, dann wäre es nicht wünschenswert, daß Sie existieren, aber das ist Ihre Entscheidung, mit der ich mich nicht weiter plagen mag – ich schließe einfach die Augen, sobald ich sie öffne werden Sie verschwunden sein.

Eine Stimme mit einem osteuropäischen Akzent sagte sehr traurig: Wir hätten eine neue Abtei von Theleme gründen können ... und ging mit hängenden Schultern langsam hinaus.

Nach dem Mittagessen (Rouladen in Biersoße mit Rotkohl, schien es mir, aber Geschmackssensationen können täuschen) redete einer mit gütiger Stimme auf mich ein. Den Namen habe ich vergessen – es waren zwei Silben – und ich weiß noch genau, was er so ernst zu mir sagte: Lieber Alfred, besinnen Sie sich (oder denken Sie nach), das Institut Ambrosia ruft nach Ihnen. Die Magazine, die Särge, die potentielle Kundschaft und die toten Klienten verlangen den Umgang mit Ihnen. Auf den Friedhöfen hörte ich Klagen: *Nos ossos que aqui estamos, pelos vossos esparamos.* Zu deutsch: Wir, die hier Versammelten Gebeine, warten auf die Euren.

Wieder fixierte ich den Herrn, der mir vage bekannt vorkam, ein einstmals virtuoser Lagerbier-Trinker, und sagte: Ich kenne

Sie nicht, unterlassen Sie Ihre peinlichen Insinuationen und verpissen Sie sich.

Dann kam lange Zeit kein Besuch, nur Schwester Anita um 17 Uhr mit ein paar belegten Broten und Tee, leider wurde ich doch noch von einem Frühabendbesucher heimgesucht, einer strengen Dame mit einem Dutt, sehr knochig, aber schöne Brüste unter schwarzer Spitze, die streichelte meine Wange mit eiskalten Fingern und sagte, eine gewisse Margot warte und eine schöne Zukunft.

Eine Margot, erwiderte ich, existiere nicht, und sie solle die Zukunft InsOrkus tun.

Traumlos geschlafen, d.h. kann mich nicht mehr erinnern an substantielle oder verstörende Träume.

Nach dem Mittagessen, als ich wieder schlafen wollte, erschien der letzte Besuch, ein ziegenbärtiger, älterer Herr, unter dem Arm ein Buch. Während er sprach, schüttelte ich ununterbrochen den Schädel voller Kopfweh.

Kommen Sie zu sich, Alfred, sagte der Herr, Sie simulieren wie Ihr toter Herr Papa! Sagen Sie nichts, denken Sie nur nach. Hier ist ein Buch, in dem Sie entdecken können, daß es weit schlimmere und weit schönere Schicksale gibt als Ihr triviales, vom Suff bestimmtes. Und ich solle immer daran denken, daß nicht alle Krankheiten zum Tode führten. Auch er verschwand so schnell wie die anderen. Recht bedacht, sind sie doch alle freundliche Gespenster, moralisch aufdringlich vielleicht und gänzlich uneingedenk der seelischen Kosten der Arbeit, die das Zuhören macht, aber sollten sie überhaupt nicht mehr kommen, werde ich sie vermissen.

Wie geht's uns, fragte Dr. Nappier heute.

Uns geht es Klasse, sagte ich, wir möchten nur wissen, was Stockton, dem Blinden, wirklich zustieß, denn die Version ‚Stockton erwürgt seine Mutter mit einem Hundehalsband' ist für einen Geisteswissenschaftler recht unglaubwürdig.

Der Doc versprach, sich über diesen Fall zu informieren, und schenkte mir ein besinnliches Lächeln, das nichts Gutes verhieß.

Anita hat die schönsten Beine, die man sich nur denken kann, ihre Kniekehlen sind ganz unglaubwürdig sahnig und süß. Sie neigt leider zu unkalkulierbaren Gerührtheiten, die dem souveränen Gefühl nicht gut tun, und ich wies sie auf diesen Umstand hin.

Sie will sich fürderhin zusammennehmen. Gut so. Warum nicht auch.

Nappier teilte mir bei der Visite mit, Freund Stockton habe seine Mutter mit einer ihrer Stricknadeln geblendet wie einen Kanarienvogel.

Ob sie denn jetzt sänge, fragte ich, freudig bewegt darüber, daß Jeremy die Mutter nun endlich doch an seiner Welt beteiligen wollte.

Das sei ihm, sagte Dr. Nappier, nicht bekannt.

Ich war trotz der lückenhaften Geschichte befriedigt über diese Informationen, und ich sah mit allem Scharfsinn, daß ich noch viel zu korrigieren hatte. Die seelischen Kosten mögen hoch sein, aber es lohnt sich.

Das Buch-Präsent war übrigens eine Ausgabe des Briefwechsels zwischen Heloisa und Abaelard, jenem Philosophen, der schon vor seinem fatalen Entmannungsmißgeschick bemerkt hatte, wie groß die Unterschiede zwischen Menschen und Wörtern sind und daß alles auf Abstraktion beruht, *Vox* hin oder *Sermon* her. Wie im Traum las ich den Satz Abaelards: In unserer Gier genossen wir jede Abstufung des Liebens, wir bereicherten unser Liebesspiel mit allen Reizen, welche die Erfinderlust ersonnen. Wir hatten diese Freuden bis dahin nicht gekostet und genossen sie nun unersättlich in glühender Hingabe, und kein Ekel wandelte uns an.

Diese Stelle rührte mich, Psychose!

Und ich beschloß sofort, durch einen Brief die Erinnerungen an die süßen Triolen mit den Plummer-Schwestern aufzufrischen. Schließlich muß man sich vernünftigerweise an die Erinnerungen halten, die man hat, und darf nicht Phantome jagen, die keinerlei Bedeutung haben.

**Gefördert durch ein Stipendium
des Deutschen Literaturfonds**

Klett-Cotta
© J. G. Cotta'sche Buchhandlung Nachfolger GmbH, gegr. 1659
Stuttgart 1999
Fotomechanische Wiedergabe nur mit Genehmigung
des Verlags
Printed in Austria
Schutzumschlag: Philippa Walz, Stuttgart
unter Verwendung eines Fotos von
Derek Gardner / © Tony Stone Bilderwelten
Gesetzt in der 10,5 Punkt Times Roman
von ReproGraphia Medienhaus, Lahr
Auf säure- und holzfreiem Werkdruckpapier gedruckt
und gebunden von Wiener Verlag, Himberg

ISBN 3-608-93459-6

Brigitte Burmeister:
Pollok und die Attentäterin
Roman
312 Seiten, gebunden, ISBN 3-608-93525-8

Zufällig treffen sie sich in Berlin auf der Straße: Ines und
Karenina. Sie waren an der gleichen Uni. Nun ist aus Ines eine
karrierebewußte Journalistin geworden, die im Café von ihren
Recherchen erzählt: Sie ist hinter der Geschichte des Karl Weiss
her, auf den ein Attentat verübt worden ist, das allerdings
fehlschlug. Nun ist auch seine Biographie erschienen, verfaßt von
einem Ghostwriter. Doch der ist verschwunden.
Von den Nachkriegsjahren bis in unsere Tage reichen die
Lebensspuren der schwer zu durchschauenden Figur Weiss,
Opportunist und »Repräsentant«, wie es heißt, »des Verrats
im 20. Jahrhundert«. In beiden deutschen Staaten hat er
es zu Ansehen und Führungsämtern gebracht, nun droht
ihm die Retusche am Selbstbild-nis zum Verhängnis zu werden.
Zunehmend fasziniert übernimmt Karenina die Suche nach der
Wahrheit, vor allem interessiert am Schicksal der Attentäterin.
Was läßt sich zuverlässig aussagen über die Vergangenheit eines
Menschen? Diese Frage umkreist Brigitte Burmeisters Roman mit
jeder neuen, überraschenden Wendung des Falls. Ein eminent
politischer Roman, figurenreich und brillant erzählt.

Klett-Cotta

Patrícia Melo:
Wer lügt gewinnt
Roman

Aus dem Brasilianischen von Barbara Mesquita
216 Seiten, gebunden, ISBN 3-608-93522-3

Fulvia ist Schlangenzüchterin und sonst sehr nett. Das jedenfalls findet Guber, ein ambitionierter, wenn auch mäßig erfolgreicher Krimiautor, als er Fulvia im Schlangeninstitut besucht. Er recherchiert gerade Gifte für einen Mord. Es sollte etwas möglichst Originelles sein. Denn sein Verleger ist in letzter Zeit ziemlich unzufrieden mit den Manuskripten. Was Guber schon deshalb kränkt, weil er seine Krimis neuerdings von den großen Meistern abschreibt: Edgar Allan Poe, Chesterton, Patricia Highsmith, Agatha Christie, Chandler – alles nicht blutrünstig genug. Deshalb der Besuch bei den Schlangen.
Fulvias Charme und eine sich wie von selbst entwickelnde Liebesgeschichte sind, wie sich allmählich herausstellt, nicht völlig selbstlos. Fulvia nämlich interessiert sich für Kriminalfälle, weil sie selbst ein kleines Problem hat: sie versucht seit einiger Zeit, bisher erfolglos, ihren Mann Ronald umzubringen. Ein Kriminalschriftsteller sollte eigentlich für dergleichen der perfekte Partner sein.

»Die Leute denken immer, Schriftsteller schreiben über das, was sie fasziniert«, sagte Patrícia Melo zum FOCUS. »Ich glaube dagegen, sie schreiben über das, was sie fürchten. Ich erzähle von Verbrechen und vom Tod, weil sie mich so sehr schockieren.«

Klett-Cotta